LAURENT LE MAGNIFIQUE

IVAN CLOULAS

Laurent le Magnifique

Fayard

AVERTISSEMENT

Pour la commodité du lecteur, les formes françaises de noms et prénoms, couramment employées dans les ouvrages historiques depuis plusieurs siècles, ont été conservées : ainsi la famille « de Medici » est nommée « de Médicis » et « Lorenzo », Laurent. Cependant on a utilisé les formes italiennes originales pour désigner les personnages moins connus : ce parti permet de garder au récit une plus grande authenticité par rapport aux sources.

Les dates indiquées correspondent aux années civiles actuelles et non aux années florentines qui commençaient le 25 mars, jour de l'Annonciation.

« *Les demi-dieux enfants des dieux
étendent la dépouille des lions sur les bûchers
et se consument au sommet des montagnes.* »

MAURICE DE GUÉRIN, *Le Centaure.*

AVANT-PROPOS

Laurent de Médicis porte dans l'Histoire la réputation d'un personnage ambigu. Parmi les acteurs de la Renaissance il est peut-être celui qui offre le plus grand nombre de facettes.

Ses portraits déroutent. Lui qui se trouvait si laid nous paraît touchant avec son visage carré gravé sur la médaille commémorative de la conjuration des Pazzi, ses traits émaciés par la souffrance que révèle une peinture anonyme, son masque funèbre, tragique et pitoyable.

Ailleurs, pourtant, il resplendit, il est véritablement « le Magnifique ». Les artistes l'idéalisent : Gozzoli en fait le prince charmant de *La Cavalcade des Mages*; Botticelli l'incarne en un adolescent rêveur, fier et farouche ; Ghirlandaio, plus tard, le montre serein, doucement souriant, dans la plénitude de l'âge mûr ; Verrocchio, et après lui Bronzino, retiennent l'apparence digne de l'homme d'Etat responsable, guidé par la seule froide raison.

Les contemporains de Laurent ont été sensibles au foisonnement de sa personnalité. Ecoutons Machiavel, l'admirateur de son action politique : « Il fut au plus haut point aimé de la chance et de Dieu : toutes ses entreprises connurent le succès et celles de ses ennemis échouèrent... Sa façon de vivre, sa prudence et sa réussite furent admirées et estimées des princes de l'Italie et des pays lointains... Sa réputation grandissait de jour en jour par l'effet de sa prudence : il était dans la discussion éloquent et précis, sage dans la décision, rapide et courageux dans l'exécution. Ces immenses qualités n'étaient ternies par aucun vice, bien qu'il fût étonnamment porté aux choses de l'amour, qu'il se complût à fréquenter des hommes facétieux et moqueurs et à se distraire à des jeux puérils plus qu'il n'était convenable pour un homme de son importance : ainsi, on le vit souvent se mêler aux divertissements de ses enfants, garçons et filles. En considérant comment il se comportait dans le plaisir et les affaires sérieuses, on avait l'impression qu'il existait en lui deux personnalités distinctes qui s'unissaient dans une impossible union. »

C'est sur ces lignes pénétrantes que se terminent les *Histoires florentines* dédiées en 1525 à Clément VII, second pape Médicis. Huit ans auparavant Niccolo Valori avait brossé un tableau optimiste de l'action politique de Laurent, l'érigeant en modèle à l'intention des jeunes princes Julien de Nemours et Laurent d'Urbin, à qui Léon X, le fils du Magnifique, avait confié le gouvernement de Florence.

En 1537, lorsqu'un autre Médicis, Côme Ier, prend le pouvoir, l'historien Guichardin trouve bon de rappeler dans son *Histoire d'Italie* l'exemple de Laurent : « Par sa renommée, sa prudence, son génie extrêmement habile, il apporta à sa patrie les richesses, les biens et les ornements qui fleurissent dans la société lorsque règne une longue paix. »

La dynastie nouvelle, qui n'est liée à Laurent que par une lointaine parenté, s'empare de sa personne et le revendique pour ancêtre. Les peintres Vasari et Cigoli, au Palazzo Vecchio, célèbrent dans des compositions pompeuses les faits et gestes de Côme l'Ancien puis de Laurent. Le peintre Francesco Furini, dans une immense composition du palais Pitti, met en scène son apothéose, semblable à celle d'un demi-dieu enlevé au ciel.

Le Grand Siècle français n'oublie pas Laurent. L'historien Varillas, dans son *Histoire secrète de la maison de Médicis* (1687), rassemble en un récit pittoresque les anecdotes les plus curieuses. Mais, sensible aux « gratifications que le Roi Très Chrétien Louis XIV fait aux gens de lettres à la recommandation de monsieur Colbert », Varillas fonde la renommée de Laurent sur son mécénat : le Magnifique préfigure le Roi-Soleil.

A Florence, lorsque s'éteint la dynastie Médicis, le besoin de se rattacher à un glorieux prédécesseur anime le nouveau grand-duc, Pierre-Léopold de Lorraine, frère de l'empereur Joseph II, que le jeu de la diplomatie européenne vient d'installer sur le trône de Toscane. Angelo Fabroni reçoit la commande d'une *Vie de Laurent le Magnifique* (1784), ouvrage fort documenté qui présente le héros, selon la mode du temps, en despote éclairé.

Laurent est promu grand personnage de l'histoire européenne. William Roscoe, en 1795, donne au public anglo-saxon une *Vie de Laurent* d'une très grande clarté d'exposition. Elle est traduite en français par François Thurot et amplement diffusée en l'an VIII : Laurent offre en effet l'exemple d'un prince-citoyen gouvernant la République d'une main ferme, réprimant les conjurations et restaurant la prospérité, les arts et les lettres comme Bonaparte s'apprête à le faire. Cette image romantique connaît une longue faveur. Mais, progressivement, elle est précisée et même remise en cause par les travaux des érudits. *L'Histoire des Républiques italiennes du Moyen Âge* du Suisse Jean Charles Léonard Simonde de Sismondi (1re éd., 1807-1809 ; 2e éd., 1818) marque à cet effet un tournant. Elle porte contre Laurent un réquisitoire tellement sévère qu'il fut sur le point de provoquer un duel entre Sismondi et Roscoe !

« Quelle que fût l'habileté de Laurent de Médicis dans les affaires, ce n'est pas comme homme d'Etat qu'il peut être placé au rang des plus grands hommes dont l'Italie se glorifie. Tant d'honneur n'est réservé qu'à ceux qui, élevant leurs vues au-dessus de l'intérêt personnel, assurent, par le travail de leur vie, la paix, la gloire ou la liberté de leur pays. Laurent poursuivit, au contraire, presque toujours une politique tout égoïste ; il soutint par des exécutions sanglantes un pouvoir usurpé ; il appesantit chaque jour un joug détesté sur une ville libre, il enleva aux magistrats légitimes l'autorité que leur donnait la Constitution, et il détourna ses conci-toyens de cette carrière publique dans laquelle, avant lui, ils avaient développé tant de talents. »

Cependant, quelques lignes plus loin, l'auteur suisse reconnaît le « génie de cet homme extraordinaire », la protection éclairée qu'il accordait aux lettres et aux arts : « Il était fait pour tout connaître, tout apprécier, tout sentir... Il avait un sentiment si vif du beau et du juste qu'il mettait sur la voie ceux qu'il ne pouvait pas suivre lui-même. » Ainsi ressortait l'ambiguïté de Lau-rent, personnage inclassable, réunissant en sa personne les traits d'un dictateur abusif et d'un défenseur des valeurs spirituelles les plus hautes.

Pour départager les jugements, il fallait recourir aux documents. C'est ce que fit la curiosité encyclopédique des Allemands, qui s'emparèrent du Magnifique après avoir mené à bien avec Jacob Burckhardt l'étude exhaustive de la Renaissance italienne (1860). Alfred Von Reumont publia en 1874 une biographie considéra-ble, encore utile pour ses informations sur le personnage et sur les origines de la fortune familiale. B. Buser fournit ensuite des contributions très fouillées sur les mécanismes compliqués de la politique de Laurent en Italie et à l'égard de la France (1879). Les Italiens, bien sûr, ne demeurèrent pas en reste : ils donnèrent de valeureuses synthèses. Pompeo Litta débrouilla l'éche-veau de l'histoire des familles et Isidoro del Lungo éclaircit des points longtemps restés obscurs. En outre, l'œuvre poétique de Laurent fut remise en valeur. En trois siècles, trois éditions partielles seulement en avaient été données (1554, 1763, 1825) et des morceaux choisis publiés en annexe de la biographie de Roscoe. Giosué Carducci présente enfin une édition critique des *Poésies* en 1859, entraînant les historiens de la littérature, qui procurent de belles publications successives jusqu'à Simioni (1939) et Emilio Bigi (1955).

L'aspect intime que révèlent les vers du Magnifique passionne les Anglo-Saxons. Le colonel G.F. Young donne en 1910 la première édition de son *Histoire de la famille de Médicis,* sans cesse rééditée depuis. La même année, Janet Ross consacre un livre à la vie des premiers Médicis d'après leur correspondance, puis un autre aux poésies de Laurent (1912).

En France, F.T. Perrens, l'historien de Florence, flétrit les conditions de l'ascension sociale des ancêtres de Laurent avant de dénoncer la dictature du Magnifique (*Histoire de Florence depuis la domination des Médicis,* t. I, 1888). L'auteur a l'honnêteté d'indiquer ses sources, ouvrant ainsi au lecteur matière à réflexion. André Lebey, dans un *Essai* sur Laurent (1900), ne prend pas cette peine. Il revient au parti pris des panégyristes d'autrefois : « Lorenzo de'Medici m'a retenu violemment. J'ai aimé, en racontant son admirable exemple, me rendre compte de la façon dont une âme fervente et réfléchie était parvenue à museler la chimère d'un gouvernement républicain. » Bien sûr, un tel ouvrage n'est pas un livre d'histoire. Il se sert de Laurent en même temps qu'il le dessert. Tel n'est pas le cas de la belle évocation qu'en donne Pierre-Gauthiez en 1933 dans l'ouvrage intitulé *Trois Médicis.* Pour la première fois en France un auteur ne craint pas de traiter sur le même plan les qualités, défauts et même vices de cet homme, si puissant, si divers. Le récit tire parti des « trésors ingénus » des vers de Laurent. En fin de compte, le poète justifie les autres aspects du personnage : « Heureux qui subsiste comme Laurent de Médicis, en laissant après lui ce qui est la plus certaine gloire... quelques pages où la vérité brille. »

En 1937, Marcel Brion n'hésite pas à qualifier Laurent de « démocrate ». Pour le Magnifique, écrit cet auteur, « le peuple devait être amené à partager les mêmes plaisirs intellectuels que les classes plus favorisées par la fortune ; il proclamait le droit pour tous à la culture et à l'art... Son ambition était de faire des Florentins, comme des Athéniens de Périclès, un peuple de critiques d'art. C'était un idéal généreux, mais une erreur de psychologie, excusable chez un homme qu'avaient modelé les platoniciens et les poètes. »

Fred Bérence, en 1949, va plus loin encore dans cette interprétation. Son livre, touffu, s'intitule *Laurent le Magnifique ou la Quête de la perfection.* L'idéal de Laurent est désormais entièrement confondu avec celui de Périclès : « Servir le plus grand nombre, procurer l'égalité de tous devant la loi, faire découler la liberté des citoyens de la liberté publique. »

En Italie, les apports de l'érudition, les révélations des documents d'archives, les travaux divers sur la Renaissance permettent de prendre plus de distance par rapport à Laurent. C'est ce que tente Augustin Renaudet, dès 1937, dans une mise au point objective (*Hommes d'Etat,* t. II). Mais il est difficile d'évoquer froidement le personnage. Ettore Allodoli absout la vie amoureuse de Laurent : « On pourrait dire que le Magnifique fut un vrai saint en comparaison des princes de son temps : il n'a pas d'enfants illégitimes, ne fait de violence à personne... »

Roberto Palmarocchi, qui vit quotidiennement au contact des documents, en tire dans sa biographie de 1941 une leçon politique alors d'actualité : Laurent montre que seule l'unité de direction et la cohésion constituent la force des Etats.

Certes, les nombreux ouvrages de vulgarisation qui concernent notre héros et son époque ne cherchent pas tous à tirer du passé une moralité. Le dernier en date, publié par Hugh Ross Williamson, à Londres, en 1975, présente Laurent, comme « le produit naturel de son époque et de son pays : un génie de la Florence du XVe siècle, non touché par les idées plus tardives du puritanisme et de la démocratie libérale... En réalité, Laurent était *lui-même* la Renaissance et rien de l'art ou de la pensée de son temps ne peut être réellement compris sans se référer à lui et à sa carrière. »

L'intégration du personnage à son époque nécessitait un travail considérable de restitution des sources originales : cette immense entreprise est en cours depuis 1960 et ses résultats modifient radicalement, sur bien des points, les perspectives traditionnelles.

En matière d'art, les travaux remarquables abondent. Le mécanisme de la création, le symbolisme, l'échange des influences ont été révélés par des maîtres tels que Pierre Francastel et André Chastel, dont l'*Art et Humanisme à Florence au temps de Laurent le Magnifique* (1959) a fait date. Les aspects particuliers de la philosophie et de la littérature du temps ont fait l'objet d'études poussées : citons, parmi beaucoup d'ouvrages de valeur, le *Marsile Ficin* de Raymond Marcel (1958) et les ouvrages de P. O. Kristeller ; *La Jeunesse de Laurent de Médicis* d'André Rochon (1963) et l'étude technique des principes poétiques de Laurent en rapport avec le *Dolce stil novo* par Angelo Lipari (1973). Les travaux de personnalités aussi actives qu'Eugenio Garin, Christian Bec et leurs pairs dans les universités et centres de recherche d'Europe et d'Amérique ont apporté et apportent encore à l'histoire de l'humanisme mais aussi à celle de Laurent l'arrière-plan qui longtemps avait fait défaut : le précieux petit livre de Paolo Orvieto, *Lorenzo de'Medici* (1976), l'atteste suffisamment.

En matière financière la déficience des sources anciennes était grande : elle est comblée depuis 1963 par la synthèse de Raymond de Roover, *The Rise and Decline of the Medici Bank,* complétée par des contributions savantes sur le fonctionnement des filiales Médicis : une découverte fortuite en 1950, celle des livres de la comptabilité secrète des grands banquiers, avait donné le signal de cette coupe en profondeur.

Le gouvernement, la fiscalité, les classes sociales de la République florentine sous les Médicis n'étaient connus qu'à partir de mémoires ou de sondages. Ils ont maintenant leurs études de fond, parmi lesquelles il faut citer : Nicolai Rubinstein, *The Government of Florence under the Medici* (1966) ; Dale Kent, *The Rise of the Medici faction in Florence* (1978) ; et encore *Les Toscans et leurs familles. Une étude du « catasto » florentin de 1427,* ouvrage établi grâce à l'ordinateur par Christiane Klapish et David Herlihy (1978).

Enfin l'entreprise monumentale de la publication complète des *Lettres de Laurent de Médicis* est en bonne voie. Elle a été commencée par le recensement général de toutes les missives conservées à Florence, Rome, Milan, Modène et Venise. Nicolai Rubinstein préside cette œuvre remarquable. Avec Ricardo Fubini il en a édité les premiers volumes depuis 1977. Dès à présent le matériel, par son abondance — les précisions qu'il apporte sur la chronologie des événements, ses pièces annexes, traités, lettres de princes et puissances étrangères, rapports d'ambassadeurs — nous met en mesure de mieux distinguer les causes, les mobiles, les limites des responsabilités.

Remontant aux sources de la fortune du Magnifique, suivant le cheminement qui le conduit au premier rang de l'Etat florentin, nous sommes en mesure d'apprécier, chaque fois dans son contexte, l'homme politique, le banquier, le mécène et le poète — un Laurent multiple, à la fois Apollon victorieux et Marsyas écorché, tels qu'ils figurent ensemble sur le cachet de cornaline des Médicis.

Paris, janvier 1982.

PREMIÈRE PARTIE

Les racines
de la fortune

CHAPITRE I

Une
République
de marchands

Au cœur de l'Occident médiéval l'Italie offre aux hommes un accueil chaleureux. Echappant à la centralisation monarchique comme aux strictes hiérarchies féodales, elle s'ouvre largement aux influences, aux idées, aux richesses venues du monde entier. On y entre par les cols alpins, par les ports de la mer Tyrrhénienne et de l'Adriatique, par ceux de l'extrême sud, face à l'Afrique. Et par les mêmes issues sortent sans cesse de hardis aventuriers qui se lancent vers les sources du profit, les lieux d'échange et de troc, arrivant après des chevauchées et des traversées harassantes dans la lointaine Champagne, sur les rives de la Baltique, de la mer Noire ou en Asie Mineure, aux confins de la Russie et du mystérieux Orient.

Au XIIe siècle, le marchand transporte dans sa ceinture et dans les fontes de sa selle les espèces monétaires destinées à ses achats ou provenant de ses ventes. Les pèlerins et les croisés qui se rendent en Terre sainte sont pareillement munis de bourses pesantes. Brigands et pirates y trouvent leur bénéfice, mais aussi les seigneurs pillards et les hommes d'armes qui rançonnent à qui mieux mieux les voyageurs. Quand ceux-ci échappent par chance au pillage, ils peuvent être victimes d'accidents. Des périls multiples parsèment leur route, sur terre et sur mer.

Le danger rend ingénieux. On invente des défenses : le règlement des achats est étalé d'une foire à l'autre (il y en a quatre par an, en général). Héritée du système du troc, la compensation des paiements se généralise : à une vente correspond un achat et vice versa. Le problème du change des espèces est crucial. Il faut tenir compte des frappes monétaires qui font varier la teneur en métal précieux d'un pays, et parfois d'une seigneurie ou d'une ville à l'autre. Un instrument très souple est mis au point, la lettre de change, qui permet au voyageur de verser à son point de départ la somme dont il veut disposer, dans des espèces différentes, à son point d'arrivée. Le bon fonctionnement du système nécessite l'établissement à travers l'Europe de correspondants aptes à honorer un ordre de paiement. La mise en place de ce réseau se fait progressivement au XIIe siècle en même temps que se généralise la pratique de l'assurance des transports de marchandises.

Ces progrès considérables dans les techniques commerciales favorisent la croissance de la classe des banquiers et changeurs. Au marchand voyageur succède l'homme d'affaires sédentaire. Dans les ports, à Gênes, à Venise, les négociants se groupent en commandites pour la durée d'un seul voyage maritime. Ils en partagent les dépenses et les bénéfices. On part avec une cargaison et on revient avec une autre. Dans les cités de l'intérieur, Sienne, Plaisance, Florence, apparaissent des structures plus stables, les compagnies de commerce. Ces associations durent aussi longtemps que les membres le souhaitent. Les associés participent aux bénéfices et aux pertes au prorata de leur part de capital. La raison sociale de ces groupements est à la fois bancaire et commerciale. Les marchands qui en font partie offrent leurs services comme changeurs et aussi comme acheteurs et vendeurs des produits les plus variés. Cette fonction répond à une nécessité économique.

L'Italie est, en effet, une vaste manufacture employée à des industries de transformation : ainsi, l'armurerie à Milan et, à Florence, les étoffes de laine et les soieries. Les matières premières, acquises à l'extérieur, sont payées grâce à l'exportation des produits de luxe. La balance commerciale penche largement en faveur de l'Italie. Florence se distingue par la qualité de sa production sur laquelle veillent avec vigilance les corporations de métiers, ou « arts ».

L'une des premières à apparaître est chargée de l'apprêt et de l'affinage des draps. On l'appelle l'art de Calimala, du nom d'une ancienne rue, peut-être mal famée, où se trouvaient des ateliers. Les chefs d'entreprise achètent aux foires de Champagne des draps grossiers : ils les soumettent à une série de traitements dont le secret est jalousement gardé. Le drap, dégraissé, allégé, devenu moelleux, reçoit des couleurs vives. On le teint en bleu avec le pastel, en rouge avec le kermès et la garance, en pourpre violacée par une macération de l'orseille, sorte de lichen, dans l'urine. Ce dernier procédé a fait la fortune de la famille Rucellai qui a adopté comme patronyme le nom de la plante (*rocella*).

L'art de Calimala et six autres grandes corporations forment les « arts majeurs ». L'art des juges et notaires est le seul à n'être point directement mêlé au commerce, bien qu'il en assure le bon déroulement par son intervention dans les contrats et autres instruments juridiques. La liste comprend ensuite l'art des banquiers et changeurs, puis celui des médecins, apothicaires et merciers, qui font le commerce des épices et des pierres précieuses ; l'art de la laine, dans lequel entrent les fabricants locaux de draps ; l'art de la soie, dit encore de Por Santa Maria, en référence à son implantation urbaine, et enfin l'art des fourreurs et pelletiers.

Un second groupe, désigné au XIIIᵉ siècle sous le nom d' « arts moyens », comprend cinq corporations qui ne pratiquent pas le commerce international : bouchers, cordonniers, forgerons, charpentiers et maçons, mar-

chands de vêtements. Un troisième groupe forme les
« arts mineurs ». Il compte, suivant les époques, neuf à
dix corporations de petits métiers : cabaretiers et marchands de vin, aubergistes, marchands de sel, d'huile et
de fromage, tanneurs, armuriers, serruriers, charretiers,
menuisiers, boulangers. Ces artisans qui fournissent les
denrées et les produits nécessaires à la vie quotidienne
ne sont comparables ni par leur revenu, ni par leur
influence, aux membres des arts majeurs et moyens. Ce
sont, cependant, des statuts du même genre qui régissent
les vingt et un arts. Seuls les chefs d'entreprise en sont
membres. Ils s'engagent à observer la législation du
travail, les normes de production, les contrôles de
qualité, les barèmes de prix. Les responsables élus de la
corporation, consuls ou prieurs, ont le droit de sanction-
ner les contrevenants et même de les déférer à la justice
s'ils pratiquent des activités illégales, telle l'usure prohi-
bée par l'Eglise, et, bien entendu, s'ils livrent des
produits non conformes aux règles.

Les arts, organes d'encadrements, fournissent donc la
matière dûment contrôlée et normalisée de l'ensemble
du commerce local et international de Florence. Les
marchands qui constituent des compagnies pour vendre
les produits et négocier à l'extérieur n'appartiennent pas
à un seul des arts majeurs : ils sont, assez couramment,
inscrits à la fois dans l'art du change et dans un ou deux
autres arts regroupant des métiers de production.

LES FLORENTINS BANQUIERS DE L'EUROPE : PROSPÉRITÉ ET FAILLITES

La réussite financière des compagnies florentines est
liée à la conjoncture politique. Au xiiie siècle, la ville
déchirée par les luttes entre les gibelins, partisans des
empereurs romains germaniques, et leurs adversaires,
les guelfes, a vu ceux-ci triompher en 1266. Dès lors,
c'est à Florence que les papes, ennemis des empereurs,

vont demander des prêts. C'est à Florence encore que le célèbre Charles d'Anjou, frère de saint Louis, va solliciter les avances financières qui lui permettront de s'emparer de Naples et de la Sicile au détriment des descendants de l'empereur Frédéric II Barberousse.

Les marchands florentins bénéficient, par ailleurs, des faillites retentissantes de certains de leurs concurrents des cités voisines, Sienne, Lucques et Pistoia : ces banqueroutes surviennent en cascade à la fin du XIIIᵉ siècle. A Florence même, la guerre civile qui éclate en 1300 entre la faction des « Blancs » (assez proches des gibelins) et celles des « Noirs » se termine par le bannissement de grandes familles de banquiers (ainsi les Portinari auxquels appartient la Béatrice de Dante, lui-même victime de la proscription).

Les compagnies de « Noirs », restées maîtresses de la place, se livrent à une concurrence acharnée : un grand nombre d'entre elles disparaît peu à peu. La chute la plus spectaculaire est celle des Scali en 1326 : elle effraye les marchands constitués en sociétés sous l'auspice des Bardi, des Peruzzi et des Acciaiuoli. Ils décident de ne plus s'arracher les marchés et de pratiquer la solidarité. Cette attitude procure la confiance des petits épargnants. Ils prennent l'habitude de confier leurs capitaux aux compagnies qui les reçoivent en dépôt et les font fructifier dans le commerce international, le prêt et le change de place à place, tournant ainsi la prohibition de l'intérêt par les lois de l'Eglise : le rapport varie de 6 à 10 % (notons à titre de comparaison, que l'immobilier ne rapporte alors en moyenne que 5 %). Les associés des compagnies participant au capital bénéficient de dividendes qui peuvent être copieux : 15 à 40 % par an de 1300 à 1324 pour les « actionnaires » des compagnies Peruzzi, 12 à 16,50 % de 1322 à 1329 pour ceux des Alberti, mais 300 à 1 000 % pour ceux de Rosso degli Strozzi de 1330 à 1340 !

Ces énormes profits expliquent qu'au XIVᵉ siècle la République de Florence ait eu recours pour alimenter son budget à la pratique de l'emprunt public. L'intérêt normal était faible (5 %) mais il pouvait s'élever à 15 % lorsqu'on achetait des titres au rabais dans les moments de crise. L'emprunt d'Etat offrait un placement différencié à des hommes d'affaires favorisés par la réussite. De la même façon, cette réussite explique au xive siècle le développement des constructions de prestige, palais, monastères, chapelles décorées par des maîtres prestigieux comme, par exemple, Giotto qui peint les fresques des chapelles Bardi et Peruzzi dans l'église franciscaine de Santa Croce. Peu à peu, grisés par le succès, les hommes d'affaires renoncent à la prudence dans leurs placements. Ils se laissent aller à consentir des prêts aux princes. Ils en attendent des profits exceptionnels : un revenu très élevé qui peut atteindre 33,33 % et des licences d'exportation, en franchise de douane, par exemple de la laine anglaise et du blé sicilien. Les compagnies ne résistent pas longtemps à ces perspectives alléchantes et au prestige qu'elles promettent.

Au roi d'Angleterre, les Bardi prêtent près de 900 000 florins et les Peruzzi 600 000 ; au roi de Sicile, Robert d'Anjou, ils avancent chacun plus de 100 000 florins. Le chroniqueur florentin Villani a écrit que les prêts faits à l'Angleterre valaient un royaume. Ce n'est point là un effet de style. A titre de comparaison, on peut noter que l'achat d'Avignon par le pape Clément VI à Jeanne de Naples s'élève, en 1348, à 80 000 florins et celui de Montpellier par le roi de France, en 1349, à 133 000 florins. Or le roi Edouard III, devant faire face aux dépenses considérables de la guerre contre la France, ne peut rembourser ce qu'il doit aux Florentins. Les compagnies font faillite, les Peruzzi et les Acciaiuoli dès 1343, les Bardi en 1346.

Le marasme s'empare des affaires, mais, bientôt, une catastrophe autrement dramatique s'abat sur Florence. La terrible épidémie européenne de la Peste noire fauche plus des deux tiers de la population de Florence de 1348 à 1350. Plus de 80 000 morts sur une population qui pouvait approcher 120 000 habitants, peut-être 96 000 si l'on compte les victimes de la campagne proche ! Le redressement démographique, bien amorcé en 1380 (60 000 habitants), est brisé net par des vagues successives d'épidémies : en 1427, lors du dénombrement fiscal du *catasto,* on ne recense dans la ville que 37 000 habitants ! Si Florence tient alors la comparaison avec Séville et Londres (50 000 habitants), elle fait piètre figure face aux agglomérations géantes de l'Italie, Naples et Venise, qui comptent chacune 100 000 habitants.

La reprise des affaires se fait par l'intermédiaire de nouvelles sociétés constituées par les familles de marchands Alberti, Albizzi, Ricci, Strozzi, Soderini et aussi Médicis. Cette myriade d'hommes d'affaires forme des clans qui renoncent à s'entendre comme leurs prédécesseurs et qui, au contraire, cherchent à se détruire l'un l'autre. Ainsi, les Alberti, devenus puissants comme banquiers de la papauté, contraignent les Guardi à la faillite en 1370-1371. Ils s'opposent aux Albizzi et aux Ricci, mais une épreuve de force sur le terrain politique les contraint à l'exil. Leur départ ne diminue guère la classe des notables : vers 1370 on dénombre à Florence de 150 à 200 familles d'hommes d'affaires. Ce chiffre est comparable à celui de Venise. Parmi les membres de ces familles on compte 1 000 à 1 500 négociants actifs. Ce chiffre est assez constant.

Une cinquantaine d'années plus tard, lors du premier recensement fiscal de 1427, 100 familles disposent de plus du quart de la fortune de la ville, soit du sixième de la richesse totale de la Toscane.

L'ORGANISATION POLITIQUE DE FLORENCE

Un petit nombre de privilégiés détient à Florence la puissance d'argent : de la puissance économique à la puissance politique il n'y a qu'un pas vite franchi. Au xiie siècle, la ville est administrée par des consuls, plus tard appelés « anciens », issus de la bourgeoisie locale, responsables auprès du comte de Toscane (qui réside la plupart du temps à Lucques), placé sous l'autorité lointaine de l'empereur romain germanique. Le comte, les nobles des environs, qui ont une maison forte dans la ville, ainsi que l'évêque, ont tendance, là comme ailleurs, à empièter sur les droits réservés aux bourgeois. Ceux-ci font appel à un arbitre étranger, qui devient un magistrat régulier, le podestat : il est recruté pour une courte durée, un an ou moins encore. On le paye grassement pour assurer les fonctions de juge et départager les factions rivales. Mais les hobereaux du voisinage, à la faveur des luttes entre guelfes et gibelins, ne supportent pas aisément cette tutelle.

En 1250, pour les réduire à l'obéissance, il faut organiser une milice communale. On la place sous le commandement d'un « capitaine du peuple », choisi comme le podestat parmi les nobles guelfes étrangers à Florence. Ce nouveau magistrat est chargé de recevoir les plaintes des citoyens à l'encontre de la répartition des taxes et des exactions des nobles. Le podestat est maintenu comme juge au criminel et en cassation. Il est chef de l'armée à l'extérieur. Podestat et capitaine du peuple sont assistés chacun de deux Conseils. On appelle les Conseils du podestat : « Conseils de la commune », car l'ensemble de la communauté, nobles et marchands, y est représentée. Ceux du capitaine se nomment « Conseils du peuple » car ils sont uniquement formés de *popolani,* gens des métiers. Ils prennent rapidement la suprématie.

Le triomphe des guelfes en 1266 marque un progrès dans la participation du peuple au gouvernement de la ville. Les gibelins, qui en sont écartés, comptent en effet de nombreux nobles dans leurs rangs. Les chefs d'entreprise prennent le pas sur eux. L'administration de la ville est progressivement assurée par les corporations elles-mêmes, ou, du moins, par les plus importantes, les arts majeurs, à l'exclusion des juges et notaires qui participent déjà, à titres divers, au fonctionnement des magistratures : six membres élus de chacun de ces arts appelés « prieurs » forment un collège exécutif, la « Seigneurie », dans lequel ils représentent à la fois leur propre corporation et une des six divisions de la ville, les *sestieri* ou *sesti* qui ont remplacé la division ancienne de la ville par quartiers.

En 1293, les ordonnances de justice promulguées le 18 janvier ouvrent davantage le pouvoir au peuple. Les cinq arts moyens reçoivent le privilège de fournir avec les arts majeurs des candidats aux fonctions de prieurs et à celle de gonfalonier de justice. Ce magistrat siège avec les six prieurs dans le collège de la Seigneurie. Il met à exécution leurs décisions et il en a le pouvoir : il dispose d'une milice de mille puis deux mille hommes armés. Cette structure de la Seigneurie durera jusqu'à la fin du régime républicain au XVIᵉ siècle.

Les délibérations du collège de la Seigneurie sont examinées par un Conseil de 100 membres choisis parmi les négociants de la ville. Elles passent ensuite devant les « Conseils du peuple » présidés par le capitaine du peuple — deux assemblées de 80 et 300 membres formés des représentants de tous les corps de métiers dits *popolani* — puis devant les « Conseils de la commune » présidés par le podestat — 90 et 300 membres auxquels s'adjoignent les consuls des corporations. Le vote est soit public, soit secret par le moyen de fèves, noires pour signifier oui, blanches pour dire non. Les affaires particulièrement importantes sont portées devant le peuple convoqué sur la place publique en parlement et qui proclame son opinion par acclamation. Avant de formuler leur proposition, les prieurs appellent en consultation des experts de toutes sortes. Ils peuvent aussi convoquer un comité de réforme (*balia*) chargé de prérogatives qui peuvent être extrêmement étendues.

Cette abondance de conseils et de comités impose aux gouvernements le contrôle d'un grand nombre de citoyens. Une autre instance les surveille : le « parti guelfe » ; c'est une formation politique officielle dotée en 1267 d'un appareil de direction renforcé qui rappelle celui de l'Etat (un collège de capitaines flanqué de deux conseils). Le parti veille à ce que les mesures publiques et les actions des individus ne puissent en aucune façon favoriser les gibelins. Il dénonce les suspects. La République lui donne la charge d'entretenir les forteresses, les remparts et les édifices publics. Placés sous une telle surveillance les membres de la Seigneurie n'ont en principe aucune possibilité d'imposer une politique. Leur mandat ne dure d'ailleurs que deux mois.

Des règles, très strictes, président à leur vie en commun. Ils se retirent dans une maison où ils sont obligés de demeurer jour et nuit. Ils y sont entièrement entretenus par l'Etat. Leur résidence obligée se fait d'abord dans une tour proche du palais du podestat puis dans le palais communal (aujourd'hui *palazzo vecchio*) construit à la fin du XIIIe siècle. Ils ne perçoivent aucune rémunération. A leur sortie de charge, ils ont le privilège de porter jusqu'à leur mort toutes sortes d'armes sur le territoire florentin. Le même homme ne peut avant deux ans être réélu prieur et avant un an gonfalonier.

A cet organe essentiel qu'est la Seigneurie vient s'ajouter en juin 1321 un Collège de douze prud'hommes (*buoni uomini*) élus pour six mois et associés à la prise des décisions. Cette institution permet de maintenir pendant la durée de trois Seigneuries l'unité des vues et des objectifs politiques. L'élection à intervalle très approché des prieurs, du gonfalonier de justice, des « bons hommes », et aussi des porte-étendard ou gonfaloniers de la milice urbaine, provoque une agitation permanente dans la ville. Pour y remédier, on adopte en 1323 le système très ingénieux du « scrutin » (*squittino*) : la Seigneurie et un comité spécial nommé à cet effet dressent la liste des citoyens aptes à exercer les charges publiques pendant une durée de quarante-deux mois, correspondant à vingt et une Seigneuries.

Les noms sont transcrits sur des morceaux de parchemin, que l'on enferme dans de petites boules de cire,
elles-mêmes déposées dans des bourses. Quand on a
besoin de pourvoir à l'un des offices de l'Etat (il y en a
136), on tire au sort des noms dans les bourses. Le
« scrutin » doit être révisé périodiquement, au moins
tous les cinq ans, afin de renouveler la liste des personnes éligibles.

Progressivement le système se perfectionne. L'assemblée exceptionnelle, chargée de dresser la liste, est
assistée de trois religieux étrangers à la ville, un franciscain, un dominicain et un ermite, qui prêtent serment de
demeurer impartiaux. Leur besogne consiste à transcrire
les noms retenus par l'assemblée, d'une part sur les
fragments de parchemin enfermés dans les bourses,
d'autre part sur un registre qui fera foi en cas de
contestation. On constitue six bourses, une par *sesto,*
d'où l'on tire le nom d'un des prieurs et une septième,
qui fournit le nom du gonfalonier. Des bourses plus
grandes contiennent les noms des éligibles aux autres
charges. Le couvent franciscain de Santa Croce assure la
garde des bourses. Le registre est conservé au couvent
dominicain de Santa Maria Novella. Le capitaine du
peuple ou le podestat effectuent les tirages au sort.
Parallèlement les institutions se simplifient, le Conseil
des Cent qui assistait les prieurs disparaît et les Conseils
du capitaine du peuple et du podestat se réunissent pour
n'en plus former que deux. Cependant l'élection d'un
prieur par *sesto* avait l'inconvénient de rendre un seul
homme représentatif de cette circonscription et le dotait
d'un poids politique personnel d'autant plus important que sa richesse et sa notoriété propres étaient
grandes. On y remédie en 1343. Un seigneur étranger,
Gauthier de Brienne, duc d'Athènes, appelé en arbitre,
avait mis à mal les institutions et il fallait les réorganiser.
On abolit la division de la ville en six parties (*sesti*) et on
retrouve la division ancienne en quatre quartiers qui
prennent le nom des principaux sanctuaires : Santo

Spirito ou Oltrarno ; Santa Croce ; San Giovanni ; Santa
Maria Novella. A chacun des quartiers est rattachée la
partie du territoire campagnard qui y confine.

Le nombre des prieurs est porté à huit : chaque
quartier en fournit deux. Avec le gonfalonier de justice,
la Seigneurie compte neuf membres. Le Collège des
« bonshommes » est formé de douze membres (trois par
quartier), et l'autre Collège, celui des gonfaloniers des
compagnies de la milice urbaine, est de seize personnes
(quatre par quartier). Les membres des assemblées
(Conseils du peuple et de la commune) sont, de même,
représentatifs des quartiers à portion égale.

Le budget de la ville est considérable en comparaison
de celui des grands Etats européens. Les recettes en
1330 s'élèvent à 300 000 florins, les dépenses à 120 000,
en année ordinaire, mais le déficit se produit rapidement
en temps de guerre. Les caisses de la commune sont
alimentées par les gabelles, droits perçus à l'entrée de la
ville sur les denrées et dans la ville même sur les objets
de luxe. Plus tard, des droits frappent les transactions
foncières et les constructions. Le budget de l'Etat
s'alimente aussi par des emprunts forcés (*prestanze*). Les
compagnies de marchands, comme les particuliers, sont
taxées sur la base d'une estimation de leur revenu
(*estimo*). Ceux qui payent exactement leur quote-part et
qui sont inscrits les premiers sur les livres de la dette
publique (*monte*) reçoivent des intérêts substantiels et
sont déclarés aptes à exercer les charges publiques. De
plus en plus les petits métiers taxés comme les autres
exigent d'être reconnus comme des arts à part entière.

RÉVOLTES SOCIALES ET TRIOMPHE DES NOTABLES

Parmi les hommes qui constituent la partie la plus
humble de Florence, les *braccianti* (hommes de peine) et
les *ciompi* (cardeurs de laine) sont les plus mal rétribués.
Ils sont soumis aux violences physiques de leurs

employeurs. Leur misère rivalise avec celle des esclaves que possèdent alors la plupart des familles aisées — esclaves russes et orientaux raflés par les Vénitiens sur les rives de la mer Noire et qui donnent lieu à un fructueux trafic en Italie.

La révolte des esclaves se traduisait, épisodiquement, par le meurtre ou par la fuite. Mais la solidarité de la classe des notables empêchait toute manifestation de masse de ceux qu'on appelait des « ennemis domestiques ».

Par contre, le peuple misérable ne manquait pas de trouver de temps à autre des hérauts. Ainsi le duc d'Athènes avait octroyé aux petits métiers, en 1343, le droit d'avoir des consuls. Après la catastrophe démographique de la Peste noire, le déficit de main-d'œuvre profite aux petites gens dont le travail est nécessaire à la reprise de l'économie. Les notables sont en butte à leur pression. Les arts mineurs exigent d'être associés à la gestion de l'Etat, mais ils sont lésés par le rétablissement des institutions traditionnelles.

Une fraction des notables était prête à exploiter, dans son propre intérêt, le mécontentement populaire : elle était formée de marchands récemment entrés dans le cercle des affaires, les Rondinelli, les Capponi, les Médicis. Ces nouveaux venus étaient tenus à l'écart du pouvoir par les anciennes familles, Pazzi, Donati, Bardi. Pas complètement cependant : ainsi, un certain Giovanni de Medici fait partie de la délégation que Florence envoie en 1341 prendre possession de Lucques, achetée à des chevaliers allemands. Ce Médicis se révèle incapable de faire front aux Pisans qui arrachent à Florence sa nouvelle possession. Le duc d'Athènes fait exécuter le coupable aux applaudissements des anciens notables.

Après la peste de 1348, la rivalité entre les vieilles familles et les notables récents (qui ont repris à leur compte l'appellation de *popolani*) prend l'aspect d'une guerre civile larvée. Le soutien implicite du bas peuple rend les *popolani* redoutables. Les anciens notables cherchent un moyen d'écarter leurs ennemis des charges publiques. Ils érigent en loi la pratique de l'*ammonizione*, c'est-à-dire la dénonciation publique des individus suspects d'être favorables aux gibelins. Ceux qui sont ainsi dénoncés sont frappés de peines diverses, la première étant la « mort civile » : ils sont exclus des listes du scrutin et donc des bourses d'où l'on extrait les noms des officiers et magistrats de la République.

La haute bourgeoisie exerce le pouvoir. Ses chefs, Piero degli Albizzi, Carlo Strozzi et Lapo di Castiglionchio gouvernent directement ou par l'intermédiaire de leurs affidés. De 1357 à 1366, ils écartent plus de deux cents citoyens appartenant au parti populaire, dont certains d'ailleurs leur sont apparentés. Un petit groupe d'hommes résolus attend sa revanche : Benedetto degli Alberti, Giorgio Scali, Tommaso Strozzi (cousin de Carlo) et Salvestro de Médicis.

Malgré la pression des grands notables, Salvestro est élu gonfalonier. Il s'empresse de proposer à la Seigneurie une loi d'amnistie en faveur de ceux qui ont précédemment été dénoncés comme suspects. Bien que sa proposition n'ait pas été retenue par la majorité des prieurs, Salvestro la présente au Conseil du peuple, qui l'adopte. A cette nouvelle, le petit peuple se soulève contre les grands bourgeois, pille et brûle leurs demeures. Avant la fin de sa magistrature de gonfalonier en juin 1378, Salvestro de Médicis réussit ainsi à renverser l'emprise des magnats sur la République. Ce résultat n'est encore qu'un demi-triomphe pour les « popolani ». Les grands bourgeois maîtres des arts majeurs demeurent puissants. Ils peuvent faire nommer les hommes à eux dans les plus hautes charges et reprendre le contrôle de l'Etat. Pour les abattre, il faut non plus une révolte mais une révolution. Les travailleurs misérables viennent d'éprouver leur force dans le premier soulèvement. Salvestro de Médicis et ses amis leur suggèrent de continuer leur rébellion contre l'ordre établi, cette fois sur le plan social et économique. Les plus humbles, qui sont à la merci des grands patrons, et parmi eux la multitude des cardeurs de laine (*ciompi*), se réunissent secrètement et jurent de combattre jusqu'à la mort pour imposer leur droit de se grouper en associations professionnelles. Ils veulent obtenir des conditions d'emploi qui leur permettent de vivre décemment et de participer en citoyens à la vie de l'Etat.

L'émeute populaire est victorieuse sous la conduite du chef des *ciompi*, Michele di Lando. Une assemblée de réforme (*balia*), dont font partie Salvestro de Médicis et Benedetto degli Alberti, prend des mesures révolutionnaires. Trois nouveaux arts sont créés. Les petits métiers dépendant de la laine (cardeurs) forment le premier qui compte 9 000 membres. Les teinturiers, foulons, fabricants de peignes à carder, tisseurs forment le deuxième. Les tondeurs, ravaudeurs, laveurs, chaussetiers, fabricants de bannières constituent le troisième. Ces nouveaux arts procèdent avec les autres corporations à l'élection d'une nouvelle Seigneurie. Sur les neuf postes de celle-ci, ils s'en font attribuer cinq dont celui de gonfalonier de justice qui revient au cardeur Michele de Lando. Les arts mineurs anciens en ont deux et les arts majeurs deux également. Une majorité de sept voix sur neuf revient donc aux métiers et corporations les plus humbles. La nouvelle Seigneurie donne une assise stable à cette participation populaire. Elle décide qu'à l'avenir les trois groupes d'arts, majeurs, mineurs et nouveaux, fourniront chacun trois membres de la Seigneurie, le gonfalonier étant pris dans chaque groupe successivement.

Une telle organisation, par trop démocratique, dans une République fondée depuis si longtemps sur le pouvoir et l'influence des grands marchands, devait être tout à fait éphémère. En octobre 1378 les arts majeurs et mineurs se mettent d'accord : le premier des arts nouveaux, le plus turbulent, celui des *ciompi*, est supprimé. Parmi les vingt-trois arts subsistant, sept arts majeurs (les sept grands arts traditionnels) fourniront quatre membres de la Seigneurie et les seize arts mineurs les cinq autres membres. Le gonfalonier sera pris alternativement dans les deux groupes d'arts. Un petit nombre des meneurs de la révolution manquée, dont Michele de Lando qui s'est rallié à la remise en ordre, conserve les distinctions qui lui avaient été concédées.

Cette « récupération » de la République par les forces conservatrices entraîne une vague de protestations et de révoltes populaires sanglantes. Mais les troubles sont impitoyablement matés. En 1382, l'art de la laine reprend sa primauté. Les deux arts de petits métiers récemment créés sont supprimés. La grande révolte des *ciompi* se termine dans le sang et la proscription. Giorgio Scali est condamné à mort, Salvestro de Médicis banni à Modène, Michele de Lando exilé à Chioggia, Benedetto degli Alberti à Gênes, et avec une foule de leurs partisans et des membres de familles amies.

L'évolution de la République florentine vers un régime démocratique est brutalement interrompue. Le « peuple gras » des marchands prend le pas sur le « peuple maigre » des petites gens. L'oligarchie des arts majeurs, par un contrôle rigoureux des éligibles, s'arroge la majorité dans les charges, collèges et comités : ainsi quatre prieurs sur huit et le gonfalonier lui appartiennent désormais régulièrement. L'écrasement du parti populaire semble miner pour longtemps, sinon à jamais, les nouveaux notables qui l'avaient suscité et encadré. Alors commence pour eux, et notamment pour les Médicis, une longue traversée du désert.

CHAPITRE II

Les Médicis
sortent de l'ombre

Portés par la vague du parti populaire jusqu'au roc du pouvoir, puis brutalement éloignés par le ressac dans la seconde moitié du xive siècle, les Médicis ont subi un sort commun à bien des familles de la société florentine. Pendant plusieurs générations, ils gravissent patiemment les degrés de la notoriété publique en s'intégrant à la classe moyenne par le jeu des associations d'intérêts, des affiliations aux corporations et des mariages.

UNE LIGNÉE D'HUMBLE ORIGINE

La famille est originaire de la région rurale du Mugello qui correspond à la haute vallée de la Siève, affluent de la rive droite de l'Arno. Les paysages riants de cette campagne fertile sont protégés du vent du nord par de hauts sommets : les Apennins atteignent 1 700 mètres au Falterona et plus de 1 000 mètres au Montegiovi. On y trouve de nombreux villages dont certains semblent avoir été inféodés anciennement par les grandes familles Ubaldini et Conti aux Médicis : Saint-Pierre-sur-Siève, Borgo Grinzelli, Rezzanico, Trebbio et Cafaggiolo. Les légendes abondent sur les premiers Médicis. L'une raconte que leur premier ancê-

tre connu aurait été un fabricant de charbon de bois du
Mugello, dont le fils serait devenu médecin : d'où le
nom de famille et les armoiries composées de « tour-
teaux » héraldiques où l'on a vu des pilules et même des
ventouses ! Une autre légende brode sur ce blason une
explication épique. Au temps de Charlemagne sévissait
le géant Mugello à l'entrée des gorges de la Sève. Un
brave chevalier, Averardo de Médicis, aurait, seul, eu le
courage de le défier et de le frapper à mort. Avant de
succomber le géant aurait frappé le bouclier de son
adversaire avec sa masse d'armes d'où pendaient des
balles de fer, y imprimant les fameuses boules héraldiques. Le chevalier transmit ainsi à ses descendants des
armoiries qui gardaient le souvenir glorieux de sa
victoire.

Quoi qu'il en soit de ces origines nobiliaires, c'est au
sein de la bonne bougeoisie florentine qu'apparaît
en 1201 un Médicis : Chiarissimo, fils aîné d'un certain
Giambuono de Médicis, membre du Conseil de la
Commune. Il possède plusieurs immeubles près du
Vieux Marché. En 1251, un autre Médicis, Giovanni,
participe aux opérations militaires engagées contre les
Lombards. En 1291, Ardingo, fils de Buonagiunta de
Médicis, devient prieur. En 1296 et 1297, il est gonfalonier de justice. Son frère Guccio devient également
gonfalonier en 1299. Un Médicis encore, Averardo, est
gonfalonier en 1314. L'une des personnalités de la
famille est ensuite cet autre Giovanni qui sera mis à mort
par le duc d'Athènes après avoir échoué à Lucques : il a
un frère, Francesco, qui le venge en travaillant à la chute
du tyran et participe ensuite aux Conseils qui révisent la
Constitution.

La famille Médicis fait déjà figure marquante parmi
les *popolani* face au parti des grands bourgeois. Un
certain Bartolomeo de Médicis se distingue dans la lutte
entre les deux factions. Salvestro prendra la suite :
comme nous l'avons vu, sa participation au « tumulte »
des *ciompi* est déterminante. Jusqu'alors, les Médicis se

cantonnent à un niveau moyen de fortune. En 1364, lors d'un emprunt forcé, ils sont taxés à 304 florins alors que, par exemple, les Strozzi sont imposés à 2 062 florins. Or la richesse et la réussite dans les affaires sont les critères sur lesquels on sélectionne à Florence les personnes éligibles aux charges et les experts appelés à donner leur avis aux instances de l'Etat. Les Médicis ne figurent qu'assez rarement dans les collèges et comités. Ils sont, par ailleurs, desservis par leur manque de cohésion : les neuf branches d'une famille devenue extrêmement nombreuse s'opposent avec violence l'une à l'autre, au contraire de ce qui se passe par exemple chez les Strozzi ou les Albizzi. De 1343 à 1360, cinq condamnations à mort sont prononcées contre les Médicis. L'exil les frappe en grande partie à la suite du tumulte des *ciompi*. Puis, à la fin du XIVᵉ siècle et au début du siècle suivant, ceux qui ont échappé au bannissement complotent contre l'Etat et sont à leur tour exilés : seuls restent dans la ville en 1400 les fils de Vieri de Médicis et d'Averardo qu'on appelle Bicci, du nom d'un usurier du temps de Dante. Ces familles sont peu fortunées ; elles sont taxées respectivement à 220 et à 12 florins pour les prêts forcés de la commune.

Averardo meurt de la peste en 1363. Lors du règlement de sa succession ses cinq fils se partagent un bien modeste héritage. Ils rendent à leur mère, Giacoma Spini, les 800 florins de sa dot et, suivant la volonté de leur père, versent 50 livres d'argent à des fondations pieuses pour compenser les gains qui auraient pu être faits à mauvais escient par le défunt. Deux des fils, Francesco et Giovanni, l'un et l'autre désignés couramment par référence au sobriquet de leur père (« di Bicci ») entrent au service de leur lointain cousin Vieri, fils de Cambio de Médicis. Ce Vieri est cousin germain de Salvestro, l'ami des *ciompi*. Il a fait partie des 67 citoyens florentins que le peuple révolté avait élevés à la dignité de chevaliers le 20 juillet 1378. Il est inscrit dans l'art des changeurs depuis 1348. Mais il s'occupe

également d'exportations à partir du port de Pise. Avec
un associé, Giacomo Venturi, il installe une branche de
son entreprise à Venise. Il est en relation avec des
maisons de commerce tout au long de la côte de
Dalmatie. Les affaires de Vieri de Médicis se dévelop-
pent au gré des regroupements de capitaux à l'occasion
de la création de compagnies nouvelles. A partir de 1382
il s'associe comme partenaire son cousin Francesco,
puis, en 1385, le frère cadet de celui-ci, Giovanni, qui est
connu dans l'histoire des Médicis sous le nom de Jean de
Bicci.

LA FORTUNE DE JEAN DE BICCI : FINANCE ET POLITIQUE

Jean est directeur salarié de la compagnie ouverte par
Vieri à Rome. Son mariage avec Piccarda Bueri, riche
jeune fille de la bourgeoisie florentine, lui apporte
opportunément des disponibilités : 1 500 florins de dot
qu'il investit dans le capital de la compagnie en octobre
1385. Il devient ainsi, au côté de Vieri, partenaire
majoritaire pour la branche de Rome.

Or, en 1393, Vieri, âgé de soixante-dix ans et malade,
se retire des affaires. Il s'est marié tard et n'a, comme
héritiers, que deux enfants en bas âge. Il vend sa part du
capital des compagnies à ses parents et associés. Les
deux fils d'Averardo di Bicci reprennent à leur propre
compte les établissements auxquels ils participaient en
tant qu'actionnaires. Francesco, puis son fils prénommé
Averardo comme son grand-père, feront fructifier leurs
affaires de commerce et de change à Florence, Rome,
Pise, ainsi qu'en Espagne, à Barcelone et Valence. Mais
l'entreprise s'éteindra en 1443 par la mort du petit-fils
d'Averardo.

Jean de Bicci devait avoir plus de chance. Il associe à
sa compagnie de Rome Benedetto de Bardi, puis,
en 1397, il transfère le siège à Florence. Cette initiative
constitue l'acte de naissance de la grande banque

Médicis. Jean l'accompagne d'une augmentation considérable du capital : il apporte 5 500 florins, Benedetto 2 000 et un nouvel associé, Gentile Buoni (vite défaillant, il est vrai), 2 500, soit au total 10 000 florins qui se réduisent, par le retrait de Buoni, à 8 000. Les résultats dépassent les espérances : les bénéfices s'élèvent à 10 % du capital à la fin de la première année d'exercice.

Les raisons de cette prospérité sont simples. A Rome, la compagnie draine une quantité considérable d'argent : elle assure la recette de certaines redevances payées à la papauté et surtout elle reçoit les dépôts des ambassadeurs, pèlerins, ecclésiastiques de tout rang, abbés, évêques, cardinaux et dignitaires de la Curie. Jean de Bicci place cet argent dans des transactions commerciales à Florence d'abord, puis, en plus, à Venise à partir de 1398 : il crée même dans la ville des Doges en 1402 une compagnie qui succède à sa filiale, avec un capital de 8 000 florins (dont 1 000 fournis par Neri Tornaquinci, le directeur devenu associé).

Jean de Bicci exportait de Florence les produits locaux, essentiellement les étoffes et le drap qu'il se procurait auprès des chefs d'entreprises. Il décida de devenir lui-même entrepreneur. En 1402, il achète une fabrique de drap de laine et met l'affaire sous le nom de son fils aîné, Cosimo, alors âgé de treize ans, qui deviendra Côme, le « grand marchand » : c'est donner au jeune garçon, très tôt, une formation pratique aux affaires. Naturellement, un homme de métier, Michele Baldo, dirige l'atelier et y est associé avec un capital de 1 000 florins : mais Jean de Bicci assure à son fils la majorité du capital avec 3 000 florins. Même opération en 1408 : Jean achète une seconde fabrique de drap de laine, dirigée par Taddeo di Filippo, et il y investit un capital de 4 000 florins mis au nom de son second fils, Lorenzo, qui vient d'avoir treize ans.

Avec son siège central et ses deux fabriques situées à Florence, une branche autonome à Florence, une autre à Rome, avec des succursales à Gaète et à Naples, la firme de Jean de Bicci devient un établissement important. Son capital cumulé représente 20 000 florins, principalement investis dans les affaires bancaires : 8 000 florins pour la banque de Florence, 8 000 pour celle de Venise et 4 000 pour celle de Rome. Le nombre des employés est cependant modeste. Il ne dépasse pas dix-sept : cinq seulement à Florence, quatre dans chacune des places de Venise et de Rome, et quatre à Naples et Gaète. L'éventail des salaires annuels en 1402 va de 20 florins par an pour un débutant à 60 et jusqu'à 100 pour des employés confirmés.

Un frère de Benedetto de Bardi, l'un des responsables, reçoit 100 florins de la branche de Rome, et Neri Tornaquinci, directeur de la branche de Venise, 400, mais il a pris une participation au capital et il est intéressé aux bénéfices.

Nous avons la chance de pouvoir consulter aux Archives de Florence les trois livres secrets de la banque Médicis récemment découverts. Ils concernent le siège central de la banque et couvrent la période allant du 1er octobre 1397 au 24 mars 1451. Grâce à eux, nous connaissons le fonctionnement interne de la banque, et notamment ces informations si difficiles à obtenir de tout temps : la répartition des bénéfices entre les associés et le montant des dépôts secrets semblables aux actuels comptes numérotés dans les banques suisses ; nombreux, en effet, sont les personnages, cardinaux, princes, grands officiers qui mettent leur argent à l'abri auprès de la banque Médicis.

Nous constatons que les profits provenant des six postes de banque et des deux fabriques, de 1397 à 1420, se sont élevés à 151 820 florins, dont les trois quarts ont été attribués à Jean de Bicci (113 865 florins) et un quart à Benedetto Bardi (37 955 florins), le tout après déduction des dettes, des pertes diverses et des intérêts servis aux directeurs des branches en fonction de leurs investissements.

Les revenus obtenus par rapport au capital investi sont

surtout importants à Rome (plus de 30 %) du fait de l'activité de change très lucrative effectuée pour la Curie et pour les hauts dignitaires ecclésiastiques.

La plus grande partie des bénéfices est réinvestie dans les affaires, mais Jean de Bicci en soustrait des sommes importantes pour se bâtir un patrimoine. Il n'a pas hérité, nous l'avons vu, d'une grosse fortune paternelle. Il manque de ces signes extérieurs de richesse qui attirent la confiance, aussi achète-t-il des immeubles à Florence, des fermes et des terres dans le Mugello. La croissance de sa fortune personnelle se perçoit dans l'augmentation progressive de sa taxe pour les emprunts forcés : de 14 florins en 1396, elle passe à 150 florins en 1403, alors que les héritiers de Vieri de Médicis sont taxés à 748 florins. La quote-part de Jean monte à 260 florins en 1413, celle des héritiers de Vieri à 235. En 1427, lors de l'établissement du *catasto* (recensement de toutes les fortunes), Jean de Bicci laisse loin derrière lui les autres hommes d'affaires : il est taxé à 397 florins et il n'est précédé que par une personne, Palla di Nofri Strozzi (507 florins), et par le groupe des deux frères Panciatichi (636 florins).

En 1420, se produit une mutation. Benedetto Bardi meurt. Son frère Ilarione prend sa place parmi les partenaires principaux. Jean de Bicci, âgé, se retire de l'association en faveur de ses deux fils, Côme et Laurent.

Chacun des partenaires apporte 8 000 florins. Le capital initial de 24 000 florins est attribué aux diverses banques en proportions différentes : 10 500 florins vont à la « table de change » installée à Florence ; 6 000 à la banque de Rome ; 7 000 à celle de Venise. Les trois directeurs de ces branches en accroissent le capital en apportant leur propre participation : 1 500 florins à Florence, 1 000 à Rome et 1 000 à Venise. Ils obtiennent en contrepartie un intéressement aux bénéfices sur un cinquième de ceux-ci à Florence et sur un quart à Rome et Venise. Grâce à ce système de participation, la banque Médicis dispose pour toutes ses branches, en 1420, d'un capital de 27 600 florins. De plus elle possède un capital de 3 800 florins investis dans la fabrique de drap de laine que dirige Taddeo di Filippo.

Les Médicis ont, au total, une puissance financière de 31 500 florins. Cette somme, importante, apparaît toutefois modeste, si on la compare au capital de la banque Peruzzi un siècle auparavant, soit 103 000 florins. Mais le capital mis dans les affaires par les Médicis ne représente qu'une faible part de leur fortune. Celle-ci formée par le jeu des intérêts cumulés atteindra 180 000 florins à la mort de Jean de Bicci en 1429 : c'est l'évaluation qu'en donnera Laurent le Magnifique, son arrière-petit-fils.

Au fur et à mesure que se constitue sa fortune, Jean de Bicci sort de la réserve qui lui avait été imposée par la suspicion des grands bourgeois, détenteurs du pouvoir. Depuis l'échec des *ciompi*, ceux des membres de la famille Médicis qui n'avaient été ni bannis ni frappés de condamnations étaient tenus à l'écart par le contrôle pointilleux des listes d'éligibles. Or, à partir de 1402, Jean de Bicci devient, à plusieurs reprises, membre de la Seigneurie en qualité de prieur. Il est solidaire de la politique territoriale expansionniste que poursuit le gouvernement. Commencé au milieu du xive siècle par l'acquisition de Prato et San Gimignano, l'accroissement du *contado,* d'abord dirigé vers les terres de l'intérieur, avait doté Florence d'un territoire proche de 4 900 km². L'expansion se continue vers des villes importantes elles-mêmes dotées d'un *contado* propre. Peu à peu se forme un district, sorte de couronne de petits Etats sujets, dotés d'un système fiscal autonome mais recevant leurs gouverneurs et capitaines de Florence.

Pise et son territoire de 2 000 km² entrent en octobre 1406 dans le district de Florence, qui obtient ainsi un débouché direct sur la mer, nécessité vitale pour ses marchands. Au cours des transactions extrêmement complexes qui préludent à cette annexion, les Pisans exigent des otages : vingt jeunes gens des meilleures familles florentines sont désignés. Parmi eux figure

Côme, le fils aîné de Jean de Bicci, à peine âgé de dix-huit ans. Son père sera récompensé : en 1407 il est désigné pour gouverner au nom de Florence la ville sujette de Pistoia.

Jean de Bicci devient ainsi l'un des grands administrateurs de la République florentine. Celle-ci est maintenant en possession d'un territoire qui lui permet de rivaliser avec les autres puissances qui se partagent l'Italie en ajoutant au *contado* les terres sujettes du district ; l'Etat florentin couvre ainsi une superficie de 11 000 km². Désormais, il peut faire front à la menace des Français tentés d'intervenir pour soutenir les ambitions des ducs d'Anjou sur Naples et des ducs d'Orléans sur le Milanais, quand ils ne sont pas appelés comme protecteurs par des Etats voisins de Florence, comme Gênes. Les Visconti à Milan et les Vénitiens constituent pareillement un danger permanent. Or, après l'annexion de Pise, Florence se sent assez forte pour inviter chez elle le concile œcuménique dont on attend la fin du grand schisme.

FLORENCE ET LA PAPAUTÉ : LES CONCILES DE PISE (1409) ET CONSTANCE (1414)

La Chrétienté, depuis trente ans, est coupée en deux. Depuis l'élection de deux papes rivaux, Urbain VI à Rome et Clément VII à Avignon, les Etats se divisent entre les deux obédiences, au grand scandale des croyants. Florence ne prend parti ni pour l'une ni pour l'autre des obédiences pontificales. Elle se trouve en mesure de proposer ses bons offices lorsque le pape de Rome, Grégoire XII, s'engage auprès de ses cardinaux à nouer des négociations avec son adversaire d'Avignon, Benoît XIII. Une entente à l'amiable échoue. Sous la pression internationale les cardinaux des deux papes se mettent d'accord en 1408 pour que soit convoqué un concile œcuménique. Florence leur offre comme lieu de

réunion la ville de Pise où, après l'annexion, elle a
installé son administration et son armée. Une épuration
assez sévère a rétabli le calme. La cité et le port sont bien
protégés. La réunion d'un concile œcuménique ne peut
que relancer, avec le commerce, la prospérité de la ville.

En mars 1409, dix mille personnes sont présentes pour
l'ouverture du concile. On va vite en besogne : le 5 juin
1409 les deux papes rivaux sont déclarés coupables
d'hérésie et de schisme. Ils sont déposés. On élit un
nouveau pape, l'archevêque de Milan, qui règne peu de
temps sous le nom d'Alexandre V. Or, aucun des deux
pontifes condamnés n'abdique. Benoît XIII s'appuie
essentiellement sur l'Espagne et Grégoire XII sur
Ladislas, roi de Naples, sur Robert de Bavière qui est roi
des Romains, c'est-à-dire élu à la dignité impériale, et
sur des petits princes italiens comme les Malatesta de
Romagne. La Chrétienté a désormais trois papes. Lorsqu'Alexandre meurt, en mai 1410, un de ses cardinaux,
Baldassare Cossa, homme de guerre plutôt que prélat,
lui succède sous le nom de Jean XXIII. Ce pape devait
connaître une destinée mouvementée et figurer dans la
liste des pontifes comme antipape. Pour lors, de forts
soutiens lui sont acquis : ceux des banquiers florentins
— et notamment de Jean de Bicci —, mais aussi celui du
nouveau roi des Romains, Sigismond. Soucieux de
réaliser l'union de la Chrétienté, Sigismond obtient de
Jean XXIII la convocation à Constance, en Allemagne,
le 1er novembre 1414, d'un nouveau concile.

Comme la précédente assemblée tenue à Pise, celle de
Constance attire une foule de prélats et d'ambassadeurs
qui ont besoin d'y faire transférer leurs revenus. En
effet, la réunion tire en longueur et le secours quotidien
des banquiers est indispensable. Jean de Bicci est
représenté à Constance par son jeune fils Côme. Il reçoit
ainsi directement les nouvelles du déroulement dramatique du concile. Le 2 mars 1415, Jean XXIII est obligé de
jurer solennellement en présence de Sigismond, qu'il
abdiquera à condition que ses deux rivaux fassent de

même. Mais comme il se sent forcé par le concile, il s'enfuit de Constance dans la nuit du 20 au 21 mars, déguisé en homme du peuple, une arbalète sur l'épaule. Il cherche vainement à se réfugier en France avec l'aide du duc Frédéric d'Autriche. Son protecteur ne tarde pas à lui faire défaut et se rallie à Sigismond. Le pape tombe aux mains de l'empereur. Il reçoit la sentence de déposition prononcée contre lui le 29 mai 1415 par le concile qu'il avait lui-même convoqué, ouvert et présidé. Sigismond l'enferme dans le château de Radolfzell : il y restera trois ans. Au bout de ce long temps de pénitence, c'est Jean de Bicci qui assure sa délivrance en payant la rançon de 35 000 florins exigée par l'empereur Sigismond. Ce geste rapporte au banquier Médicis un prestige immense. Le pontife déchu trouve à Florence une retraite paisible.

La banque Médicis, déjà bien placée en cour de Rome, devait conserver les faveurs du nouveau pape, Otto Colonna. Elu le 11 novembre 1417 après que le concile eut obtenu l'abdication de Grégoire XII et négocié, vainement, celle de Benoît XIII, le pontife, qui règne sous le nom de Martin V, se rend à Florence le 26 février 1419. Il y reçoit la soumission de Jean XXIII, qui redevient le cardinal Cossa. Le pape est somptueusement reçu par la Seigneurie. Celle-ci n'est qu'une émanation du pouvoir des grands notables, essentiellement des banquiers : on en compte 72 en 1422. L'homme fort du régime oligarchique, Maso degli Albizzi, disparu en 1417, sera remplacé par son lieutenant Gino Capponi. A la mort de celui-ci en 1420, un autre grand homme d'affaires, Niccolo d'Uzzano, animera le petit groupe de potentats qui dirigent la République. Les prieurs et le gonfalonier sont ainsi aux ordres de l'oligarchie d'argent dont ils font eux-mêmes partie. Ils mènent dès lors un train de vie princier. Ils tiennent table ouverte dans leur palais. Ils bénéficient maintenant d'une provision de 300 florins d'or pour leurs dépenses somptuaires.

LES DÉPENSES DE L'ÉTAT : LA NOUVELLE LOI FISCALE DU
« CATASTO » (1427)

Jean de Bicci s'intègre à la classe dirigeante. En 1421,
il devient gonfalonier de justice. Il est entré à plusieurs
reprises dans les conseils délibérant près de la Seigneurie
et il est également sollicité pour des chantiers artistiques : en 1402 il fait partie des trente-quatre experts qui
choisissent, pour la seconde porte de bronze du baptistère San Giovanni, le projet du jeune Lorenzo Ghiberti
au détriment, notamment, de celui de Filippo Brunelleschi — génie polyvalent comme son concurrent —
qui se consacrera dès lors à l'architecture et donnera
à la cathédrale Santa Maria del Fiore son dôme élégant
et majestueux. A bien d'autres reprises Jean de Bicci a
délibéré avec ses pairs, les autres marchands et banquiers, pour choisir des artistes. Ainsi, pour le chantier
de l'église San Lorenzo auquel il s'intéresse avec sept
autres familles, il participe au choix de Brunelleschi
comme architecte de la Vieille sacristie et de Donatello
comme sculpteur. Pour l'érection du tombeau de
Jean XXIII au baptistère San Giovanni, dont il s'occupe
comme l'un des exécuteurs testamentaires, il choisira
encore Donatello et l'architecte Michelozzo.

Cet intérêt pour le monde des arts et des lettres n'a
rien d'exceptionnel dans la société florentine de l'époque. C'est celui d'un homme très riche qui a des loisirs et
aime les belles choses. Ses deux fils, Côme et Laurent,
reçoivent une éducation très soignée sous la direction de
Robert de Rossi, l'un des premiers Florentins à lire le
grec et qui est l'ami des humanistes Bruni et Niccoli.
Jean de Bicci invite fréquemment chez lui les lettrés
célèbres : Poggio, Marsuppini et Ambrogio Traversari.
Cette fréquentation des gens cultivés était dans la société
florentine un lustre nécessaire à qui détenait une grosse
fortune.

Il ne semble pas que Jean de Bicci ait consacré à ces relations plus de temps qu'à ses loisirs. Par contre, il n'a pas ménagé sa peine pour étudier avec les autres notables le remède à la situation financière catastrophique de Florence.

L'Etat est frappé d'un endettement d'environ douze millions de florins au début du siècle, notamment à cause de la guerre contre le Milanais et de la politique d'achat de territoires : Pise a été acquise pour un million et demi de florins. Or la guerre avec Milan, interrompue en 1426, reprend presque aussitôt jusqu'en 1428. L'ensemble des ressources fiscales habituelles, impôts indirects et directs, notamment les emprunts forcés, rapporte annuellement 770 000 florins. La somme est insuffisante. Les taxes des emprunts forcés sont établies sur des évaluations arbitraires des fortunes. Les riches sont taxés très bas par rapport à leurs possibilités et les pauvres très haut. De plus, comme des avantages — intérêts de 5 à 10 %, inscriptions sur les listes d'éligibles — sont attribués aux bons payeurs, le système développe l'inégalité sociale et donc les risques de révolte.

Les gouvernements successifs en sont conscients. A partir de 1423, ils étudient l'application à Florence du *catasto* (ou cadastre) vénitien : la taxation sera désormais établie à partir d'une déclaration, faite par chaque chef de famille, des éléments constitutifs de son capital. Des déductions sont admises pour les personnes à charge et les outils de production, mais une capitation frappe les individus mâles.

Pour trouver un remède définitif au déséquilibre du budget, on décide d'assujettir au cadastre non seulement les habitants de la ville et du *contado,* mais aussi ceux du district, les étrangers, les ecclésiastiques et les corporations comme personnes morales. Les grands marchands, dont les Médicis, s'attendent à faire les frais de l'opération : ainsi la taxe de Niccolo d'Uzzano doit passer de 16 à 250 florins. Mais ils n'osent combattre la loi votée le 24 mai 1427. Au contraire, Jean de Bicci, appelé en consultation, donne publiquement son accord : il doit sauvegarder son image qui fait de lui le chef du parti populaire.

En fait les Médicis ne sont pas mécontents de voir les petites villes du district se soulever contre l'abolition de leur immunité fiscale. La révolte est particulièrement vive à Volterra. On soupçonne Jean de Bicci et son fils Côme de l'avoir fomentée : leur banque aurait placé de l'argent dans le district pour le mettre à l'abri du fisc. La fermeté de la Seigneurie réussit à désamorcer la rébellion. Les dix-huit Volterrans venus se plaindre à Florence sont jetés dans la prison centrale des *Stinche* où ils resteront six mois. Ce répit permet aux Médicis de se rendre compte qu'ils font fausse route. La loi du cadastre reste en vigueur. En luttant indirectement contre son application, ils peuvent perdre la sympathie des classes moyennes et des artisans florentins, ne gardant que le bénéfice bien piètre d'une mince popularité à Volterra. Ils s'entremettent donc pour calmer les esprits mais cette intervention sera insuffisante et la Seigneurie devra envoyer ses troupes pour mater la révolte.

Un tel pas de clerc surprend quand on pense à la discrétion de Jean de Bicci, à sa souplesse et à sa patience. En fait il n'est plus depuis 1420 le chef réel de la maison des Médicis. Sous son couvert, c'est Côme, son fils aîné, qui décide. Lorsque Jean meurt, à soixante-huit ans, le 20 février 1429, il donne à ses deux fils, Côme, âgé de quarante ans, et Laurent, qui a trente-quatre ans, son ultime conseil, qui est de garder le peuple en paix et d'augmenter le commerce.

Splendides, ses funérailles coûtent 3 000 florins. On voit défiler dans la ville, derrière la bière découverte, vingt-huit membres de la famille de Médicis au milieu des officiers publics et des ambassadeurs étrangers. Il est enterré à San Lorenzo. Son monument devait accueillir Piccarda Bueri, sa femme. Richement orné de *putti* et de guirlandes de fleurs, il s'élève au milieu de la Vieille sacristie. L'inscription célèbre Jean de Médicis, ainsi **que** son épouse, comme des gloires de ce monde.

Telle était bien l'impression des contemporains. La carrière de Jean de Bicci, marquée par une ascension régulière et discrète jusqu'aux premiers rôles dans l'Etat, était en effet celle d'un homme exceptionnel qui avait bien mérité de ses concitoyens. A l'égard de sa famille son mérite était plus grand encore : il lui avait ouvert toute grande la voie de la réussite dans le monde des affaires et dans celui de la politique.

CHAPITRE III

La conquête du pouvoir

CÔME, LAURENT ET AVERARDO, LE TRIUMVIRAT MÉDICIS

Côme succède à son père comme chef reconnu de toutes les branches de la famille Médicis. De taille moyenne, maigre, il a le teint olivâtre, le nez aquilin et les lèvres épaisses. Son élégance et son affabilité feraient oublier sa laideur, s'il ne manquait pas, par ailleurs, de brio. Son élocution est lente. Il parle mal en public. Mais il sait manier les arguments en tête à tête. Depuis neuf ans, en stratège averti, il dirige avec compétence les affaires des Médicis. Filelfo, un polémiste à la dent dure, le comparera à un renard rusé et trompeur.

Laurent, de six ans son cadet, vit dans son sillage. Il ne se signale par aucun trait physique particulier. Il est parfaitement à l'aise dans la société florentine : il a épousé une Cavalcanti, descendante par sa mère des marquis Malaspina de Lunigiana. Côme est aussi allié à la meilleure société : sa femme Contessina de Bardi, épousée avant qu'il ne parte représenter la banque au concile de Constance, descend de l'illustre famille de ce nom qui peuple les agences de la banque Médicis. Elle se rattache aussi à l'ancienne noblesse : par son père Giovanni elle descend des comtes de Vernio et par sa mère des comtes d'Elci. Les deux sœurs de Côme et

Laurent sont mariées dans des familles célèbres, les Giugni et les Strozzi.

Averardo, cousin germain des enfants de Jean de Bicci, s'entend parfaitement avec eux en affaires comme en politique. Filelfo l'appellera le loup de la bande. Ce triumvirat d'hommes riches et influents est entouré d'une clientèle importante et d'un réseau d'informateurs, comme l'astucieux homme de lettres Puccio Pucci. La société artistique et littéraire est à l'aise chez ces gens d'affaires qui ont reçu une éducation parfaite au couvent camaldule de Sainte-Marie-des-Anges : ils connaissent le latin, le grec, l'hébreu et même l'arabe, ainsi que la plupart des langues de l'Europe. N'ayant pas encore de palais à lui, Côme reçoit ses amis dans l'ancienne demeure des Bardi sur laquelle il a fait apposer les huit boules héraldiques des Médicis.

Les chefs de la faction dominante, les grands notables, Rinaldo degli Albizzi, Palla Strozzi et Niccolo d'Uzzano, ne voient pas d'un bon œil l'agitation qui règne autour de ce palais. Mais l'heure n'est pas à la division. Florence a lancé son armée contre Lucques qu'elle espère arracher à son seigneur Paolo Guinigi. En décembre 1429 on constitue un « comité des Dix » chargé de diriger les opérations militaires. Les deux Médicis en font partie avec les chefs de la faction des notables. Or le résultat de la campagne est lamentable pour Florence battue par Francesco Sforza et Niccolo Piccinino. Lucques prend à son tour l'offensive avec l'aide de Sienne, de Gênes, et de Milan. Pour comble de malchance, le commerce florentin est perturbé en France et en Angleterre. Ces deux puissances se livrent, de 1428 à 1431, à l'un des affrontements les plus dramatiques de la guerre de Cent Ans, illustré notamment par l'épopée de Jeanne d'Arc. Le pape Martin V est mort en février 1431. Le nouveau pape, un Vénitien, Eugène IV, est hostile à Milan. Mais il n'ose guère s'engager au côté de Florence car Milan a le soutien de l'empereur Sigismond et celui-ci vient de réunir à Bâle un concile œcuménique, destiné certes à réprimer l'hérésie qui sévit en Bohême, mais qui pourrait aussi réformer l'Eglise et diminuer les pouvoirs de la papauté.

C'est dans cette ambiance de crise que se poursuivent les affrontements italiens. Venise, alliée de Florence, après une défaite sur le Pô, est victorieuse à Porto Fino contre les Génois en août 1431. Mais l'empereur Sigismond descend en Italie. Il entre à Milan en novembre 1431, puis il se rend à Sienne dans l'été 1432 pour négocier avec le pape. La ligue contre Milan, Gênes et les impériaux se désagrège. Florence, qui fournissait une grosse part de l'argent, croule sous le poids fiscal. Sur la base du *catasto* l'imposition mensuelle devait être de 1 % du capital (deux quotes-parts de base). Or, en février 1432, les besoins de l'Etat sont tels qu'on exige de chaque foyer une contribution mensuelle correspondant à 18 % de son capital (l'équivalent de 36 quotes-parts cadastrales !). Même les plus riches déclarent forfait, comme Palla Strozzi incapable de payer sa taxe de 500 florins, ses dettes se montant à 13 408 florins !

La politique agressive des grands notables a échoué. La République s'achemine vers la banqueroute. Il faut faire la paix. Côme de Médicis et Palla Strozzi la concluent à Ferrare en avril 1433. Si Venise gagne quelques territoires, Florence n'obtient pour tout bénéfice qu'une promesse de non-ingérence en Toscane prêtée par le duc de Milan, Filippo Maria Visconti. L'indignation populaire éclate. Rinaldo degli Albizzi profite du repos que prend Côme, après la négociation, dans ses terres du Mugello pour détourner l'irritation contre les Médicis.

L'EXIL DE CÔME

Le renouvellement de la Seigneurie pour septembre et octobre 1433 donne la majorité aux partisans de Rinaldo. Six prieurs sur huit lui sont favorables et surtout le gonfalonier Bernardo Guadagni, dont la maison paternelle a été brûlée par les *ciompi* et qui en garde rancune aux Médicis. Rinaldo a payé les arriérés de taxes que Guadagni doit à l'Etat afin de le rendre éligible. En reconnaissance, le nouveau gonfalonier rappelle Côme à Florence et le fait mettre en état d'arrestation dans le palais de la Seigneurie (7 septembre-3 octobre). Craignant pour sa vie, Côme demande à ses partisans de ne pas provoquer ses geôliers en prenant les armes. Sa résignation ne lui vaut aucune indulgence : faisant état de toutes les conspirations dans lesquelles les Médicis ont trempé depuis 1378 jusqu'en 1431, date de la malheureuse guerre de Lucques, la Seigneurie décide leur exil. Pour donner plus de solennité à sa décision, elle l'annonce au peuple convoqué en parlement sur la grand-place. Sous la menace d'hommes d'armes elle arrache à l'assemblée la nomination d'un comité de réforme (*balia* ou « balie ») de deux cents membres dotés de tous les pouvoirs et nommés à la discrétion des prieurs.

La « balie » se réunit aussitôt. Elle prend des mesures radicales pour écarter des charges publiques les Médicis et tous les adversaires de la faction des grands notables. La Seigneurie et ses conseils formaient tous les cinq ans une commission spéciale qui, dans l'opération dite du scrutin, dressait la liste de 2 000 citoyens éligibles aux charges de la République. Elle ventilait ensuite les noms suivant les capacités de chacun, ce qui avait fait appeler ses membres « les accoupleurs ». Deux listes étaient établies. L'une, étroite, comprenait les noms des Florentins aptes à exercer les fonctions des trois dignités majeures : les 9 membres de la Seigneurie, renouvelés tous les deux mois ; les 12 « bonshommes », renouvelés tous les trois mois, et les 16 gonfaloniers, renouvelés tous les quatre mois. La seconde liste fournissait les noms des personnes aptes à occuper les autres postes de la République. Les membres de la commission recopiaient les noms sur des bulletins et les inséraient dans les bourses correspondant à chacun des quartiers de la ville, du moins pour les dignités majeures dont les détenteurs étaient censés représenter ces quartiers. Une fois les bourses remplies, le travail des accoupleurs était terminé et la commission se séparait. Le tirage au sort des dignitaires était effectué par des officiers « neutres », tels le podestat ou le capitaine du peuple.

Cette procédure, qui risquait à tout moment de faire sortir des bourses les noms des adversaires de la faction dominante, est annulée. Désormais, après le scrutin, les accoupleurs resteront en place et choisiront, avec la Seigneurie, parmi les noms inclus dans les bourses, ceux des amis du régime, pour occuper périodiquement les charges de l'Etat.

La même balie fixe le temps d'exil des Médicis à cinq, puis à dix ans. On leur impose des lieux de séjour fort éloignés les uns des autres. Côme ira à Padoue, Averardo, son cousin, à Naples, Laurent, frère de Côme, à Venise, et les autres membres de la famille dans d'autres villes encore. Tous sont déclarés à jamais inaptes à la vie publique. Seuls les fils de Vieri de Médicis sont épargnés.

Malgré la rigueur de cette condamnation, Côme est heureux d'avoir sauvé sa vie : certains membres de la balie avaient souhaité qu'il fût étranglé ou empoisonné. Le 3 octobre il prend le chemin de l'exil après avoir versé une caution de 20 000 florins garantissant qu'il ne se livrerait à aucune intrigue contre Florence. Traversant les terres de Ferrare, où le marquis lui offre un excellent accueil, il passe à Venise le 11 octobre : il y est reçu avec de grands honneurs et il remet à la République un cadeau de 15 000 ducats. En décembre, prenant acte de sa bonne conduite, la Seigneurie florentine l'autorise à circuler dans l'ensemble du territoire vénitien. Il en profite pour s'installer à Venise, au monastère bénédictin de San Giorgio : il y fait agrandir et décorer la bibliothèque par son architecte Michelozzo qu'il avait emmené avec lui dans sa suite personnelle. La conduite princière, le calme et la sérénité de Côme dans son exil lui gagnent, à Florence même, la sympathie de beaucoup. Au reste, on sait que la fortune des Médicis n'a pas été ébranlée par leur persécution. Leur banque, fermée à Florence, fonctionne encore. Les espèces de la « table de change » florentine et les œuvres d'art de la famille, notamment ses fameuses reliques, des fragments de la tunique du Christ et de la couronne d'épines, ont été mis à l'abri chez les Ermites de San Miniato et au couvent dominicain de San Marco.

La pression des mécontents grandit. Elle est bientôt assez forte pour forcer Rinaldo degli Albizzi à rétablir le tirage au sort pour la nomination des prieurs. En août 1434, les élections à la Seigneurie désignent trois prieurs et un gonfalonier favorables aux Médicis. Rinaldo essaye, en vain, d'éviter l'inéluctable rappel de Côme par la convocation d'un parlement et la constitution d'un nouveau comité de balie. Mais il ne peut réprimer le mouvement de réaction en faveur des Médicis.

Le pape Eugène IV offre sa médiation : il séjourne à Florence, au couvent de Santa Maria Novella, après avoir été chassé de ses Etats en mai 1432 par les troupes de Filippo Maria Visconti. Un vote des conseils de la Seigneurie rétablit le 2 octobre les proscrits dans la jouissance de leurs droits. Pour que cette réparation n'ait point trop l'air d'une capitulation, on l'étend à la famille Alberti, frappée d'exil depuis longtemps.

RETOUR TRIOMPHAL DE CÔME (1434). LE PARTI MÉDICIS

Invité par la Seigneurie à revenir à Florence, Côme se met aussitôt en chemin. Il entre le 5 octobre sur le territoire florentin, accueilli à Pistoia par des démonstrations de joie. Le 6, il dîne dans sa villa de Careggi. La Seigneurie lui a préparé un triomphe à Florence. Trente et un de ses adversaires sont frappés de la peine d'exil, assortie de lourdes amendes. Rinaldo degli Albizzi est confiné à Naples et son fils à Gaète. Une centaine de grands notables, et parmi eux Palla Strozzi, ancien compagnon de Côme, sont bannis. Leurs descendants sont privés des droits civiques. La plupart ne reviendront plus jamais à Florence et créeront des colonies italiennes, notamment en France et en Provence, qui seront des pépinières d'ennemis acharnés des Médicis. Les listes du scrutin établies sous la domination de Rinaldo degli Albizzi ont été brûlées. En octobre, on en dresse de nouvelles, remplies des noms des amis des Médicis. Une commission d'accoupleurs est mise en place pour sélectionner les citoyens aptes à remplir les charges publiques : Côme reprend à son compte l'innovation de son adversaire. Il mène avec énergie épuration et répression. Il proclame que mieux vaut une cité dépeuplée que perdue. A ceux qui lui font remarquer qu'il décime dangereusement la classe des notables, il répond qu'on peut, chaque jour, avec sept ou huit aunes d'étoffe pourpre, créer de nouveaux citoyens. Il regrette hypocritement les excès de la Seigneurie, mais elle n'agit qu'avec son plein accord. Lui-même ne prend place au gouvernement comme gonfalonier que deux mois, en janvier et février 1435 : il se vante de n'avoir proscrit personne pendant son mandat. Mais les principaux bannissements avaient déjà été prononcés. Par contre les mesures coercitives se poursuivent contre les opposants : exécutions, emprisonnement, confiscations de biens continuent sous l'impulsion des partisans des Médicis qui peuplent les charges et conseils de la République. Florence vit à l'heure du changement politique radical. En employant l'arme forgée par ses ennemis, Côme les a chassés de l'Etat. Il ne s'agit pas d'une révolution sociale — des notables succèdent aux notables —, mais de l'avènement d'une « majorité » différente. La « chasse aux sorcières » et le remplacement complet du personnel sont caractéristiques du triomphe d'un parti.

Ce que l'on appelle, par facilité, le « parti Médicis »

n'a rien d'un groupement structuré, organisé en vue
d'une finalité politique bien définie. Il s'agit plutôt du
rassemblement autour de la maison de Médicis d'une
foule d'individus et de familles qui ont besoin de sa
protection et qui en retour l'assurent de leur dévouement fidèle. Ces liens diffus d'interdépendance peuvent
avoir leur origine dans la parenté, dans les alliances
matrimoniales, dans les relations de voisinage ou dans
celles de dépendance économique, et enfin dans l'amitié
personnelle.

La cohésion de la parenté Médicis avait été mise à
l'épreuve par les prises de position divergentes de leurs
sept branches à la fin du XIVe siècle. Sous l'influence de
Jean de Bicci on note un retour à la concorde qui
apparaît lors des funérailles du vieux banquier par la
participation massive de ses parents aux obsèques.
Lorsque Côme est frappé du bannissement en 1433, son
cousin Niccolo, fils de Vieri de Médicis, y échappe non
pas parce qu'il a fait allégeance aux grands notables mais
parce qu'il occupe alors la charge de gonfalonier.
L'union de la famille est désormais scellée : en 1440
vingt et un Médicis figureront sur la liste étroite d'accès
aux trois dignités majeures.

Les alliances matrimoniales ont attaché au clan Médicis de grandes familles : Salviati, Gianfigliazzi, Serristori, Pitti et Ridolfi, Bardi et Tornabuoni, branche
populaire de l'ancienne famille noble Tornaquinci.
Côme s'est marié en 1413 avec Contessina Bardi et son
fils aîné Pierre épouse Lucrezia, fille de Francesco
Tornabuoni. Parfois les alliances sont inattendues. Ainsi
Luca, frère de Rinaldo degli Albizzi, l'ennemi acharné
de Côme, épouse en 1426 une des cousines de celui-ci,
Aurelia. Mais les mariages ont aussi renforcé les liens
avec des familles d'origine populaire comme les Martelli. Le voisinage a procuré aux Médicis quelques-uns
de leurs partisans les plus convaincus. Les diverses
branches de la famille habitaient des maisons situées
dans trois des quatre gonfalons (îlots ou subdivisions) du

quartier San Giovanni. La plus grande densité de leurs habitations se trouvait dans le gonfalon, dit du Lion d'Or, correspondant à la paroisse de San Lorenzo. Sur les 93 notables qui soutiennent Côme lorsqu'il rentre à Florence, 45 habitent le quartier San Giovanni et 20 d'entre eux le gonfalon du Lion d'Or, tout près de la vieille maison de Jean de Bicci. Les Ginori, Neroni et Della Stufa jouxtent cette demeure. Parents et enfants se connaissent depuis toujours et se retrouvent à chaque instant dans les fêtes, les jeux, les actes de la vie publique et religieuse : ils font partie des mêmes comités et des conseils de fabrique. Leurs noms sont inscrits, lors du scrutin, sur les mêmes listes d'éligibles et ils se succèdent dans les charges de la République pour assurer la permanence de la représentation du quartier.

A ces voisins les Médicis sont liés par une sorte de complicité politique. Envers d'autres Florentins, les relations réciproques sont d'ordre financier : les aléas du commerce et de la banque peuvent ruiner les familles ou les individus. Les Médicis ouvrent leurs bourses : ainsi à des membres de grandes familles comme les Benci et les Pazzi. Le livre de compte de la banque de Florence garde mention de 39 prêts de ce genre consentis pour des sommes importantes entre 1427 et 1433. Cet argent n'est pas versé à fonds perdu : il achète des « clients » qui rembourseront leur dette par un soutien inconditionnel à la famille Médicis.

Enfin les amis ne manquent pas aux Médicis, des amis de toute sorte, heureux de voir grandir dans la cité des gens affables, restés proches du peuple. On trouve parmi eux des artistes et des hommes de lettres, des gens d'humble extraction comme Puccio Pucci, ou encore des membres de la corporation des juges et notaires comme l'ami fidèle de Côme, Antonio Masi, qui va le trouver à Venise en 1434 pour hâter son retour.

L'immense mouvement qui réunit tous ces partisans exprime son enthousiasme en persécutant les Albizzi et leurs tenants. Puis il s'installe dans l'exercice du pouvoir, derrière Côme, qui reste seul à la tête du parti : en effet, son frère Laurent s'efface derrière lui et son cousin Averardo meurt en décembre 1434.

MESURES D'EXCEPTION ET FIN DES LIBERTÉS PUBLIQUES. CÔME DE MÉDICIS CONTRÔLE L'ÉTAT

Il est inévitable que ces circonstances exceptionnelles débouchent, comme précédemment, sur la dictature d'une faction décidée sous l'apparence des institutions républicaines à conserver sa prééminence. Les meneurs vont combler toute faille par laquelle les opposants pourraient s'introduire. Peu à peu, aidés par les circonstances, ils vont modifier les institutions pour faire naître un régime d'où le hasard et la liberté seront exclus.

Les bannis essayent, avec l'énergie du désespoir, pendant les quatre années qui suivent leur exil, d'exciter le duc de Milan contre Florence. Peine perdue : une nouvelle paix de Ferrare en 1435 arrête Milan ; puis, en 1438, alors que reprennent les hostilités, une balie, comité d'urgence, est instituée pour une durée de trois ans. Elle se substitue aux deux Conseils de 200 et 131 citoyens qui assistaient la Seigneurie. Elle s'arroge tous les pouvoirs : scrutin, affaires militaires, institution de taxes qui remplacent le cadastre et, naturellement, contrôle des suspects.

Cette vigilance désamorce tous les complots. La ville est si calme que le pape Eugène IV y réunit le concile œcuménique en 1439. Un an après, il est vrai, tout est remis en cause : les bannis s'unissent aux troupes milanaises en 1440 pour une nouvelle offensive sur Florence. Mais la chance est du côté de la République médicéenne qui est victorieuse à Anghiari le 29 juin 1440.

Côme et ses partisans se croient maîtres du terrain. Pendant les trois années qui suivent ils amorcent une sorte de libéralisation du régime : la balie est remplacée par un comité de 121 membres, plus démocratique dans son recrutement.

Or, cette mesure ne fait qu'encourager leurs adversaires. En 1444, la période d'exil de dix ans qui frappe la plupart d'entre eux doit s'achever. Ils vont rentrer en force à Florence. Sans nul doute, ils vont tenter de renverser le pouvoir Médicis. Côme revient à sa politique autoritaire. Une nouvelle balie, convoquée à cette intention, prolonge de dix ans tous les bannissements. Le Médicis gagne ainsi un répit appréciable qui lui permet de développer une politique extérieure de prestige. Il s'allie avec le condottière Francesco Sforza qui est devenu en 1450 duc de Milan en succédant à son beau-père Filippo Maria Visconti. Les subsides copieux qu'il lui verse l'assurent que le Milanais n'offrira plus d'asile aux bannis florentins et tiendra en respect Venise, dont Florence redoute les empiétements.

L'affrontement permanent entre les Etats d'Italie tend d'ailleurs à s'estomper devant le péril extérieur que représentent les Turcs : Mahomet II a pris Constantinople le 29 mai 1453. A l'appel du pape Nicolas V, Florence signe à Lodi le 2 mars 1455 avec les autres grands Etats, Milan, Venise, Rome et Naples, un pacte de non-agression qui doit durer vingt-cinq ans.

Comme il n'y a plus, en principe, de péril pour Florence, le peuple murmure contre les impositions exceptionnelles. Le gouvernement Médicis accepte de rétablir le système, plus équitable, du cadastre en 1458. Mais le mécontentement continue de se manifester. On proteste maintenant contre la réunion trop fréquente des fameuses balies omnipotentes. Le vœu général est le rétablissement des nominations par tirage au sort et des vieilles institutions républicaines.

Côme sent que cette fois le pouvoir échappera à sa faction s'il accueille cette demande. Il prend le risque de heurter de front le désir diffus de ses concitoyens. En accord avec lui, Luca Pitti réunit le peuple en parlement le 11 août 1458. Sous la menace de la troupe qui entoure la place, on impose aux deux cent cinquante personnes présentes l'institution d'une nouvelle balie chargée de réformer l'Etat. Et la réforme suit, immédiate. Il est décrété que pendant sept ans, jusqu'en 1465, le tirage au sort des charges de l'Etat restera suspendu. Une commission, formée des accoupleurs et des membres de la Seigneurie, choisira sur les listes les titulaires des fonctions publiques. Ainsi tout risque dû au hasard sera éliminé. Comme les accoupleurs et les Seigneurs sont des partisans des Médicis, la nouvelle mesure vise à prolonger indéfiniment le pouvoir de ceux-ci. Les charges autres que les trois majeures seront conférées par un nouveau Conseil de cent membres formé de personnes dévouées au régime : les anciens titulaires des dignités publiques. Les deux anciens Conseils de la République subsistent mais n'ont plus qu'un rôle secondaire.

En 1459, l'évolution commencée en 1434 est quasiment achevée : Côme contrôle, par l'intermédiaire de ses fidèles, tous les rouages de l'Etat. Les prieurs, membres de la Seigneurie, reçoivent le nom de « prieurs de la Liberté ». Mais la liberté civique, garantie jusquelà, en principe, par le tirage au sort des charges, est désormais confisquée par le grand marchand Médicis.

De cette place éminente qu'il occupe dans l'Etat, rien ne paraît extérieurement. Entre 1434 et 1455, il occupe souvent de hautes charges dans la République, mais pas plus que les autres citoyens : il est trois fois gonfalonier de justice en 1435, 1439 et 1445, et sept fois membre du Comité de la guerre (les « Dix de balie »). Mais il n'exerce qu'une fois la fonction d'accoupleur, d'octobre 1440 à février 1441 : il prend la place de son frère Laurent, mort pendant qu'il occupait ce poste. Côme ne fait partie que deux fois du Comité de la police (les « Huit de garde »), en 1445 et 1449. Par contre, il siège souvent parmi les officiers de la Caisse publique de 1445 à 1448 et de 1453 à 1455 : cette longue permanence aux affaires financières révèle sa spécialisation et son intérêt personnel de grand banquier.

Tel Auguste au début de l'Empire romain, il se présente comme le premier parmi ses pairs. Mais cette humble apparence ne trompe pas : les princes et les ambassadeurs viennent négocier avec lui plutôt qu'avec les membres des éphémères Seigneuries.

Du traité de Lodi en 1455 à sa mort en 1464, Côme réussit à maintenir Florence dans la neutralité. Les événements internationaux le favorisent, certes. L'abandon délibéré de Gênes par Louis XI au bénéfice de Francesco Sforza permet la constitution d'un axe d'entente comprenant la France, Milan et Florence. Cette alliance bloque, à l'ouest, l'expansion vénitienne.

Venise, dont Côme a vu sur place la puissance, verse, pour l'heure, toute son énergie dans la lutte acharnée contre les Turcs dans les mers grecques. Les papes successifs, Pie II et Calixte III, prêchent constamment la croisade, mais ils ne parviennent à regrouper que des forces dérisoires. Les féodaux des Etats de l'Eglise leur mènent la vie dure. Leur grand vassal, le roi de Naples Alphonse d'Aragon, meurt, et son fils naturel, Ferrante, reconquiert son royaume, repoussant son adversaire Jean d'Anjou.

Florence se tient hors du tumulte qui agite les autres puissances. Le bénéfice de la paix extérieure est naturellement porté au crédit du gouvernement de Côme. Les institutions réactionnaires créées en 1458 par le coup d'Etat de Luca Pitti en retirent une grande stabilité. Le parti des Médicis, qui n'a point à se disperser vers les fronts extérieurs, s'installe avec son maître dans sa conquête du pouvoir.

CHAPITRE IV

L'or,
l'encens et la myrrhe

UNE DEMEURE PRINCIÈRE : LE PALAIS DE LA VIA LARGA

A qui règne sur Florence, un palais est indispensable. Côme en forme le projet dès qu'il prend la direction de la banque Médicis. Filippo Brunelleschi, le génial architecte du Dôme, lui fournit des plans grandioses, tellement somptueux que le Médicis y renonce. Son ami Donatello lui recommande un de ses élèves, Michelozzo Michelozzi, habile à agencer demeures et couvents florentins. Le projet prend forme. Il s'agit d'implanter solidement la famille au voisinage de San Lorenzo, sur la Via Larga, la plus large artère de Florence qui fournira à la demeure une assise superbe au cœur de la ville. Ce projet alimente les griefs qui provoquent en 1433 l'exil de Côme et celui de son architecte. Nous avons vu qu'à Venise la besogne ne manque pas à Michelozzi, qui fait ainsi ses preuves.

Le chantier du palais sera enfin ouvert après le retour triomphal des Médicis. Florence voit s'élever lentement la lourde muraille en bossage d'appareil rustique. De gros blocs s'empilent, à peine dégrossis, ou plutôt habilement sculptés pour donner l'impression de sortir de la carrière. L'effet recherché est pleinement atteint : le passant éprouve un sentiment de crainte, comme devant une forteresse de campagne. La lourde porte, les rares ouvertures bardées de grilles, n'invitent guère à entrer. A l'origine, il est vrai, les deux arcades de l'angle de la via Larga et de la ruelle de Gori ouvraient sur la traditionnelle *loggia* des maisons florentines, une sorte de salle d'assemblée offerte aux passants et aux amis lors des fêtes citadines ou familiales. Le même angle est orné en hauteur d'un magnifique fanal de fer forgé, réalisé par Niccolo Caparra, servant à la fois à l'illumination du palais et à l'éclairage public. Au-dessus, l'écu géant des Médicis surplombe les deux rues : il compte sept boules, Côme ayant réduit le nombre antérieur qui était de huit. Ces armoiries décorent le premier étage où des arcatures régulières se divisent en baies géminées séparées par une fine colonnette et surmontées du blason particulier de Côme : trois plumes de paon, en alternance avec les sept boules des Médicis. Même ordonnance à la fois élégante et grandiose au second étage, lui-même terminé par une majestueuse corniche.

La porte monumentale franchie, le palais devient aimable et gracieux quand on le contemple depuis sa cour carrée, dont les arcades sont ornées d'inscriptions et de médaillons à l'antique. Sarcophages et statues font de cet espace protégé un magnifique musée en plein air. On y admire le David en bronze de Donatello.

LE SYMBOLISME DES ROIS MAGES

Le palais Médicis est loin d'être achevé, en 1439, lorsque la Seigneurie de Florence accueille le concile œcuménique chargé après un schisme pluriséculaire de réconcilier et de réunir les églises grecque orthodoxe et catholique romaine. Côme de Médicis reçoit comme des hôtes personnels l'empereur romain d'Orient, Jean VIII Paléologue, et Joseph, patriarche de Constantinople, qui, avec une foule de prélats et de théologiens, viennent rencontrer le pape Eugène IV, lui-même entouré d'une cohorte de cardinaux, évêques et abbés. Le 6 juillet 1439, les Florentins, pourtant orfèvres en la matière, s'émerveillent de la brillante procession conduite à travers la ville par l'empereur, le patriarche et le pape. Cette longue théorie qui se rend au Dôme évoque pour eux la cavalcade mystique des trois Rois mages venus à Bethléem adorer l'Enfant Dieu et lui porter en présents l'or, l'encens et la myrrhe.

L'honneur que reçoit Florence rejaillit sur Côme et sur sa famille. Ils décident d'enchâsser ce souvenir dans un reliquaire, la chapelle privée du nouveau palais. Le peintre Benozzo Gozzoli reçoit commande d'orner le sanctuaire de la procession des Rois mages vers la crèche de Bethléem. Le choix du thème de l'Epiphanie n'a rien d'étonnant pour les Florentins. Chaque année, à la fête des Rois, au moins depuis 1446, un cortège costumé à l'orientale parcourt les rues de Florence. Une « représentation sacrée » de l'offrande des Mages a lieu ensuite sous la responsabilité de la Confrérie des Rois Mages, une société de dévotion qui se réunit dans la sacristie du couvent de San Marco. Côme de Médicis est le président de cette confrérie. Après lui, son fils Pierre et son petit-fils Laurent le Magnifique assureront cette fonction et présideront les fêtes commémoratives de l'Epiphanie. La cellule de Côme à San Marco sera décorée d'une *Adoration des Mages* par Fra Angelico, montrant un cortège d'astrologues orientaux. Laurent ornera sa chambre du rez-de-chaussée du palais Médicis d'un cadre rond du même peintre représentant également les Mages. La physionomie des personnages défilant vers la crèche varie d'une composition à l'autre, mais, dans la grande fresque de Gozzoli pour la chapelle du palais, le cortège a pour personnages principaux les illustres visiteurs du concile de 1439.

Vingt ans après l'événement, la fresque les ressuscite. On reconnaît en tête du cortège le patriarche Joseph et l'empereur Jean VIII. Mais le pape, qui devrait logiquement prêter ses traits au troisième roi, a cédé la place à un élégant éphèbe de quatorze ans. La substitution a sans doute été décidée à la suite de la brouille survenue en 1443 entre Côme et Eugène IV. Elle sert admirablement le prestige de la maison de Médicis.

Aussi beau et élégant que l'archange saint Michel, le jeune cavalier blond, vêtu de brocarts et d'or, qui brille au centre de la fresque, n'est autre en effet que l'héritier de la fortune du grand marchand, l'aîné de ses petits-fils, Laurent, qu'on appellera le Magnifique. Sa présence est anachronique par rapport à celle de l'empereur et du patriarche puisqu'il est né en 1449, dix ans après leur visite.

Elle correspond, en fait, à l'évocation d'une autre heure glorieuse des Médicis : la grande fête de 1459 organisée pour accueillir à Florence le pape Pie II. Les récits de la réception montrent Laurent y paradant, vêtu de la tenue même qu'il arbore sur la fresque. Son frère Julien, de quatre ans son cadet, avait lui aussi défilé en présence du pape. Un jeune cavalier, vêtu d'azur, portant en croupe un lynx chasseur, l'évoque face à son frère Laurent, dans le cortège du roi-patriarche.

L'apparition des deux plus jeunes descendants de la famille au centre de la fresque marque, sans doute, une évolution dans le dessein primitif. De la peinture commémorative de l'événement historique de 1439, on est passé à une sorte de mémorial consacré aux parents et aux amis des Médicis.

Les personnages de la cavalcade défilent par centaines. Leurs groupes cheminent en vagues successives dans les volutes des chemins de rocaille au travers d'un élégant paysage méditerranéen orné de cyprès, de pins, de palmes et de lauriers. Le gros de la troupe suit immédiatement le jeune roi doré.

On hésite encore sur l'identification des personnages. Les dernières interprétations voient Côme dans le vieillard modestement monté sur une mule au centre de la composition. A sa gauche, coiffé d'une toque rouge, Pierre de Médicis arbore, sur le harnachement de son cheval blanc, les boules héraldiques et les trois plumes

des Médicis. Entre Côme et Pierre, la tête coiffée d'un
foulard, apparaissant au second plan, serait celle de Jean
de Médicis, le fils cadet de Côme. Les deux cavaliers,
occupant la droite de Côme, la place d'honneur,
seraient, le premier, Galeazzo Maria Sforza, et, le
second, Sigismondo Malatesta. Ces deux princes avaient
été les hôtes de Côme de Médicis en 1459. L'héritier du
duc de Milan monte un cheval superbe dont le poitrail
est orné d'une pierre précieuse de belle taille. Il est
précédé d'un archer noir, allusion à l'alliance défensive
conclue par Côme avec Francesco Sforza.

A l'arrière-plan se pressent une quarantaine de personnages. Les uns sont coiffés d'une toque de feutre
rouge semblable à celle de Côme. On devine parmi eux
les membres des arts majeurs de Florence, les gens de la
banque et du négoce. D'autres personnages arborent des
tenues moins apprêtées. Ils évoquent sans doute les
artistes familiers de Côme. Au milieu d'eux, l'œil
observateur, la bouche fine, le peintre Benozzo s'est lui-
même placé, et, pour qu'on ne l'oublie pas, il a peint son
nom sur sa toque.

Enfin, certains personnages sont manifestement placés sous le signe de l'Orient. Un superbe barbu porte
une coiffe de métropolite orthodoxe, d'autres des sortes
de turbans. Sous ces oripeaux exotiques, le peintre a
campé les orateurs grecs du concile de 1439, dont la
venue devait profondément marquer l'humanisme florentin. Les maîtres des affaires, de l'art et de la culture,
composent ainsi le cortège d'honneur dont s'entourent
les Médicis. Mais le premier rang est réservé aux
marchands : ils apportent l'or à l'Enfant-Dieu, comme
leurs successeurs, les Médicis, le fournissent à la papauté
en qualité de banquiers pontificaux.

LES MÉDICIS BANQUIERS DE LA PAPAUTÉ

Lorsque Côme succède à son père Jean de Bicci, en
1429, la banque Médicis de Rome, dirigée par Antonio

Salutati, est une entreprise prospère. Fondée sans aucun capital initial, elle utilise dans ses opérations bancaires les dépôts qu'elle reçoit de la Chambre apostolique, organe financier de la Curie, ainsi que des innombrables prélats et pèlerins qui viennent en visite à Rome. Au bénéfice de sa clientèle, elle émet des lettres de change sur les principales places de l'Europe. Par l'intermédiaire des autres banques Médicis, elle encaisse les annates et redevances dues à la Curie pour la délivrance des bulles, le produit des ventes d'indulgences, des jubilés et des quêtes pour la croisade. Elle se rembourse des prêts consentis à Rome en prélevant les revenus des prélatures, prébendes, abbayes et prieurés. Elle gère en quelque sorte la trésorerie du Saint-Siège.

Les papes successifs prennent l'habitude de confier aux Médicis le soin de centraliser leurs recettes et de régler leurs dépenses. Ils leur octroient le titre de « dépositaires » de la Chambre apostolique. Cette fonction oblige les banquiers à suivre le pape dans tous ses déplacements. Ainsi, lors des longs séjours de Martin V et Eugène IV à Florence, la filiale romaine des Médicis se transporte face à la résidence pontificale sur la place de Santa Maria Novella. Elle fait de même dans les autres villes où s'installe provisoirement le pape.

Les profits de la banque romaine sont énormes : de 1435 à 1451 ils représentent le tiers des bénéfices de l'ensemble des banques Médicis, soit 88 510 florins sur 261 292 ! C'est encore de l'argent ecclésiastique qui afflue dans les comptoirs qu'ouvrent les Médicis lors des sessions des conciles œcuméniques. Côme, dans sa jeunesse, travaille dans une telle succursale au concile de Constance de 1414 à 1418. Un nouveau comptoir est ouvert à Bâle de 1431 à 1433, jusqu'au moment où l'assemblée se rebelle contre l'autorité pontificale. Satisfait de la fidélité des Médicis, le Saint-Siège les confirme régulièrement dans leur charge lucrative. Ils subissent, il est vrai, quelques éclipses. Eugène IV,

irrité du soutien de Côme à Francesco Sforza, lui retire
le titre de dépositaire de 1443 à 1447 ; Pie II, de 1458
à 1464, le donne à un de ses compatriotes siennois
et, plus tard, Paul II, à l'un de ses concitoyens vénitiens.

LE RÉSEAU EUROPÉEN DE LA BANQUE MÉDICIS

A Rome, les Médicis se consacrent presque exclusive-
ment aux activités de change et aux transferts d'argent.
Sur les autres places, ils se comportent en marchands
autant qu'en banquiers. Ils vendent des produits de luxe
italiens, des denrées du terroir, telles l'huile d'olive et les
citrons, des marchandises précieuses de provenance
diverse, épices, fourrures du Nord, tapisseries des Flan-
dres, alun du pourtour méditerranéen. La base traditionnelle de ce commerce est la laine anglaise, ainsi que
l'étain et le plomb venus également de Grande-Breta-
gne.

Une des places commerciales les plus actives de
l'Europe est alors Genève. Ville épiscopale sous suzeraineté savoyarde, donc relativement neutre dans le conflit
entre la France et la Bourgogne, elle supplante Paris
comme centre des affaires avec ses quatre foires
annuelles.

De 1424 à 1435, sous l'impulsion d'un actif directeur,
Giovanni Benci, le comptoir qui y est installé fait de
beaux bénéfices : jusqu'à 30 % du capital. Ce succès
profite à Benci qui est appelé à Florence pour devenir
directeur général de l'ensemble des banques Médicis. En
1446, c'est Francesco Sassetti, ami intime de Côme, qui
en sera directeur, avant de devenir à son tour directeur
général. Mais la prospérité de la banque genevoise
cessera brusquement lorsque Louis XI, en 1463, créera
les quatre foires de Lyon qui ruineront rapidement celles
de Genève : avec sagesse Côme fera effectuer par
Sassetti en 1464 le transfert à Lyon de l'établissement

genevois. L'importance de Lyon éclipsera aussi celle du petit comptoir d'Avignon créé en 1446.

Autre place essentielle pour les transactions, Bruges est l'étape par laquelle entrent aux Pays-Bas alun, épices, soies et autres produits de luxe italiens. En repartent des tapisseries flamandes et des toiles de lin hollandaises, mais aussi des ballots de laine anglaise. Les affaires des Médicis prennent en 1439 assez d'importance pour qu'une banque y soit créée sous la direction de Bernardo Portinari, qui contrôle un comptoir à Londres : ce comptoir se rend progressivement indépendant de Bruges à partir de 1446 et devient à son tour une banque à part entière.

Mais la grande place commerciale et bancaire au début de la gestion de Côme est Venise. De 1435 à 1451, la banque Médicis y fera 22 % des bénéfices de l'ensemble de ses banques, ce qui représente 63 219 florins. Le profit résulte du commerce international des épices, laines et fourrures, de la négociation des lettres de change et de l'assurance maritime. Cependant, de 1451 à 1454, les affaires péricliteront du fait du conflit entre Florence et la République des doges.

Pour assurer le contrôle de ce vaste complexe de comptoirs et de sociétés, Côme n'est pas seul. En 1435, au retour de l'exil, il s'associe comme partenaires principaux Giovanni Benci et Antonio Salutati qui apportent chacun 4 000 florins à la compagnie. Côme et son frère fournissent 24 000 florins. Le capital général atteint alors 32 000 florins. En 1439, il monte à 44 000 florins par augmentation des participations.

Salutati étant mort, Giovanni Benci devient en 1443 directeur général. Il assume cette fonction jusqu'à sa mort en 1455 et se révèle un homme d'affaires avisé. Il ouvre un comptoir à Bâle auprès du concile, ce qui mécontente le pape mais rapporte de gros bénéfices. Au risque de brouiller Côme avec Eugène IV, il finance les campagnes du condottière Francesco Sforza. Il crée la banque de Bruges, puis celle de Londres. Les deux fabriques de drap de laine des Médicis prospèrent ainsi que leur fabrique de soierie.

En 1440, lors de la mort de Laurent, frère de Côme, la clôture des comptes indique que le capital monte à 73 956 florins. La firme des Médicis atteint son implantation maximale avec quatre établissements en Italie (Florence, Rome, Venise et Pise) et quatre en dehors (Bruges, Londres, Genève, Avignon). Elle a des comptoirs et des correspondants jusqu'aux villes de la Hanse, mais elle ne possède aucun établissement en Espagne ni dans le Levant. Avec les sommes investies dans les fabriques de drap de laine et de soie, le capital atteint 87 994 florins, dont 69 307 sont fournis par les Médicis, Pierfrancesco, fils de Laurent, et Pierre et Jean, fils de Côme. Celui-ci s'est retiré nominalement des affaires. Les profits ont été, de 1435 à 1441, de 97 408 florins et, de 1441 à 1451, de 163 884 florins, soit, au terme d'une quinzaine d'années, 261 292 florins, et, en y comptant les bénéfices des fabriques, 290 789 florins ! Une seule modification interviendra avant la mort de Côme (à l'exception du transfert de la banque de Genève à Lyon) : c'est la création d'une banque à Milan en 1452. Elle vient couronner une politique d'assistance financière continuelle au condottière Sforza. Celui-ci offre d'ailleurs aux Médicis en 1455 un palais qui, superbement décoré, devient leur siège à Milan.

En 1455, à la mort du directeur général Giovanni Benci, les deux fils de Côme, Jean, âgé de 34 ans, et Pierre, qui a 39 ans, reprennent ses fonctions sans en avoir, pour autant, le talent. Côme a moins de dix ans à vivre. Il se tient de plus en plus à l'écart du monde de la banque et des fabriques. A la tête de chaque établissement siège un membre du parti des Médicis, Martelli, Taddei, Berlinghieri ou Portinari. Le contrôle de l'Etat est assuré. Celui des affaires également. Côme peut en toute quiétude se vouer à son goût pour les belles choses de la vie, l'art et les spéculations philosophiques.

L'ART FLORENTIN A L'ÉPOQUE DE CÔME DE MÉDICIS

L'art, depuis des décennies, est à Florence au service de Dieu et des hommes dans des œuvres nombreuses, harmonieuses et équilibrées. Architectes, peintres, sculpteurs réinventent l'ordre classique de l'Antiquité. En fait, ils dépassent leurs modèles et créent un style en rupture avec la mentalité, le langage décoratif et les formes du Moyen Age : l'homme était humilié par rapport à son Créateur, il est maintenant exalté au travers de ses passions, défauts ou vertus. La réussite terrestre doit éclater au grand jour dans la demeure des puissants. Construire est une obligation sociale. Les architectes sont, parmi les artistes, ceux qui font presque partie de la famille des notables et qui partout laissent le témoignage de leur grandeur.

Le palais de Côme, dont le chantier se prolonge jusque vers 1444, n'est plus le seul à parer Florence. Brunelleschi, qui a construit la résidence du capitaine du peuple en 1435, se détache du chantier de la cathédrale pour donner en 1440 une esquisse à Luca Pitti. Celui-ci prend comme maître d'œuvre Luca Fancelli. Giovanni Rucellai fait construire son palais de 1446 à 1451 par Leone Battista Alberti, auteur d'un très fameux traité d'architecture publié en 1453. Florence verra ensuite s'élever le palais Antinori (1451-1466), le palais des Pazzi (1462-1472), et celui de Filippo Strozzi (1489-1507). Tous ces édifices sont de véritables châteaux urbains, sévères à l'extérieur, riants sur la cour intérieure. Ils offrent des suites majestueuses d'appartements nobles et de galeries de fêtes. Les pièces d'apparat abritent des trésors. Côme constitue une prodigieuse collection d'œuvres d'art, statues antiques, pierres gravées, médailles, monnaies, joyaux, qu'un inventaire évaluera au moment de sa mort à 28 423 florins, ce chiffre excluant l'argenterie.

Ces magnifiques demeures ne sont pas les seules habitations des notables. Ils possèdent de nombreuses villas à la campagne. Côme de Médicis en a quatre dans les environs de Florence, Careggi, Fiesole, Trebbio, Cafaggiolo. Il les fait aménager au goût du jour : ainsi Careggi, achetée en 1417, modifiée par Michelozzo en 1433. L'architecte transforme le bâtiment ancien à la massive structure cubique surmontée de créneaux. Il lui adjoint des salons ouverts largement sur les jardins par de grandes arcades et surmontés d'un portique. Côme est sans cesse occupé à bâtir. A Venise et à Padoue, pendant son court exil, il trouve le temps de construire et y consacre des sommes considérables. A Florence, il entretient de nombreux chantiers ecclésiastiques : reconstruction du couvent de San Marco et de Santa Verdiana, de l'église de San Lorenzo et de l'abbaye de Fiesole, de petites églises dans le Mugello. Il faut noter encore une chapelle splendide au noviciat franciscain de Santa Croce, une autre au couvent camaldule de Santa Maria degli Angeli, une autre encore à l'église de la colline de San Miniato.

A l'extérieur de Florence, il rebâtit à Milan de façon somptueuse le palais que Sforza affecte à sa banque. A Paris, il fait restaurer le collège des Italiens. A Jérusalem il construit un hôpital pour les pauvres voyageurs. Les sommes affectées annuellement à ses chantiers atteignent en moyenne de 15 à 18 000 florins. Les travaux de San Lorenzo représentent 70 000 florins dépensés pour le gros œuvre de l'église, pour le cloître et la Vieille sacristie. Ceux de l'abbaye de Fiesole montent à 80 000 florins et ceux de San Marco à 40 000.

Les rapports de Côme avec Michelozzo Michelozzi, son architecte, sont cordiaux, mais ils le sont aussi avec Brunelleschi qui travaille aux églises de San Lorenzo, San Marco, Santo Spirito et à Fiesole. Grâce au Médicis, Leone Battista Alberti a été rappelé d'exil et peut exercer son talent au chœur et à la tribune de l'Annunziata, à Santa Maria Novella et au palais Ruccellai.

Côme suit avec attention, comme Florence toute entière, la progression du grand-œuvre de Lorenzo Ghiberti, les portes du baptistère San Giovanni. La troisième porte, la plus parfaite, sera mise en place le 16 juin 1452 dans l'enthousiasme général. Au même moment, le grand Donatello peuple la ville d'une foule de statues, sur le campanile de la cathédrale, sur les murs d'Or San Michele, dans les palais particuliers, notamment celui de Côme de Médicis : les relations amicales des deux hommes ont laissé en mémoire une quantité d'anecdotes recueillies par Vespasiano da Bisticci et reprises plus tard par Giorgio Vasari. C'est sur l'intervention du Médicis que Donatello obtint des commandes à Naples, Prato et à San Lorenzo de Florence.

Côme avait donné à son ami, toujours désargenté, car extrêmement généreux, un petit domaine hors des murs de Florence. Les démêlés avec son fermier lassèrent l'artiste qui, après la mort de Côme, demanda à Pierre de Médicis de reprendre ce bien contre le versement d'une rente annuelle. Quand le sculpteur mourut, Pierre de Médicis le fit enterrer tout près de Côme pour garder le souvenir de leur amitié.

Le monde florentin n'est pas seulement harmonie de sculptures et de masses architecturales. Il est aussi chatoiement de couleurs. Luca della Robbia se signale d'abord comme sculpteur des portes de bronze des sacristies de la cathédrale et de la tribune de chant, pour laquelle il crée des chœurs enfantins qui rivalisent en perfection avec les enfants dansants de la tribune de Donatello. Il évolue vers une forme d'expression qui marie harmonieusement, dans des reliefs en terre cuite, la sculpture et la peinture. Ses motifs orneront bientôt la plupart des monuments de la Florence de Côme de Médicis.

Mais la ville est aussi la capitale de la fresque. Sur les murs des chapelles et des nefs, à l'intérieur des églises, des myriades de saints et d'anges, des épisodes de la légende dorée et ceux de la vie du Christ peu à peu s'emparent de la place restée libre.

Le grand maître en est Guido di Pietro, en religion frère Giovanni de Fiesole, mort en 1455, pieux dominicain béatifié par l'Eglise et connu depuis sous le nom de Fra Angelico.

Fra Angelico, originaire du Mugello, très tôt entré au couvent, s'est formé dans la contemplation des fresques de Giotto à Assise. En 1436 sa congrégation essaime de Fiesole vers Florence où Côme de Médicis lui a construit des bâtiments neufs près de l'église San Marco. Ascète et idéaliste, Fra Angelico décore les murs de visions célestes, de saints et d'anges, invitant à la rêverie mystique et à l'extase. Côme, qui affectionne cette peinture, fait décorer par le religieux une cellule particulière qui lui est réservée pour y faire retraite.

Autre peintre fort apprécié de Côme, Filippo Lippi, mort en 1469, excelle dans les paysages champêtres, aux scènes colorées. Il défraye la chronique : religieux carme, il séduit son modèle, une religieuse de Santa Margherita de Prato. Côme intervient auprès du pape Pie II pour faire délier les amoureux de leurs vœux monastiques. L'esprit fantasque du peintre cause quelques soucis à son protecteur qui est contraint de l'enfermer pour obtenir l'achèvement d'une œuvre : mais Lippi s'échappe en sautant par la fenêtre.

Andrea del Castagno, mort en 1457, est un peintre tout dévoué à Côme. Il vient du Mugello et s'agrège au parti Médicis. Après le triomphe de leur faction, il participe à la répression. Il peint sur les murs de la prison des *Stinche* les portraits des chefs du parti des Albizzi dans des postures infamantes. On lui donnera le surnom d'*Andrea degli impiccati* : André des pendus. Il aura heureusement un autre titre de gloire : celui d'avoir introduit en Italie, avec son collaborateur Domenico Veneziano, le procédé flamand de la peinture à l'huile.

Ces peintres marchent sur les traces des deux maîtres qui ont décoré au *Carmine* la chapelle du marchand

Brancaci : Tommaso Fini, dit Masolino da Panicale, mort en 1440, et surtout Tommaso di Giovanni di ser Guidi, communément appelé Masaccio. Mort en 1428, ce jeune homme génial donne une magistrale démonstration de ce que peut désormais atteindre la technique picturale dans la pathétique évocation d'Adam et Eve chassés du paradis et l'harmonieuse ampleur de la scène du tribut payé par saint Pierre. A la finesse du dessin mûrie dans les travaux d'orfèvrerie, les peintres ajoutent désormais la science de l'anatomie, la connaissance des lois de la perspective linéaire et aérienne, le procédé du clair-obscur.

Un maître peintre se fait une spécialité des raccourcis et de la perspective : c'est Paolo di Dono, dit Ucello, mort en 1475, dont les scènes de batailles sont collectionnées par les Médicis comme par l'ensemble des notables florentins. Il sera l'un des décorateurs les plus à la mode, au Campo Santo de Pise, au « cloître vert » de Santa Maria Novella, à la cathédrale de Florence où il peint un condottière.

Certes, Bennozzo Gozzoli, l'auteur de la fresque des *Rois mages,* devait se sentir à l'aise dans la maison de Côme. Elève de Fra Angelico et s'inspirant de la manière de Masaccio, il savait aussi bien peindre les anges de l'*Annonce aux bergers,* surmontant l'autel de la chapelle des Médicis, qu'évoquer les artistes et célébrités contemporaines dans le cortège des Rois. Côme lui en avait donné mission, avec la claire conscience que l'art, comme l'or de ses banques, lui apportait gloire et prestige. Devant ses commandes pieuses, il avait l'intense satisfaction de sentir monter, avec la fumée de l'encens, l'admiration de ses concitoyens.

LA FLORAISON DE L'HUMANISME

Dominer par les sens, cependant, n'est pas suffisant : il faut inspirer le respect et pour cela se hisser au niveau des grands penseurs de l'humanité. La noblesse de l'esprit est le bien supérieur. Elle sublime les passions et permet d'atteindre l'immortalité. Cette leçon est vivante à Florence depuis deux siècles : Dante puis Pétrarque et Boccace donnent aux Florentins les modèles littéraires d'une quête de l'absolu qui se confond avec la femme aimée, réceptacle de toutes les perfections. Or la fin dernière de l'homme est, par la médiation de cet amour, d'entrer en communion avec la divine sagesse. Poètes et philosophes fournissent les moyens d'accéder à cette haute connaissance. On attend des révélations de l'Antiquité : textes intégraux et œuvres oubliées ont été découverts par d'infatigables savants, amoureux des belles lettres, les « humanistes ». Un immense effort s'impose : posséder assez bien le grec pour lire directement les philosophes antiques en passant outre aux adaptations et traductions édulcorées qui ont nourri la pensée médiévale. Pétrarque n'avait pas réussi à lire couramment Homère. Les générations suivantes ont plus de chance. Emmanuel Chrysoloras, un Grec venu au concile de Pise, forme des disciples nombreux. Toute une génération lui sera redevable de sa science. On y trouve, au côté de Côme de Médicis, de Luca Albizzi et de Palla Strozzi, les plus grands noms des humanistes d'alors. Leonardo Bruni, chancelier de la République florentine de 1427 à sa mort en 1444, et Poggio Bracciolini, qui lui succède dans cette charge jusqu'en 1459, sont de fins lettrés, de même que Coluccio Salutati. D'autres savants encore seront chanceliers de la République : les deux Marsuppini, père et fils, Benedetto Accolti, Bartolomeo Scala.

Certes, le Médicis n'est pas toujours bien accueilli dans le milieu humaniste : la querelle qui l'oppose, ainsi que son frère Laurent, à Francesco Filelfo est bien connue. Dès son retour triomphal à Florence, Côme obligera le polémiste lettré à prendre le chemin de l'exil.

Après 1434, la décadence du *Studio,* université des études de Florence, marque le retour au préceptorat privé pour l'enseignement du grec, mais le goût pour les lettres anciennes ne faiblit pas, comme le montre la chasse aux manuscrits. Certains savants se ruinent pour acquérir des livres : ainsi Niccolo Niccoli qui, avec ses 800 manuscrits, crée par testament en 1436 la première bibliothèque florentine dont Côme est nommé l'un des curateurs. Le Médicis lui-même a des rabatteurs, notamment Cristoforo Buondelmonti et Poggio Bracciolini. Aussi dispose-t-il de 400 volumes qu'il adjoint aux 800 de Niccoli. Il fait mettre en ordre la collection par Tommaso Parentucelli de Sarzana, qui deviendra en 1447 le pape Nicolas V et créera la bibliothèque du Vatican. Avec l'aide du libraire humaniste Vespasiano da Bisticci, qui dispose d'une équipe de 45 scribes, Côme fait recopier 200 manuscrits en moins de deux ans. Les livres sont déposés au couvent dominicain de San Marco et, après l'écroulement du bâtiment en 1453, réinstallés dans un édifice spécial construit en 1457 par Michelozzo Michelozzi. Côme réunira encore deux autres collections, l'une dans le cloître de San Lorenzo (qui deviendra la Laurenziana), l'autre dans l'abbaye de Fiesole.

LE RÈGNE DE LA PENSÉE GRECQUE. MARSILE FICIN ET L'INITIATION A LA DOCTRINE DE PLATON

Avec la chute de Constantinople, l'exode des manuscrits s'accompagne de celui des savants eux-mêmes. L'enseignement du grec et les conférences se donnent partout dans les couvents, à San Miniato, à Santa Maria degli Angeli, dans la cellule du camaldule Ambrogio Traversari, à Careggi même, dans la villa de Côme. Jean Argyropoulos, arrivé en 1456, formera une nouvelle génération de lettrés, parmi lesquels Donato Acciaiuoli et Angelo Poliziano. Déjà les Florentins prennent la relève, comme le fameux Cristoforo Landino, qui enseignera quarante ans jusqu'en 1497 et aura parmi ses élèves Laurent le Magnifique et Julien, les petits-fils de Côme.

La familiarité de Côme avec les lettres grecques avait pour base un intérêt profond pour les problèmes philosophiques. Cet intérêt avait été éveillé lors du concile de Florence, en 1439, par l'un des Grecs venu soutenir les droits de l'Eglise orthodoxe à la veille de son union avec l'Eglise catholique romaine. Forte personnalité, admirateur passionné de Platon en même temps que partisan d'un certain retour au paganisme, Georges Gémiste, surnommé Pléthon, avait été contraint de disputer en public contre le fameux partisan d'Aristote, Georges Scolario, dit Gennadius.

D'autres adversaires de Pléthon le poursuivaient de leur hargne : Théodore Gaza et Georges de Trébizonde. Le débat, déjà passionné parmi les Grecs avant leur départ pour le concile, monta à son paroxysme dans l'enceinte restreinte de l'Assemblée des Eglises réunie à Florence. Bien loin de faire front commun face aux théologiens catholiques, les orthodoxes étalèrent leurs différends, dressant l'une contre l'autre les théories de Platon et d'Aristote, comme si ces deux philosophes antiques étaient des autorités sur lesquelles se fondait la foi chrétienne.

La vivacité du débat peut être comparée aux professions politiques de notre époque qui opposent les hommes dans une guerre idéologique parfois sans pitié. Pris au piège dans Florence par ses adversaires, Pléthon trouva un défenseur en la personne de Jean Bessarion, évêque de Nicée, qui allait bientôt devenir cardinal de l'Eglise romaine. Celui-ci soutenait que Platon et Aristote pouvaient se rencontrer dans leur explication des origines de l'univers et du système de la création.

Mais bien peu de ses auditeurs orientaux étaient prêts à le suivre dans cette conciliation. Aristote, en effet, partait du principe qu'aucune intervention transcendante n'animait la nature : après l'impulsion qui lui avait donné le mouvement, elle allait dans la direction primiti-

vement impartie. Ce principe, plaçant Dieu en dehors de
sa création, avait été retenu et développé par toute la
théologie médiévale d'Albert le Grand à Thomas
d'Aquin. La créature, responsable, pouvait être jugée et
condamnée par son Dieu.

Platon, tel qu'on le redécouvrait dans des textes
longtemps perdus, soutenait au contraire d'Aristote que
dans la nature un Esprit était constamment présent et
agissait dans un but qu'il s'était fixé avec l'aide d'une
foule d'intercesseurs. Pléthon reprenait cette théorie et
ses développements sous l'influence notamment de Plotin et des philosophes alexandrins du IIe siècle de notre
ère. Il professait que l'univers avait un sens caché, révélé
en partie par les doctrines ésotériques d'Hermès Trismégiste et de Denys l'Aréopagite. Le fonctionnement des
lois de la nature telles qu'Aristote les avait imaginées
pouvait être modifié par l'intervention d'esprits et forces
spirituelles bienfaisantes.

Cette philosophie suivant laquelle les rapports de
l'humanité avec la divinité n'étaient plus marqués par la
crainte et le sentiment de la faute, comme dans le
christianisme traditionnel, mais par la liberté et l'amour,
passionna Côme et les marchands et lettrés qui l'entouraient. Pléthon avait convaincu le Médicis qu'il fallait
non seulement apprendre, mais méditer ce message dans
les réunions savantes et restreintes d'un cénacle : l'idée
était née d'une résurrection de « l'académie » platonicienne, cette libre assemblée où l'on évoquait avec
sérénité les questions essentielles. Mais Gemiste Pléthon
fut rappelé dans le Péloponnèse et ne put mener à bien
le projet. Bientôt il devait y être en butte aux persécutions de Gennadius, devenu patriarche de Constantinople, qui l'accusait d'être hérétique. Quand il mourut, en
1451, on brûla quelques-uns de ses ouvrages, notamment ceux qui contenaient sa doctrine néo-païenne.

Mais le courant de pensée qui s'était fait jour à
Florence n'était pas éteint. En 1451, Côme chargea un
jeune homme né en 1433, Marsile Ficin, le fils de son

médecin, qui avait commencé à étudier le grec, de lire, de commenter et traduire les divers écrits de Platon. Jusqu'alors le jeune érudit avait surtout pratiqué l'œuvre d'Aristote. A l'invitation du grand marchand, et par goût, il devint le restaurateur de l'œuvre de Platon et même une sorte de grand-prêtre du philosophe antique. Il réunit dans de doctes discussions les savants humanistes qui fréquentaient naguère les cercles érudits de San Miniato et du couvent des Camaldules. On trouvait là Leone Battista Alberti, le génial architecte, Donato Acciaiuoli, Antonio Canigiani, Alamanno Rinuccini, Giovanni Cavalcanti et beaucoup d'autres. Côme de Médicis offrait aux savants l'hospitalité de ses palais et de ses villas, notamment Careggi, où un petit domaine fut attribué à Ficin. L'anniversaire de la naissance et de la mort de Platon, le 7 novembre, était célébré, comme le faisaient autrefois les philosophes alexandrins, Plotin et Porphyre.

Un banquet réunissait de doctes convives près du buste de Platon devant lequel brûlait nuit et jour une lampe. On engageait une dispute philosophique qui se terminait par la louange de Platon entonnée à la manière d'un hymne religieux. Le rituel de ces cérémonies fait penser à un culte secret pratiqué par des initiés soigneusement sélectionnés : il s'agissait bien, en effet, d'une sorte de célébration, celle de la connaissance ésotérique des origines du monde.

L'initiation au platonisme fut très tôt étendue à la famille de Côme. Ses fils Jean et Pierre et même ses petits-fils Julien et Laurent, dès qu'ils eurent atteint l'âge de raison, y furent mêlés. Instruits aux jeux de la politique et de la grande finance dans l'ambiance quotidienne des affaires, ils étaient ainsi pourvus d'une doctrine d'explication de l'univers qui les assurait de leur union constante, dans l'action, avec Dieu, l'essence ultime du monde. Ils devaient plus tard, les uns et les autres, encourager l'action entreprise par Ficin à la demande de Côme, développer et prôner le « néo-

platonisme » comme une sorte de doctrine officielle des
Médicis.

LA MORT DE CÔME DE MÉDICIS

Dans ses préoccupations spirituelles, la sincérité de
Côme ne peut être niée. Il est un lecteur assidu
d'ouvrages aussi divers que les *Vies des philosophes* de
Diogène Laerce et les *Œuvres* de saint Grégoire. Au
reste, il s'attache peu au formalisme de la foi de son
temps : comme les autres notables de l'époque, il n'est
pas fidèle à son épouse et il a, notamment, d'une liaison
avec une esclave, un fils naturel, Carlo, qu'il élève à son
foyer. Mais en cela, comme dans sa pratique du prêt à
intérêt par laquelle il brave les lois ecclésiastiques sur
l'usure, il ne diffère nullement de ses contemporains.
Peut-être simplement est-il, plus que la plupart, soucieux de son avenir dans l'au-delà.

Ses derniers jours dans la villa de Careggi ressemblent
à ceux d'un philosophe antique. Les articulations
nouées, souffrant d'une douloureuse uricémie, il
conserve jusqu'à la fin sérénité morale et sens de
l'humour. La crainte de la mort est sans cesse présente à
son esprit. Il se fait commenter l'*Origine du monde* et le
Souverain Bien, deux traités de Platon traduits par
Marsile Ficin, puis il médite silencieusement des heures
entières. Sa femme, la bonne ménagère Contessina, sa
compagne fidèle des derniers instants, s'effraye de son
immobilité et lui en demande la raison. « Quand nous
allons **partir** pour la villa, lui répond-il, tu fais des
préparatifs quinze jours avant le départ. Ne comprends-
tu pas que moi, qui dois quitter cette existence pour la
vie future, j'aie beaucoup à y penser ? » Et encore,
lorsque, angoissée, elle lui demande pourquoi il tient
obstinément les paupières closes : « C'est pour les
habituer », répond-il simplement.

Quand, le 24 juillet, il sent la fin s'approcher, Côme

ne garde près de lui que sa femme et son fils Pierre. Celui-ci raconte l'agonie à ses deux garçons Laurent et Julien retirés dans la villa de Cafaggiolo, à la fois pour ne pas importuner le mourant et pour fuir la peste qui sévit à Florence.

A l'intention de son fils et de ses petits-enfants, le grand marchand rappelle ce qu'il a fait dans le gouvernement de la cité et la gestion de ses affaires. Il regrette de n'avoir pas réalisé tout ce qu'il aurait voulu et se désole de laisser son fils Pierre, dont la santé est si mauvaise, diriger la maison. Mais il lui fait confiance ainsi qu'à ses héritiers à qui il recommande de rester unis dans une véritable affection : il ne rédige pas de testament et, comme dernière volonté, il souhaite seulement être enterré sans pompe à San Lorenzo. Il se déclare prêt et heureux de partir quand il plaira à Dieu.

Le matin du 25 juillet il se fait péniblement lever du lit. On l'habille. Il fait entrer les prieurs de San Marco, de San Lorenzo et de l'abbaye de Fiesole. Il se confesse au prieur de San Lorenzo et on célèbre la messe dans sa chambre. Il répète avec les prélats les articles de la foi, demande pardon à tous les assistants et reçoit le Saint Sacrement. La cérémonie terminée, il se recouche dans le calme et ne tarde pas à entrer en agonie, affligé d'une rétention totale de l'urine contre laquelle les soins des médecins, et notamment d'un spécialiste venu à la dernière minute de Milan, seront impuissants.

Il meurt dans la nuit du 1er août 1464, confiant dans le Dieu bon que Platon lui a révélé autant que les Pères de l'Eglise. Celui qui a pris pour modèle les Rois mages emporte en offrande dans l'au-delà une foi renouvelée, gage de vie future comme la myrrhe au parfum d'éternité.

DEUXIÈME PARTIE

L'héritier

CHAPITRE I

Une dure relève

A San Lorenzo, le 2 août 1464, Côme est porté en terre. L'office, comme l'avait souhaité le défunt, est simple. Des cierges nombreux brillent dans la nef et le chœur. Seize torches sont allumées autour du catafalque. Les prêtres de la paroisse chantent la messe des morts avec les dominicains de San Marco et les chanoines de Fiesole.

Pierre de Médicis, le fils de Côme, mène le deuil avec son cousin Pierfrancesco. Ils sont suivis immédiatement des deux petits-fils de Côme, Laurent et Julien. Derrière eux, viennent Carlo, le fils naturel du défunt, Nicodemo de Pontremoli, secrétaire du duc de Milan, et Bartolommeo Scala, chancelier de la République de Florence. La veuve, Contessina, est entourée des femmes de la famille, voilées de noir. La Seigneurie et les Conseils ont décerné à Côme le titre de « Père de la Patrie ». Le peuple a acclamé leur décision. L'inscription est apposée sur la tombe. Auprès de celle-ci, les prêtres vont, pendant un mois, dire deux cent quarante messes de Requiem.

Partout en Europe, là où les Médicis sont installés, à Rome, Venise, Milan, Bruges, Londres, Genève et

Avignon, des messes sont également célébrées. Les directeurs des filiales distribuent des aumônes et versent des cautions pour libérer les prisonniers.

A Florence, Pierre de Médicis se prépare à prendre, sur tous les plans, la succession. Certes, il a l'âge — quarante-huit ans — et l'expérience nécessaire. Son père lui a remis, ainsi qu'à son frère Jean, la responsabilité de la banque, neuf ans auparavant, en 1455, puis, récemment, c'est sur lui qu'est retombé tout le poids de l'affaire lorsque Jean est mort prématurément en 1463, un an avant son père Côme.

Celui-ci avait fondé de grands espoirs sur la collaboration de ses deux fils. Le cadet en effet était affable, intelligent et surtout alerte. Il pouvait, comme le montre sa correspondance, se déplacer rapidement dans toute l'Italie pour vérifier les comptes des filiales, négocier des contrats et entretenir des relations directes avec les clients. Par contre, l'aîné, Pierre, était affligé depuis 1450 d'une arthrite déformante. Il était devenu un infirme, bientôt condamné à garder la chambre et à ne se déplacer qu'en litière. Il était doté du bon sens et de l'esprit précis de son père, mais la maladie l'avait aigri, en accentuant ses tendances parcimonieuses et un peu tatillonnes. Formé à l'école de bons humanistes, il est un connaisseur averti en matière d'art. Il conclut, au nom de Côme, les commandes aux artistes. Il fixe le thème des représentations et la manière dont elles devront être traitées. La décoration de la chapelle du palais par Gozzoli est réalisée sous son contrôle direct. Sa correspondance le montre exigeant de l'artiste une modification : la dissimulation par des nuages du corps des grands séraphins peints de part et d'autre de l'autel.

Côme a choisi l'épouse de son fils, comme il est de règle dans la société florentine. C'est Lucrezia Tornabuoni qui appartient à une vieille famille aristocratique entrée depuis longtemps dans les affaires. La jeune fille a neuf ans de moins que Pierre : elle est née en 1425. Elle n'est pas très belle mais s'impose dans la société par son élégance et ses manières raffinées : elle a reçu une éducation parfaite et pratique avec excellence les arts de la musique, de la danse et de la poésie. Elle sera une mère accomplie. De ses sept enfants — quatre garçons et trois filles —, quatre parviendront à l'âge adulte. La fille aînée, Bianca Maria, née en 1445, épousera en 1459 Guglielmo Pazzi. La seconde, Lucrezia, appelée familièrement Nannina pour la distinguer de sa mère, est née en 1448. Elle deviendra en 1466 la femme de Bernardo Rucellai.

L'aîné des fils voit le jour le 1er janvier 1449. Il reçoit le prénom de Laurent, traditionnel chez les Médicis, qui rappelle le saint tutélaire de la famille, patron de la grande basilique voisine du palais. Un plus jeune garçon, Julien, né en 1453, grandira au côté de son aîné, partageant son éducation, ses joies et ses peines.

En dehors de ces quatre enfants, Pierre aura, hors mariage, d'une mère inconnue, une fille, Maria. Elevée à l'écart des autres enfants, mais reconnue comme leur demi-sœur, elle épousera en 1470 Lionetto Rossi, directeur de la banque Médicis de Lyon.

La vie s'écoule tranquille dans le vaste palais florentin encore en construction et dans les villas des collines. Les maternités de Lucrezia donnent lieu aux visites cérémonieuses des dames patriciennes venues en cortège faire leur compliment, comme le représentent les fresques de la *Nativité de la Vierge* et de la *Naissance de Jean-Baptiste* à Santa Maria Novella. Il est probable que le frère de Lucrezia, Giovanni, commanditaire de ces peintures, a voulu rappeler la naissance de ses nièces et neveux sous les lambris dorés du palais Médicis. Les thèmes retenus, la vie de la Vierge et celle de Jean, étaient les thèmes de prédilection des poésies pieuses qu'écrivait, avec talent, Lucrezia. Sa dévotion, très sincère, s'était approfondie sous l'influence de l'archevêque Antonio Pierozzi, appelé affectueusement Antonino à cause de sa petite taille et canonisé sous le nom de saint Antonin.

Lucrezia distribue des secours dans les couvents et constitue des dots à des jeunes filles pauvres. Par le biais de la charité chrétienne, elle inculque à ses enfants des leçons de générosité. Mais la jeune troupe ne vit pas enfermée à Florence. Elle s'en échappe fréquemment, sous prétexte de chaleur ou d'épidémie, pour de longs séjours à Pise ou dans les grandes villas familiales, Cafaggiolo, Trebbio et surtout Careggi où l'on retrouve les cousins Médicis, le fils et les petits-fils du frère de Côme.

ENFANCE ET ÉDUCATION DE LAURENT LE MAGNIFIQUE

Dans les grands domaines de sa famille, Laurent, en compagnie de Julien, apprend à jouir de la nature. Suivant le cycle des saisons, les vendanges à Careggi ou les grandes courses à cheval dans le Mugello mettent les jeunes citadins au contact des frustes habitants de la campagne. D'autres occasions encore s'offrent de côtoyer le peuple. Ce sont les cures thermales, auxquelles les Médicis sont fidèles. Ils fréquentent surtout les bains de Petriolo, de Carsena et de Macerato, où, quand ils arrivent, on célèbre des fêtes en leur honneur. Plus tard, en 1477, la mère de Laurent achètera les bains sulfureux de Morba, fera refaire les griffons et les canalisations et transformera le site en une station thérapeutique moderne.

Dans leurs villas et palais les jeunes Médicis ne manquent pas de distractions. On leur témoigne une grande indulgence. Le chroniqueur ferrarais Lodovico Carbone raconte une anecdote significative à cet égard. Des ambassadeurs de Lucques discutent de graves questions avec Côme lorsqu'un de ses petits-fils fait irruption dans la pièce : il tend à son grand-père un canif et un roseau et lui demande de fabriquer un sifflet. Interrompant l'audience, Côme sculpte le jouet et le bambin, ravi, décampe. Aux ambassadeurs qui s'éton-

nent, Côme répond : « Ne savez-vous donc pas combien
on peut aimer ses enfants et petits-enfants ? Vous vous
scandalisez que j'aie taillé le sifflet. Heureusement que
mon petit-fils ne m'a pas demandé d'en jouer, car je
l'aurais fait devant vous. »

Les années passant, le grand-père apprécie l'intelligence de Laurent. Il aime disputer avec lui des parties
d'échecs. Plus tard il le fera assister aux discussions
philosophiques qu'il tient en cercle fermé. Il ne tarde pas
à le charger de fonctions d'apparat qui plaisent au
peuple de Florence.

En mai 1454, Laurent, qui a cinq ans et demi, fait une
visite protocolaire. Habillé à la française et entouré d'un
cortège brillant, il va saluer Jean d'Anjou, fils du roi
René, candidat malheureux au trône de Naples : le
prince est l'hôte officiel de la République qui l'a décoré
du titre de chevalier.

Cinq ans plus tard, à l'occasion des séjours à Florence
de Galeazzo Maria Sforza et du pape Pie II, en avril-mai
1459, Laurent et son frère Julien assument un rôle
important. Côme reçoit le prince milanais, à peine âgé
de dix-sept ans, dans la chapelle de son palais, toute
resplendissante de l'or des fresques en cours de finition.
Ses deux petits-fils récitent des compliments d'usage. Un
peu plus tard, Galeazzo Maria est accueilli à Careggi.
On le sert princièrement ainsi que sa suite. Laurent et
son oncle Jean de Médicis s'affairent dans la salle du
banquet, sans s'asseoir à la table, pour marquer leur
déférence. Une des sœurs de Laurent joue d'un petit
orgue. Après le dîner, les épouses de Pierre et de Jean
interprètent une danse de cour en compagnie des plus
belles dames de Florence.

L'arrivée du pape Pie II, en route pour le congrès de
Mantoue où doit se décider la prochaine croisade, est le
prétexte d'une liesse populaire considérable. Les fêtes,
qui attirent une foule évaluée à 60 000 spectateurs,
commencent par un tournoi sur la place de Santa Croce.
Le 29 avril, un bal se déroule au Marché neuf, entière-

ment décoré de riches tapisseries : soixante jeunes couples y dansent avec grâce, revêtus de leurs plus beaux atours.

Le jour suivant, sur la place de la Seigneurie, close de toutes parts et transformée en champ de corrida, on lâche les deux lions entretenus aux frais de la République car ils sont l'un des symboles de Florence au même titre que le lys rouge et la croix rouge sur fond blanc. On fait entrer dans l'arène deux chevaux, quatre bœufs, deux taureaux, une vache et son veau, un ours sauvage, des loups et même un animal presque inconnu alors, une girafe. Le peuple s'attend à une mêlée générale des bêtes : hélas !, les cris de la foule, au lieu de les exciter, effrayent les animaux, qui restent cois. Alors vingt hommes sortent dans le champ clos et, au milieu des fauves, se livrent à une course poursuite avec une grande balle de bois.

Le clou du spectacle devait avoir lieu dans la nuit du 1er au 2 mai. Illuminée par des centaines de torches, une parade militaire défile dans la Via Larga soigneusement sablée. Trente musiciens ouvrent la marche. Derrière un étendard aux armes du jeune Laurent, douze cavaliers superbement vêtus, avec pages et serviteurs en livrée, précèdent le jeune Médicis monté sur un cheval blanc, paré d'or et de pourpre comme il le sera sur la fresque de Gozzoli.

Derrière les cavaliers, un char allégorique représente le triomphe de l'Amour. Après plusieurs passages, le cortège se disloque, les jeunes patriciens suivent Laurent à l'intérieur du palais où les attendent des mets délicats, cependant que le bon peuple chante et festoie tard dans la nuit en l'honneur des hôtes de Florence.

Tel était l'apprentissage mondain de Laurent, tissé de fêtes et de joies continuelles. Mais l'éducation prenait l'essentiel de son temps. Il avait reçu, très tôt, vers 1454, un gouverneur qui était à la fois son pédagogue et son homme de compagnie : Gentile Becchi, né à Urbin, appartenait à la clientèle des Médicis qui l'avaient fait nommer curé de San Giovanni en 1450. Il recevra successivement des bénéfices importants, notamment une prébende canoniale de la cathédrale en 1462. Il deviendra plus tard vicaire général de l'archevêque de Florence, Giovanni Neroni, puis, en 1473, sur la proposition de son élève Laurent, évêque d'Arezzo. C'était un excellent orateur : son talent lui vaudra de nombreuses missions diplomatiques, surtout à Rome et à la Cour de France. Homme d'esprit enjoué, il a laissé une correspondance très vivante, emplie d'humour. Il enseigne les humanités à Laurent. Il lui apprend à écrire, excellemment, en latin et corrige ses premiers vers en italien. La bibliothèque des Médicis, enrichie constamment depuis 1440, offrait au jeune élève d'admirables ressources, parmi lesquelles on peut citer le meilleur manuscrit des lettres de Cicéron et deux manuscrits de Tacite, dont l'un était la seule copie ancienne contenant les cinq premiers livres des *Annales*. Pline, Virgile, Jules César, voisinaient sur les rayons avec les auteurs grecs et notamment Sophocle, mais aussi avec les plus grands poètes florentins, Pétrarque et Dante.

Un autre maître guide Laurent dans la familiarité des grands poètes : Cristoforo Landino. Le jeune garçon suit ses cours de rhétorique et de poétique, à partir de 1458, à l'université de Florence. Le vieux *Studio* a encore comme professeur de grec et de philosophie le célèbre Argyropoulos. Celui-ci, pendant une dizaine d'années, a le jeune Laurent comme auditeur de ses conférences sur Aristote et Platon, ainsi que sur l'histoire de la pensée et de la civilisation helléniques. Enfin, Marsile Ficin exerce une profonde influence sur Laurent qui, assiste avec recueillement aux causeries platoniciennes sur la mort tenues à Careggi par le philosophe à la demande du vieux Côme.

Laurent eut encore la bonne fortune de rencontrer l'un des « génies universels » de l'époque, l'architecte philosophe Leone Battista Alberti. Celui-ci lui dédia l'un de ses ouvrages, le *Trivia*, consacré à l'art de discuter les affaires de l'Etat. Le jeune homme revit souvent Alberti, à Florence, où il venait contrôler les bâtiments dont il avait donné les plans, particulièrement les chantiers ouverts pour les Rucellai. A Rome, c'est, plus tard, sous sa conduite que Laurent visitera les ruines antiques.

Naturellement tous les artistes qui fréquentent le palais Médicis surent tour à tour captiver l'attention du jeune garçon. La musique qu'il étudia sous la direction de l'illustre organiste de la cathédrale, Antonio Squarcialupi, était très tôt devenue pour lui un art de prédilection. Il jouait de divers instruments et aimait chanter. Il accompagnait ses vers de mélodies originales.

Cette période de formation, entièrement placée sous le signe de l'épanouissement spirituel, marquera profondément Laurent. Elle lui donnera le goût de poursuivre avec un groupe restreint d'amis fidèles les discussions sur le Bien suprême de l'âme, sujet privilégié évoqué si souvent dans sa jeunesse, notamment dans le cadre du calme couvent des Camaldules : Landino, en 1474, en donnera l'écho dans ses *Disputationes Camaldulenses*.

La mort de Côme va brusquement arracher le jeune homme à cette ambiance heureuse, située si loin — il s'en repentira un jour — des difficultés matérielles vécues par ses ancêtres, les laborieux hommes d'affaires.

L'ADOLESCENCE DE LAURENT. SES MISSIONS A MILAN, ROME ET NAPLES

En 1464, Laurent a presque atteint sa taille d'adulte, qui restera moyenne. Son corps est robuste. Son visage, aux traits irréguliers, est volontaire. Ses yeux noirs brillent d'intelligence. Il souffre de quelques disgrâces : une voix un peu criarde, une mauvaise vue, un manque total d'odorat. Bientôt s'annonceront les premières douleurs de la goutte. Mais son courage et sa gaîté masquent ses défauts physiques. Elégant, affable, toujours disponible, il apparaît à tous comme l'héritier, plein de promesses, de la lignée des Médicis.

Vers la demeure de la Via Larga affluent lettres de condoléances, puis de compliments au nouveau chef de la famille. En mai 1465, le roi de France Louis XI nomme Pierre membre de son conseil privé et lui octroie le privilège de faire figurer dans ses armes, sur la première des boules héraldiques, les lys de France, d'or sur azur.

Le geste n'est pas désintéressé. La France traverse alors une crise très grave et le roi a le plus urgent besoin d'un banquier généreux qui finance son armement contre les seigneurs révoltés. Plus que d'une reconnaissance internationale, Pierre a besoin de s'imposer à l'intérieur de l'Italie auprès des grands Etats. Il décide d'envoyer son fils aîné, Laurent, dans les principales cours. Il attache une importance particulière au renforcement des liens noués par Côme avec Francesco Sforza, duc de Milan. Justement, celui-ci va marier sa fille Ippolita avec le fils aîné du roi Ferrante de Naples, Alphonse d'Aragon. En avril, le fils cadet du roi, Frédéric, passe à Florence avec une délégation importante de nobles et de prélats. Il se rend à Milan pour épouser par procuration la fille du duc au nom de son frère. Les Napolitains sont en deuil de leur reine. Aucune cérémonie officielle n'a lieu. Peut-être, en privé, le prince napolitain de treize ans a-t-il pu rencontrer Laurent de Médicis avec qui il sympathisera plus tard. Ils vont bientôt se retrouver à Milan, où Florence envoie une délégation aux fêtes du mariage. En font partie, avec Laurent, son beau-frère Guglielmo Pazzi et Diotisalvi Neroni, tous deux représentants du monde des affaires et des notables partisans des Médicis. Laurent passe par Ferrare et Venise, où il est reçu assez froidement : on y connaît trop les liens privilégiés des Médicis et du duc de Milan.

Le 9 mai, l'ambassade arrive à la cour des Sforza. Laurent a apporté dans ses bagages l'argenterie des

Médicis. Il s'en sert dans les réceptions qu'il offre avec magnificence dans le palais où Pigello Portinari dirige une succursale des Médicis. Le duc et son fils Galeazzo Maria, qui connaît bien Laurent pour avoir naguère chevauché à ses côtés, trouvent l'occasion bonne de lui demander un secours : le roi de France Louis XI les appelle à l'aide. L'argent florentin sera le bienvenu pour payer leurs soldats. Faute de disposer de pouvoirs, Laurent ne peut s'engager. Il reprend rapidement le chemin du retour après la célébration du mariage.

Le mois suivant, Ippolita Sforza fait son entrée à Florence. Elle descend au palais de la Via Larga avec son beau-frère, le prince napolitain. Son séjour coïncide avec les fêtes patronales de la Saint-Jean auxquelles on donne un éclat exceptionnel : lâcher des lions familiers de Florence dans une arène improvisée, course du palio, actions de grâce dans les églises. Pierre de Médicis entend, par son accueil, célébrer publiquement l'accord qui le lie aux cours de Milan et de Naples.

Une troisième cour italienne fait l'objet de ses attentions : c'est celle du pape, avec qui les Médicis sont en relations d'affaires. En février 1466, Pierre décide d'y envoyer son fils Laurent en ambassade extraordinaire. Gentile Becchi et Roberto Malatesta accompagnent le jeune homme. Le 8 mars, ils arrivent à Rome.

Le pontife régnant depuis 1464, Paul II, est un ancien négociant vénitien. Il veut rendre plus rentable le gisement d'alun de la Tolfa, qui, depuis 1462, fournit à l'Occident l'essentiel de ce produit, indispensable pour dégraisser les tissus et fixer les teintures.

Les Médicis écoulent l'essentiel de cette production : ils vendent en Europe, de 1463 à 1466, 4 000 tonnes d'alun au profit de la Chambre apostolique. Mais la compagnie fermière que le pape a chargé d'extraire et d'affiner le minéral n'est autorisée à fabriquer que 1 500 tonnes par an. Ce volume se révèle trop restreint pour faire face à la demande.

Laurent et son oncle Giovanni Tornabuoni, directeur

de la succursale de Rome, posent leurs conditions au Saint-Siège : ils veulent être entièrement maîtres de la commercialisation, mais aussi contrôler, en amont, la fabrication en entrant comme associés dans la compagnie fermière.

Le 1er avril, après des négociations ardues, ils obtiennent satisfaction. Le contrat qu'ils signent substitue Pierre de Médicis à un homme de paille du pape, Bartolomeo da Framura. La nouvelle compagnie pourra produire autant d'alun qu'il en sera demandé sur le marché.

Les Médicis remplacent la Chambre apostolique dans l'ensemble des opérations financières. Ils deviennent dépositaires de la Caisse de la Croisade, dont la recette principale est fournie par la vente de l'alun. Les sommes encaissées doivent être réparties à raison des deux tiers pour la Chambre apostolique et de un tiers pour la compagnie fermière : le contrat est une « affaire en or ». Le but principal du voyage auprès du pape est atteint : les Médicis ont arraché le marché du siècle, provoquant la jalousie de leurs rivaux, les financiers de Florence et ceux des autres villes italiennes.

Laurent, fier de ce résultat, aurait volontiers goûté aux plaisirs de Rome. Mais les fêtes mondaines lui sont expressément interdites par son père : on vient d'apprendre la mort subite, le 8 mars, de Francesco Sforza, et Pierre impose à son fils de prendre le deuil du duc-condottière afin de proclamer publiquement la fidélité des Médicis à leur allié milanais. Il lui demande d'obtenir du pape, malgré ses origines vénitiennes, l'engagement de reconnaître et de soutenir l'héritier du Milanais, Galeazzo Maria Sforza. Or, il est aussi important pour Rome que pour Florence de maintenir, face à la République des Doges, un Etat milanais fort. Laurent a autant de chance dans sa démarche diplomatique qu'il en a eu dans la négociation financière. Le lendemain de la grand-messe pontificale de Pâques, il part le 7 avril pour Naples. Son voyage est, cette fois, un prolongement de son ambassade milanaise : il doit consolider l'axe d'entente entre Milan, Florence et Naples. La mort de Sforza rend encore plus nécessaire la solidarité entre Pierre de Médicis et le roi Ferrante. Les conversations de Laurent avec le monarque, à Capoue, les parties de chasse et les réceptions officielles aboutissent aisément à un accord sur ce sujet. Il n'en est pas de même dans un autre domaine, celui des finances. Ferrante est âpre au gain. Il pressure barons et négociants de son royaume. Il veut tirer le plus grand profit de ses mines d'alun, à Agnano, près de Pouzzoles, dans les îles Lipari et à Ischia. Le récent contrat conclu par Laurent à Rome lui apporte une gêne certaine : on étudie les termes d'un accord partageant le marché européen.

Laurent sait bien que les Napolitains n'occupent pas une position de force : ils ne produiront jamais assez d'alun pour être des concurrents sérieux. En échange d'une convention de paix commerciale qui ne lui coûte guère, il exige que les concurrents de la banque Médicis sur la place de Naples, essentiellement les Acciaiuoli et Luca Pitti, ne soient plus, à l'avenir, privilégiés dans les opérations financières du souverain, opérations fort importantes car le roi se réserve le monopole des exportations. Là encore, le jeune Médicis obtient gain de cause, en s'engageant il est vrai à faire annuler le bannissement de la famille des Strozzi qui, exilés à Naples, y sont devenus les amis du roi.

L'accord se fait sur ces divers points. C'est encore un succès complet pour les Médicis, mais il est ressenti comme un grave camouflet par une partie importante du patriciat florentin. La conjoncture pourtant aurait voulu qu'on ménageât les notables.

L'OPPOSITION DES ANCIENS NOTABLES : AGNOLO ALBIZZI, LUCA PITTI, DIOTISALVI NERONI ET NICCOLO SODERINI

Depuis deux ans une sourde opposition gronde à Florence dans les rangs mêmes des plus anciens partisans des Médicis. Les Acciaiuoli sont l'une des plus anciennes familles de Florence. Bannis après le tumulte des *ciompi* en même temps que les Médicis, ils se sont liés à eux et les ont soutenus dans la lutte contre le parti des Albizzi. L'un de leurs chefs, Agnolo, s'est distingué en prenant le parti de Côme pendant l'exil de celui-ci à Venise : il a été emprisonné et même torturé. Au retour des Médicis, il trouve sa récompense : il devient gonfalonier, puis ambassadeur auprès du roi de France. Il marie sa fille Laudomina à Pier Francesco de Médicis. Mais Côme se méfie de son ambition et de ses demandes continuelles : il lui refuse l'archevêché de Pise pour l'un de ses fils ; il rompt le mariage d'un autre fils d'Agnolo dans la famille Bardi, alliée des Médicis. Agnolo cache son mécontentement. Sa fidélité et celle de sa famille, déjà soumises à rude épreuve, seront définitivement compromises lorsque Pierre de Médicis entreprendra d'écarter les Acciaiuoli des circuits commerciaux napolitains. Agnolo occupe la fonction d'accoupleur. Il est membre des conseils de la Seigneurie ; sa place dans l'Etat lui permettra, le moment venu, de se venger en faisant adopter légalement des mesures dommageables aux Médicis. Bien d'autres notables sont dans une situation semblable. L'un des principaux, Luca Pitti, a été l'homme de main du coup d'Etat de 1458. Il estime n'en avoir pas retiré les avantages politiques qu'il en escomptait. Très riche, il a pourtant de criants besoins d'argent pour alimenter le chantier du palais qu'il fait bâtir sur la colline de San Giorgio. Il veut émarger davantage au budget de l'Etat et, pour cela, placer ses clients aux postes clés et dans les charges lucratives d'administration du territoire florentin. Ses partisans ont un appétit immodéré du pouvoir : ils forment le « parti de la Colline » par opposition au « parti de la Plaine » qui rassemble les clients des Médicis autour du palais de la via Larga, situé dans la vallée de l'Arno.

Parmi ceux qui se prétendent amis des Médicis, certains, par ambition ou par jalousie, sont prêts à rallier

l'opposition qui grandit de jour en jour après la mort de
Côme. C'est le cas de Diotisalvi Neroni, conseiller et
ami de Côme. Il a placé son argent dans les affaires des
Médicis et, grâce à eux, il a fait fortune. Son frère
Giovanni est devenu archevêque de Florence. Lui-même
a été fait chevalier par le duc de Milan quand il a
accompagné Laurent dans son ambassade. Pierre prend
ses conseils lorsqu'il réorganise la banque à la mort de
son père. Diotisalvi lui aurait suggéré de faire rentrer
toutes les créances, et cette mesure, appliquée immédiatement, aurait causé la cascade de faillites qui dans
l'automne de 1464 frappent un grand nombre d'entreprises florentines. Machiavel pense que Diotisalvi avait
sciemment donné cet avis afin de provoquer l'explosion
de mécontentement contre Pierre et ultérieurement son
bannissement par la Seigneurie. Une telle machination
n'est pas prouvée. La coïncidence entre l'interruption
des comptes de la banque Médicis, pour bilan après la
mort de Côme, et les faillites florentines est peut-être
fortuite. En tout cas, s'il intervint de façon malen-
contreuse, Diotisalvi n'en fut pas, pour autant, écarté
et il put continuer à attendre son heure en dissimu-
lant sa jalousie. Il travaillait dans l'ombre à ruiner la
confiance des familiers de la Via Larga envers l'héritier
de Côme.

Parmi ceux qu'il côtoie quotidiennement, il trouve des
gens aux opinions violemment opposées à l'intérieur
d'une même famille. Tels sont les Soderini. Tommaso
Soderini a épousé une sœur de Lucrezia Tornabuoni. Il
est l'ami intime de son beau-frère Pierre de Médicis,
dont il partage toutes les opinions. Par contre son frère,
Niccolo Soderini, ne manque aucune occasion de prodi-
guer ses critiques contre le régime Médicis : esprit très
idéaliste, il aspire à la restauration des anciennes
libertés.

A l'occasion des consultations auxquelles le convie la
Seigneurie, il milite pour le rétablissement du tirage au
sort des titulaires des charges et, à la longue, il réussit à

convaincre les prieurs et les Conseils. La vieille méthode est restaurée le 18 septembre 1465. Le contrôle, par les accoupleurs, des aptitudes des candidats après extraction des noms des bourses est annulé. Le hasard seul décidera. Aucun homme qu'il aura désigné ne pourra être refusé, sauf incapacité grave et insolvabilité envers le Trésor public. Les Médicis perdront ainsi le choix absolu des membres du gouvernement.

L'ATTAQUE DU RÉGIME MÉDICIS

Le tirage au sort du 29 octobre, pratiqué suivant les anciennes modalités, est favorable au courant républicain. Niccolo Soderini est élu gonfalonier de justice. L'enthousiasme de ses partisans éclate. On le porte en triomphe au palais de la Seigneurie. Les dames de Florence le couronnent de rameaux d'olivier. On attend merveille de son gouvernement. En deux mois, il est vrai, il multiplie les réunions de réforme et les projets. L'un de ceux-ci aboutit. Une commission est créée pour élargir la liste des candidats aux fonctions de l'Etat. Tout de suite elle multiplie leur nombre par trois. Beaucoup des nouveaux candidats veulent le retour à l'ancienne République. Cette conjoncture encourage la résistance contre Pierre dans les Conseils. Au printemps de 1466, les opposants relèvent la tête. Pierre propose à la Seigneurie, après la mort de Francesco Sforza, d'accorder un subside de 40 000 ducats à la duchesse veuve et à son fils Galeazzo Maria. Il veut acheter ainsi le soutien dont il pourrait avoir besoin pour garder le pouvoir. Naturellement, ses adversaires s'y opposent. Luca Pitti a déjà déclaré en décembre 1465 qu'il préférait le diable au duc de Milan. La Seigneurie, sous son influence et celle d'Acciaiuoli, diminue le chiffre du subside ; c'est un premier échec infligé à Pierre.

D'autres suivent. La Seigneurie impose à tous les candidats qualifiés pour les charges l'obligation de se désolidariser des factions, quelles qu'elles soient. Une fois élus, défense leur est faite de se rassembler dans un palais privé. Les Médicis sont presque directement visés.

Les opposants éprouvent le besoin de se déclarer publiquement et de compter leurs forces. Quatre cents d'entre eux se réunissent le 27 mai pour jurer solennellement qu'ils observeront les anciennes règles du gouvernement républicain et préserveront les libertés.

Ils signent leur serment. Aux premières lignes on voit les noms de Luca Pitti, Agnolo Acciaiuoli, Diotisalvi Neroni et même la signature de Pier Francesco de Médicis, le cousin de Pierre qui est aussi le gendre d'Agnolo Acciaiuoli. Pier Francesco trouve l'occasion bonne de se venger de la branche aînée de sa famille, dont il prétend qu'elle l'a spolié.

Les jours suivants, l'opposition prend pour cible le Conseil des Cent, cette sorte de Sénat créé par les Médicis qui en ont fait une chambre d'enregistrement docile pour les mesures exceptionnelles dont ils ont besoin. Le vote des Cent permet de passer outre aux avis des anciens Conseils du Peuple et de la Commune. La campagne d'agitation contre cette institution est virulente. Il ne fait aucun doute que, si les opposants ont la majorité dans la nouvelle Seigneurie qui va être élue le 28 août, le Conseil des Cent sera aboli et, avec lui, le dernier levier de contrôle qui reste, en partie, aux mains des Médicis. Ceux-ci se défendront, c'est évident. Pitti et ses amis se cherchent un allié assez fort et décidé à faire face. Ils le trouvent en la personne de Borso d'Este, marquis de Ferrare, qui ne cache pas son hostilité à Pierre, coupable à ses yeux d'avoir renouvelé l'alliance de Florence et de Milan. Hercule, frère de Borso, se met en marche en juillet. Le seigneur de Bologne, Giovanni Bentivoglio, avertit Pierre, alors retiré à Careggi, que l'armée ferraraise compte 800 cavaliers, 2 000 fantassins et 1 000 arbalétriers.

Aussitôt le Médicis obtient de Galeazzo Maria Sforza la venue à Imola de 1 500 cavaliers milanais. Un capitaine

du duc pourra occuper la place de Firenzuolo sur
l'Apennin et barrer la route aux troupes d'Hercule
d'Este. Mais les Milanais sont trop loin de Careggi pour
protéger efficacement Pierre. La vieille demeure est
fortifiée mais son jardin et son domaine s'ouvrent
largement sur la campagne : on ne saurait y résister
longtemps à l'assaut d'une armée. Le séjour de Florence
est, à tout prendre, meilleur : Pierre saura y manœuvrer.
Ses partisans y sont nombreux. Ils assureront sa sécurité
dans le palais de la Via Larga, véritable bastion urbain.
A Florence, les Médicis seront immédiatement avisés
des résultats du tirage au sort de la nouvelle Seigneurie.
Suivant les opinions des nouveaux prieurs, ils sauront
tout de suite si la partie est gagnée ou perdue pour eux :
ils décideront alors s'il est nécessaire de faire intervenir
les soldats milanais contre leurs adversaires.

LA VICTOIRE DE PIERRE DE MÉDICIS

Le 23 août, au petit matin, une litière entourée d'une
escorte quitte Careggi pour Florence. Elle emporte
Pierre cloué sur sa couche par les douleurs de la goutte.
Le chemin est peu sûr. On redoute des hommes de main
embusqués. Laurent part en avant à cheval, en éclaireur.
Il longe la villa de Sant'Antonio, maison de campagne
de l'archevêque de Florence, Giovanni Neroni, frère de
Diotisalvi. Il remarque tout autour des rassemblements
suspects. On l'arrête. On lui demande si son père le suit,
ce qu'il nie. On le laisse passer. Alors prestement
Laurent envoie un message à Pierre et lui fait prendre
une autre route : la litière arrive sans encombre à
Florence. Pierre convoque ses amis au palais de la Via
Larga et leur raconte la tentative d'enlèvement ou peut-
être même d'assassinat à laquelle il n'a échappé que
grâce à la bravoure et à la présence d'esprit de Laurent.
Dès lors, les événements se précipitent. La chance
sourit aux Médicis. Certains la trouveront trop belle et

parleront d'une manipulation des bourses avant l'extraction des noms des prieurs. Quoi qu'il en soit, le résultat
inespéré est là : le 28 août, le tirage au sort désigne des
prieurs entièrement dévoués aux Médicis. Luca Pitti en
tire la conséquence. Il vient le 29 août humblement
présenter sa soumission, que Pierre accepte : ce geste
sera interprété comme une lâcheté par le parti de la
Colline et la carrière politique de Pitti en sera à jamais
ruinée. A la nouvelle du succès des Médicis, le duc de
Ferrare disperse ses troupes. L'opposition est totalement désarmée. Les prieurs vont au plus vite rendre aux
Médicis le contrôle du gouvernement de Florence. Le
scénario habituel, tendant à obtenir l'apparence d'un
accord populaire, est mis en place. Le 2 septembre, à
l'appel des nouveaux prieurs, le peuple est convoqué en
parlement sur la place de la Seigneurie, que Pierre fait
cerner de trois mille soldats. Au premier rang on
distingue Laurent à cheval, armé de pied en cap. Les
prieurs proposent la constitution d'une balie de réforme,
qui aura tous les pouvoirs pendant quatre mois. Le
peuple acclame cette mesure. A peine constituée, le
6 septembre, la balie nomme une nouvelle commission
de police, formée d'amis dévoués de Pierre. Ils reçoivent
les pouvoirs discrétionnaires qui avaient été abolis en
1465. Le 7 septembre, ils font comparaître Niccolo
Soderini, Agnolo Acciaiuoli, Diotisalvi Neroni et les
autres chefs de l'opposition. Le 11, les peines sont
prononcées : vingt années de bannissement. Seuls les
comparses de moindre importance sont relaxés : la
progagande officielle célèbre la magnanimité de Pierre
de Médicis.

Parallèlement à la répression, la balie mène de front la
restauration du contrôle des Médicis sur l'Etat. Le
5 septembre, il est décrété que dorénavant les bourses
contenant les noms des candidats aux charges demeure-
ront ouvertes et que les accoupleurs y puiseront autant
de fois qu'il faudra pour trouver les noms de personnes
ayant toute la confiance du régime. Ce procédé sera

employé pendant dix-huit ans, jusqu'à la chute des Médicis en 1494.

Après deux années d'incertitude, le pouvoir de Pierre de Médicis sort renforcé de cette longue crise. Certes, les exilés ne se tiennent pas pour battus. A Venise, Niccolo Soderini bénéficie de l'appui des autorités. La Sérénissime République permet au banni d'employer son condottière Bartolomeo Colleoni. Diotisalvi Neroni s'installe à Malpaga, dans le château de l'homme de guerre. Il prépare son entrée en campagne. Aux troupes de Colleoni viennent s'ajouter celles d'autres condottières : Hercule d'Este, Alexandre Sforza, seigneur de Pesaro, Jean Pic de la Mirandole, Pino III Ordelaffi, seigneur de Forli, et Astorre Manfredi, seigneur de Faenza. C'est une coalition de soldats de fortune désireux de profiter de l'aventure, comme l'avait fait naguère Francesco Sforza, pour se tailler des principautés aux dépens des grands Etats italiens. Ceux-ci se rendent vite compte du danger. Pierre de Médicis n'a aucune peine à mettre sur pied, à Rome, le 4 janvier, une ligue placée sous la présidence de Paul II, qui regroupe Florence, Milan et Naples : l'armée commune sera commandée par l'émule de Colleoni, Frédéric de Montefeltre, comte d'Urbin.

Le 10 mai 1467, Colleoni passe le Pô à la tête de 8 000 cavaliers et 6 000 fantassins. C'est une force considérable pour l'époque. Mais il est vieux et prudent. Il progresse avec lenteur. Le comte d'Urbin, face à lui, n'est pas plus offensif. Les opérations piétinent. Seule la République de Venise mène avec ardeur la guerre sur tous les fronts, confisquant sur les mers les marchandises et les navires florentins, essayant de susciter une révolte de Gênes et une attaque de la Savoie contre le Milanais, reprenant contact avec Jean d'Anjou.

La rencontre des deux grands condottières, le 23 juillet 1467, à la Riccardina près de Molinella de Romagne, est indécise. Il faut se résoudre à traiter. Borso d'Este se propose comme médiateur. Mais le pape Paul II le supplante. Il impose le 2 février 1468 la paix, avant de la faire accepter, le 8 mai, par tous les intéressés. Pierre de Médicis sort victorieux de l'épreuve finale : aucune concession ne lui est imposée en ce qui concerne les bannis. Le territoire florentin demeure intact. Bien mieux, peu après, il s'agrandit par l'acquisition, moyennant 37 000 florins, de Sarzana et de la place de Castelnuovo de Lunigiana, située sur la route de Gênes et de la vallée du Taro. Florence se donne la maîtrise des voies qui mènent vers la Lombardie.

L'Etat toscan, fort et indépendant, apparaît de nouveau pourvu de la stabilité intérieure que lui impose la dictature déguisée du parti Médicis.

CHAPITRE II

Le temps des plaisirs

LES PREMIÈRES POÉSIES DE LAURENT ET SA MUSE : LUCREZIA DONATI

La haine des vaincus, malgré les surveillances policières, constitue pour les Médicis un danger permanent. A plusieurs reprises des attentats et des enlèvements les menacent et échouent de peu : ainsi, dans l'été de 1467, pendant que Lucrezia et Laurent se soignent aux bains sulfureux de Morba, ils sont avertis d'un coup de main imminent et ils ont juste le temps de se mettre à l'abri derrière les murs voisins de Volterra. Lucrezia reprend sa cure, une fois le péril passé, mais Laurent, rappelé par son père, reste à Florence. Il y retrouve, avec la complicité du groupe d'amis qu'il appelle sa « brigade », les jeux de l'amour auxquels il se livre sans contrainte dans la ville soumise au pouvoir des Médicis.

L'éveil de Laurent aux joies sensuelles a été précoce. Très tôt il en livre l'écho dans ses poésies. En juin 1465, à seize ans, il s'arrête à Reggio, au retour de Milan, et y compose un sonnet mythologique : c'est la première de ses « Rimes ». Bientôt elles compteront, sous le titre de *Canzoniere,* une ballade, cinq sextines, huit « chansons » et 108 sonnets, composés, pour la plupart, de 1465 à 1470. Cet ensemble vibrant d'émotions amoureu-

ses est comme un journal sentimental de l'adolescent
passionné qu'était Laurent. La fougue juvénile du jeune
homme s'éparpillait dans des aventures faciles auprès
des filles peu farouches que fréquentait la « brigade ».
Suivant Machiavel, Laurent se montrait « incroyable-
ment attiré par les plaisirs de Vénus » et Guichardin
renchérit en le décrivant « voluptueux, soumis tout
entier au pouvoir de Vénus..., ce qui, au jugement de
beaucoup de personnes, affaiblit son corps au point de le
faire mourir, pour ainsi dire, en sa jeunesse ». Les
remontrances de sa mère et de son précepteur, Gentile
Becchi, sont vaines. Au reste, son grand-père et son
père ne lui ont guère montré le chemin de la vertu. Mais
l'amour ne se borne pas pour lui aux frasques nocturnes,
dangereuses, au demeurant, car épiées par la foule
maligne des petites gens et par les rondes sévères de la
police urbaine.

Comme chacun de ses compagnons, il courtise, en
plein jour, une dame florentine en tout bien tout
honneur. Il est de bon ton, suivant les règles de l'amour
courtois, que cette maîtresse idéale soit la seule à être
évoquée en public, même si elle sert de paravent à des
amours vulgaires où les sens, plus que l'esprit et le cœur,
trouvent leur compte. Tout Florence connaît celle que
Laurent, dans ses vers, nomme Diane : c'est Lucrezia
Donati, l'une des plus jolies filles de la ville. Lorsque le
jeune homme, la prend pour muse, en 1465, il a seize ans
et elle en a dix-huit, comme l'ont révélé les érudits
modernes. Elle vient d'épouser Niccolo Ardinghelli, à
qui elle a été fiancée pendant les deux années précédentes. C'est donc à une jeune patricienne installée dans la
société que s'adressent les soupirs de Laurent. Aussi
bien son amour est-il destiné à rester « platonique », au
sens habituel du terme. Cette liaison poétique est
affichée publiquement : le nom de Lucrezia sera célébré, lors du grand tournoi de 1469, au côté de celui de
Clarice Orsini, la future épouse de Laurent. Celle-ci,
d'ailleurs, ne s'en formalisera pas : elle acceptera, en

1471, d'être la marraine du petit Pietro Ardinghelli, fils de Lucrezia et de Niccolo. Celui-ci acceptait de laisser paraître son épouse en reine du bal dans les fêtes florentines. La patricienne Alessandra Macinghi-Strozzi raconte ainsi à son fils la fête superbe organisée par Laurent le 3 février 1466 en l'honneur de Lucrezia dans la salle du pape, à Santa Maria Novella. La jeune dame est vêtue de magnifiques atours, ornée de perles de belle taille. La narratrice assure son fils que, désormais, Niccolo Ardinghelli pourra régler ce qu'il lui doit : on dit qu'il a d'avance 8 000 florins. Cette fortune était-elle le fruit d'une complaisance ? Il ne semble pas. Niccolo faisait des affaires dans le Levant. De fréquents voyages, notamment vers la Turquie, l'éloignaient de sa femme durant de longs mois. Que Lucrezia ait trouvé pendant ce temps des divertissements dans les jeux et fêtes de la « brigade » de Laurent n'a rien d'extraordinaire dans la Florence de l'époque. Mais, bien que flattée des attentions de Laurent, elle semble être restée fidèle à son mari. La correspondance des amis du jeune Médicis le déplore. Celui-ci ne parvint pas à prendre la place de Niccolo. Les prouesses physiques du mari étaient exceptionnelles à en croire Braccio Martelli, compagnon de Laurent, qui avait fait épier le déroulement de la nuit de noces de Lucrezia, le 21 avril 1465. Il pouvait même préciser la taille de l'anatomie intime du mari, comparable, disait-il, à une corne de bœuf ! De tels procédés étaient fréquents dans la « brigade » médicéenne. Les joyeux compagnons mettaient en commun leurs expériences et leurs aventures aussi bien que leurs vers et leurs chansons.

LA « BRIGADE » DE LAURENT : POÈTES, HOMMES DE CONFIANCE ET BONS VIVANTS

D'authentiques poètes font partie de la bande : les trois frères Pulci. Issus d'une famille autrefois prospère et liée à l'aristocratie française, ils avaient été réduits à la condition de clients besogneux des patriciens florentins.

L'aîné, Luca, né en 1431, fait sa cour au jeune Médicis en chantant les amours de Laurent dans un poème mythologique, *le Driadeo d'amore,* rédigé en 1465. Cette œuvre et son dévouement aux Médicis ne seront pas, semble-t-il, bien récompensés puisqu'il mourra en 1470, emprisonné pour dettes. Le plus jeune Pulci, Bernardo, né en 1438, donnera pour sa part un *Canzoniere* et épousera Antonia Giannotti, elle-même auteur d'œuvres de dévotion qui devaient plaire à la mère de Laurent. Mais le plus doué est le second des frères Pulci, Luigi, né en 1432. Il est entré au service des Médicis en 1461. On l'emploie aux tâches les plus diverses : acheter des épées, porter à réparer des instruments de musique, représenter ou accompagner les membres de la famille. Il devient vite pour Laurent une sorte d'amuseur irrespectueux, à la manière d'un fou de Cour. On l'aime ou on le déteste parmi les autres familiers du palais de la Via Larga. Mais il garde la faveur des maîtres. A la demande de la mère de Laurent, il commence la rédaction d'une parodie burlesque de chanson de geste, le *Morgante,* œuvre emplie d'humour où les grands personnages classiques de Charlemagne, Ganelon, Olivier et Roland se comportent comme des ganaches. Le héros de l'histoire sera Morgante, un géant qui accompagne Roland, et se bat contre un demi-géant Margutte dans des épisodes aussi cocasses que le seront plus tard ceux des aventures de Pantagruel et Gargantua.

Le fidèle Gigi, comme on l'appelle d'ordinaire, ou encore Aloysius Pulcher, comme il signe ses lettres, a aimé tendrement Laurent, mais celui-ci ne l'a guère aidé, en retour, à vivre décemment. En 1472, le poète devra quitter les Médicis pour passer au service de Roberto San Severino. Avant de s'éloigner, Pulci avait, il est vrai, donné au jeune homme un témoignage littéraire de qualité : les Stances pour le tournoi de 1469, où il célèbre les noces de Braccio Martelli et de Costanza Pazzi et en même temps exalte la personne de Laurent.

Braccio Martelli, né en 1442, appartenait à l'une des familles les plus fidèles du parti Médicis. Dès 1463 il est l'ami intime de Laurent et son favori. Ils partagent leurs secrets privés. Laurent le fera participer plus tard au gouvernement de l'Etat et gravir le cours des honneurs publics, comme prieur, podestat dans le territoire florentin, ambassadeur et enfin gonfalonier de justice.

On trouve ensuite, parmi les membres de la brigade, Dionigi Pucci, également né en 1442 : c'est un épicurien, bon vivant et paresseux, qui préfère les plaisirs du lit à ceux de la chasse. Mais, le moment venu, il prouvera à Laurent qu'il est énergique et capable d'assumer un rôle politique éminent, en apaisant des révoltes à Citta di Castello et Faenza. Pietro Alamanni, plus âgé, car il est né en 1434, est également à la fois compagnon de plaisir et homme de confiance de Laurent, qui le chargera successivement des plus hautes fonctions de l'Etat, dans lesquelles il se montrera à la hauteur de ses missions.

Pareillement habile et dévoué, le beau-frère de Laurent, époux de Nannina, sa sœur préférée, Bernardo Rucellai, est presque exactement son contemporain : il est né en 1448. Il est le compagnon fidèle des voyages officiels du jeune Médicis avant de devenir plus tard son ambassadeur à Gênes, Milan et Naples. Erudit, d'esprit curieux, il se passionnait pour l'histoire et l'archéologie.

Le second beau-frère de Laurent, Guglielmo Pazzi, né en 1437, époux de Bianca, personnage, semble-t-il, assez médiocre, fait également partie, avec son frère Giovanni, de la brigade, mais l'un et l'autre seront écartés plus tard pour s'être compromis dans la conjuration fomentée par leur famille.

Un marchand débauché, Giovan Francesco Ventura, un disciple de Marsile Ficin, Francesco Berlinghieri, et un humaniste, Pellegrino degli Agli, de sept à neuf ans plus âgé que Laurent, font aussi partie de la brigade. Un seul des membres est plus jeune que Laurent : Sigismondo della Stufa, né en 1454, universellement admiré par ses contemporains pour sa grande beauté. Son crédit auprès de Laurent était absolu. Il est vrai que son dévouement au Magnifique était également entier et qu'il en fut récompensé par les charges les plus importantes de l'Etat, devenant notamment prieur, consul de la mer à Pise et gonfalonier de justice. Il était fiancé à Albiera degli Albizzi, très jolie jeune femme dont la mort en 1473 désola tout Florence et inspira des poèmes pathétiques aux poètes. Le prestige de la beauté et de la douleur entourèrent Sigismondo d'une sorte d'auréole angélique : bien différente était l'image que donnaient les autres membres de la brigade, joyeux compagnons, viveurs et noceurs. D'ailleurs, la troupe s'augmentait sans cesse d'adolescents amis, la jeunesse dorée de l'époque, qui défilera aux joutes du tournoi de 1469 aux côtés de Laurent et de son frère Julien : ainsi les Pitti, Vespucci, Benci, Borromei, Salutati.

A toute occasion, on envahit les palais des familles patriciennes ou les villas des environs. Cafaggiolo ou Quaracchi, la demeure des Rucellai, retentissent du tapage de leurs fêtes. On y rivalise d'excentricité et de richesse dans les costumes. Les parties de plein air se succèdent à un rythme endiablé, baignades, pêche, chasse, notamment au faucon, et, suivant le temps, promenades à cheval ou batailles de boules de neige. A Florence, après des nuits passées à manger, à boire et à fréquenter les courtisanes, c'est un tourbillon de bals où chacun fait sa cour à sa dame attitrée. Le temps libre qui reste est consacré aux affaires ou à la politique, qui se réduit la plupart du temps à la brigue des dignités de l'Etat.

Cette brigade de roués et d'éphèbes séducteurs entoure Laurent d'une cour composite vouée à la recherche du plaisir et du profit. Le jeune Médicis a heureusement, grâce à son éducation très soignée et à son talent de poète, la possibilité d'échapper au tourbillon des joies vulgaires. Suivant l'exemple des grands auteurs de l'Antiquité et des temps plus récents, il cherche à exprimer sa joie de vivre mais aussi les peines profondes qu'il éprouve parfois. Il poursuit la quête d'une femme idéale, incarnée par Lucrezia Donati. S'inspirant de Pétrarque et des chantres amoureux du *dolce stil novo,* il la célèbre sous les noms d'astre lumineux, de resplendissant soleil, de déesse qui montre à la terre les perfections du Ciel. Tout l'arsenal de ses prédécesseurs se retrouve dans ses vers : l'arc et les flèches de l'Amour, les esprits animaux qui, partis des yeux de la dame, envahissent le cœur de l'amoureux, et encore les images du Phénix, du Basilic, de la Méduse, les fables antiques de Phébus et Daphné. Mais, de temps à autre, dans des poèmes de composition artificielle, Laurent glisse des observations très fraîches, l'évocation des prés et des fleurs, celle de la nature, bruissante d'insectes et d'oiseaux, ou encore la sourde inquiétude lorsqu'il sent le bonheur passer irrémédiablement, sans espoir.

L'adolescent amoureux, le fin et délicat poète, sait être réaliste et accepter les contraintes qui s'imposent à lui comme héritier de la banque Médicis et futur maître de l'Etat. Lorsque le conseil de famille, conscient de l'affaiblissement physique de Pierre, estime urgent, en sa qualité de fils aîné, qu'il fonde un foyer, Laurent, âgé de dix-huit ans, s'incline devant le choix que lui proposent ses parents.

FIANÇAILLES AVEC CLARICE ORSINI

Dès les premiers mois de 1467, un parti a été retenu : celui de Clarice Orsini. Les Orsini forment avec les Colonna, leurs rivaux, la plus haute aristocratie romaine. Ils comptent alors parmi eux de nombreux prélats, un cardinal, Latino Orsini, plusieurs archevêques, des hommes de guerre puissants, Virginio, seigneur de Bracciano, Niccolo, comte de Pitigliano,

Roberto, comte de Tagliacozzo, et enfin Jacopo, seigneur de Monte Rotondo : celui-ci a épousé la nièce du
cardinal, Maddalena Orsini, et ils ont une fille, Clarice,
qui est la principale héritière de leur clan.

Giovanni Tornabuoni établit les premiers contacts.
Chacune des familles trouve son compte à l'alliance
projetée. Pierre de Médicis souhaite depuis longtemps
engager son fils cadet, Julien, dans la carrière ecclésiastique. Les Orsini ont, de leur côté, besoin de puiser dans
la bourse des Médicis pour développer leur clientèle
dans la Curie. Le 26 mars, Lucrezia, la mère de Laurent,
arrive à Rome, en compagnie de Gentile Becchi. Elle
veut se rendre compte par elle-même de la prestance de
la jeune fille et discuter le chiffre de la dot. Laurent avait
déjà vu Clarice semble-t-il, à la sauvette, au cours des
cérémonies religieuses de la Semaine sainte, en 1466.
Mais le coup d'œil de sa mère et son jugement lui étaient
indispensables. Lucrezia fait son rapport le 27 mars. Elle
a d'abord rencontré la jeune fille sur le chemin de Saint-
Pierre, dès son arrivée : sa démarche était élégante,
mais le costume romain, une grande cape d'extérieur,
masquait toutes ses formes. Pour examiner plus posé-
ment sa future bru, Lucrezia rend visite au cardinal
Orsini, chez sa sœur Maddalena, et la jeune fille
apparaît : âgée d'une quinzaine d'années, elle est de
bonne taille, a le visage rond, la chevelure rousse, les
mains longues, une gorge élégante mais un peu maigre.
La mère de Laurent regrette de n'avoir pas pu voir ses
seins car ils sont couverts « à la manière romaine » : du
moins lui ont-ils semblé de bonne proportion. En un
mot, la jeune fille lui paraît, physiquement, très convenable, bien qu'elle ne puisse, dit-elle, égaler ses propres
filles. Apparemment, Clarice n'a pas été autorisée à
prendre la parole, sinon pour exprimer de banales
politesses. Un peu plus tard, Lucrezia ajoute que la fille
a deux qualités : elle est grande et bien proportionnée.
Son visage n'est pas beau mais il est intéressant et elle a
une bonne expression. Lucrezia conclut en faisant

remarquer à son mari que les avantages du mariage sont si grands que, si Laurent se décide, tout le monde sera content !

Après le retour de Lucrezia à Florence, retardé par une longue maladie, la négociation du contrat. poursuivie par Giovanni Tornabuoni et le cardinal Orsini, aboutit le 27 novembre 1468 : Clarice apportait en dot 6 000 florins romains, en argent, joyaux et vêtements, le tout devant revenir aux Orsini si la jeune femme mourait sans enfants En décembre, Filippo de Médicis, archevêque de Pise, épousait la fiancée de Laurent par procuration. Les préparatifs des noces et de la remise de l'épousée à la famille florentine devaient prendre de longs mois pendant lesquels Clarice continuerait à habiter à Rome chez ses parents.

Laurent ne se montre guère empressé, une fois l'affaire — car c'en était une — conclue. Un de ses oncles Tornabuoni, Francesco, qui assistait Giovanni à Rome, lui écrit le 4 janvier une lettre dithyrambique pour obtenir de lui quelques lignes destinées à Clarice : « Je vois Mme Clarice tous les jours. C'est comme si elle m'avait enchanté : ses attraits augmentent de jour en jour. Elle est belle, elle a les plus douces manières et une admirable intelligence. Il y a huit jours elle a commencé à apprendre à danser. Chaque jour elle apprend une nouvelle danse... Elle craint de vous importuner en vous écrivant car elle vous sait extrêmement occupé avec les préparatifs du tournoi. Du moins, puisque vous ne pouvez lui rendre visite, écrivez-lui souvent. En vérité vous avez la femme la plus parfaite d'Italie. » Le jeune Médicis daigne écrire à la hâte quelques mots et Clarice répond, non moins brièvement, par des phrases d'une platitude désarmante en se recommandant à son « magnifique époux » et à sa belle famille : l'Amour n'était pas au rendez-vous, ou, plutôt, il volait ailleurs autour du superbe tournoi auquel Laurent consacrait toutes ses pensées.

LE TOURNOI DES VINGT ANS

Cette fête devait rester célèbre dans les annales de Florence. Les détails en sont connus grâce, notamment, au long poème qu'y consacra Luigi Pulci. Elle avait été organisée pour commémorer la défaite des adversaires de Pierre de Médicis et la réconciliation des Etats italiens par la paix du 8 mai 1468. Laurent avait envoyé dès le mois de novembre demander aux princes régnant à Urbin, Ferrare et Naples de lui remettre, en signe de bonne entente, leurs meilleurs coursiers. Mais les jeunes Florentins voulaient aussi faire du tournoi leur propre fête, celle de la jeunesse. Ils voulaient proclamer le commencement d'une ère nouvelle, faite de plaisir et de joie, où la beauté et la volupté seraient reines. C'était aussi la fête des vingt ans de Laurent qu'on commençait à appeler, comme ses ancêtres, le Magnifique.

Le 7 février 1469 au matin, la foule se presse tout autour de la place Santa Croce où sont installées les lices. Seize cavaliers s'y rendent en cortège à travers la ville pavoisée : on reconnaît les jeunes patriciens de la brigade médicéenne. L'un d'eux, Braccio Martelli, fête son tout récent mariage. Des sonneries de trompettes signalent l'entrée des jouteurs. Chacun d'eux est précédé de douze seigneurs et d'un page qui porte son étendard. Celui de Laurent, peint par le fameux Verrochio, représente une jeune femme tressant les feuilles vertes et brunes d'un laurier. On y voit l'allusion à Lucrezia Donati qui subjugue Laurent. Au-dessus, dans un ciel où brille le soleil, se déploie un arc-en-ciel avec la légende « Le Temps revient » : cette devise personnelle allait devenir celle de toute une époque, qu'on nommera plus tard la Renaissance. Elle annonçait le retour au culte de la Beauté unie à la Raison, la redécouverte de la sagesse antique, depuis les Grecs jusqu'aux maîtres de la gnose qui avaient développé le message philosophique de Platon.

Derrière son porte-étendard, Laurent s'avance. Il chevauche un magnifique cheval caparaçonné, offert par le roi de Naples. Il est vêtu d'une tunique de soie, mi-partie rouge et blanche aux couleurs de Florence. De ses épaules tombe une écharpe également de soie, semée de roses brodées d'un lacis de perles, où court sa devise : « Le Temps revient ». Il est coiffé d'une toque noire ornée de perles, d'où s'élève, scintillante, une aigrette de diamants et de rubis. Son bouclier est décoré des armes de France, les trois lys d'or sur champ d'azur, et au centre brille le grand diamant des Médicis, qu'on appelle « le Livre ». Costume et harnachement ont coûté 10 000 florins.

Julien de Médicis porte un ensemble de brocart d'argent brodé de perles aussi coûteux que celui de son frère. Les autres concurrents rivalisent de magnificence : ainsi, Benedetto Salutati qui a fait ciseler en argent fin, pour un poids de 170 livres, les pièces de son harnachement par Antonio Pollaiuolo.

Arrivé sur la place Santa Croce, Laurent change sa monture pour un cheval de combat offert par Borso d'Este. Il revêt l'armure de joute envoyée par le duc de Milan. Chaque jouteur fait de même et le combat se déroule, à grands coups de lance, de midi au coucher du soleil.

Mais dans cette fête le prix ne pouvait aller qu'au héros en l'honneur duquel avait lieu le tournoi. Bien qu'il n'eût pas, suivant son propre aveu, particulièrement brillé dans les joutes, Laurent reçut, aux acclamations de la foule et pour la joie de sa dame Lucrezia, la récompense du vainqueur, un casque d'argent surmonté d'une statuette du dieu Mars. Le lendemain, tout Florence vint le féliciter au palais de la Via Larga et les poètes entonnèrent son éloge : c'était bien l'avènement de leur jeune prince que célébraient les Florentins.

LES NOCES DE LAURENT

Après le tournoi, il reste à officialiser le mariage conclu à Rome. Le 27 avril une cavalcade de jeunes patriciens part pour la ville Eternelle chercher Clarice Orsini. On y voit Julien, Pierfrancesco de Médicis, Bernardo Rucellai, Guglielmo Pazzi, Jacopo Pitti et d'autres membres de la brigade. Gentile Becchi, à leurs côtés, fait figure de mentor. Un mois plus tard, la troupe est de retour à Florence, ramenant Clarice à son époux.

Les fêtes du mariage commencent le 2 juin par le rassemblement des cadeaux qu'on a apportés de tous les points du territoire florentin, villes, villages et châteaux. Ce sont essentiellement des victuailles dont on fait le dénombrement le samedi matin 3 juin : 150 veaux, plus de 2 000 paires de chapons, poulets et oies, d'énormes quantités de poissons, des sucreries, des amandes, graines de pin, fruits secs, de la cire en abondance, de multiples tonneaux et des centaines et des centaines de bouteilles de vin, des sacs de farine et de blé et bien d'autres denrées. Les majordomes constatent qu'on leur a remis bien plus de victuailles qu'ils n'en ont besoin pour les banquets des noces. Ils ordonnent immédiatement des distributions publiques de viande. Huit cents citoyens reçoivent chacun de 10 à 20 livres de portions de veau !

Dans la même matinée du 3 juin, la mariée quitte la maison de Benedetto d'Alessandri où elle a couché et se dirige à cheval, entourée de trompettes et de fifres et accompagnée de jeunes gens bien habillés, vers le palais de la Via Larga. Pendant quatre jours, jusqu'au mardi, bals, concerts et banquets s'y succèdent. Chaque jour, midi et soir, les maîtres d'hôtel servent une chère fine et abondante à quatre cents invités installés dans les grandes salles et sous la loggia. Les portes des salles de bal s'ouvrent largement pour les jeunes gens qui y trouvent des buffets magnifiquement garnis. Le petit peuple n'est pas oublié : le lundi on délivre de nouveaux mets à ceux qui avaient reçu des portions de viande.

On sert encore 1 500 repas à la porte du palais et on distribue des victuailles, du poisson, du vin et des pâtisseries aux moines et aux religieuses de la ville. Des fontaines de vin coulent devant la façade de la Via Larga et dans la demeure de Carlo, l'oncle de Laurent.

Le mardi, la mariée reçoit son cadeau de noces : 50 bagues précieuses, chacune estimée de 50 à 60 ducats, une pièce de brocart, un plat d'argent, divers objets d'art parmi lesquels le cadeau de Gentile Becchi, un livre écrit en lettres d'or sur parchemin bleu, avec une reliure d'argent et de cristal. Enfin, on se disperse, après la messe d'action de grâces à San Lorenzo.

LAURENT SECONDE SON PÈRE. MORT DE PIERRE DE MÉ-DICIS

Laurent et Clarice mènent une vie calme dans la grande demeure redevenue austère : le jeune époux ne peut la supporter longtemps. Ses compagnons de plaisir lui manquent. Bientôt l'occasion se présente, pour lui, de s'échapper. Le duc Galeazzo Maria de Milan et sa toute jeune épouse Bonne de Savoie, belle-sœur du roi de France, Louis XI, ont un fils le 20 juin. Ils demandent à Pierre de Médicis d'en être le parrain. Mais Pierre est presque complètement paralysé. Depuis le mariage de son fils, il se cloître dans la villa de Careggi. Force lui est de déléguer Laurent pour le représenter à Milan. Le jeune Médicis est ravi. Le 14 juillet il quitte sans regret sa femme et se retrouve sur la route de Milan chevau-chant avec une douzaine de compagnons, des membres de la brigade comme Guglielmo Pazzi et Bernardo Rucellai, mais aussi de doctes personnages comme Bartolomeo Scala et Gentile Becchi. En route il visite les récentes acquisitions de Pierre, les places de Sarzana et

Sarzanella qui commandent l'accès de Milan et de Lucques.

Partout on le reçoit dans l'allégresse et le faste. Les fêtes milanaises sont splendides et Laurent offre à la duchesse un collier d'or « à la Française » avec un gros diamant en pendentif, d'une valeur de 2 500 à 3 000 ducats. Le duc, ravi, s'écrie qu'il ne veut pas d'autre parrain que Laurent pour ses enfants à venir.

Cette mission s'insère dans ce que l'on pourrait appeler la concertation bilatérale de Milan et de Florence. La visite de Laurent fait suite aux visites officielles de Galeazzo Maria à Florence. Sous le couvert des fêtes et des réceptions se déroulent des conversations politiques sérieuses. Le secrétaire d'Etat Cicco Simonetta, soucieux de consolider l'alliance du duché avec la France de Louis XI, veut être assuré que Florence aidera financièrement à maintenir les forces armées milanaises. La situation de Milan est inconfortable : à son flanc, la Savoie, gouvernée depuis 1466, au nom d'Amédée IX, par son épouse Yolande, sœur de Louis XI, s'est rapprochée du redoutable duc de Bourgogne.

De plus, la paix intérieure de l'Italie, à peine rétablie, est de nouveau menacée par l'offensive que mène le pape Paul II, allié à Venise, contre Roberto, fils naturel de Sigismondo Malatesta : celui-ci, au mépris des droits du Saint-Siège, occupe Rimini. La Ligue, qui unit Naples, Florence et Milan, décide d'intervenir. Frédéric d'Urbin, condottière des trois puissances, défend Rimini contre le pape et Venise durant l'été de 1469. Peu désireux de porter le poids de l'intervention, Galeazzo Maria demande à Laurent d'obtenir de son père l'engagement des troupes florentines placées sous le commandement de Roberto San Severino, cousin germain du duc de Milan, condottière stipendié par Florence.

Porteur de cette proposition, Laurent reprend au début d'août le chemin du retour par Gênes et Pise. Le 13 août il est à Careggi, au chevet de son père dont l'état de santé s'aggrave considérablement.

Pierre et ses fidèles, tels Tommaso Soderini, prennent en considération la demande milanaise. Ils font décider par la Seigneurie l'envoi d'un contingent de troupes florentines à l'armée du comte d'Urbin. Mais celui-ci n'en aura pas besoin : avant l'arrivée du renfort, il est victorieux des troupes pontificales, le 30 août, à Cerisolo.

Les Etats de la Ligue ont déjà désigné des représentants à une « diète » réunie à Rome afin de traiter des conditions de la paix entre le pape et son vassal de Rimini. Pour Florence, deux membres éminents du parti Médicis, Otto Niccolini et Jacopo Guicciardini, sont chargés de la négociation. Pierre de Médicis fait plus confiance à ces vieux « routiers de la politique » qu'à son fils Laurent, qu'il juge avec lucidité apte à briller dans les réceptions mondaines mais incapable de jouer avec patience et subtilité une partie diplomatique.

Conscient de l'aggravation irrémédiable de sa santé à l'automne de 1469, il s'efforce, alors que la paralysie gagne tout son corps, d'obtenir pour son héritier des promesses de soutien. Il réunit autour de lui les principaux citoyens pour leur recommander son fils. Il fait même, dit-on, secrètement venir de son exil Agnolo Acciaiuoli, lui promettant, contre son appui, le retour des bannis. Mais aucun accord formel n'est conclu. Il est bientôt trop tard. Dans la nuit du 2 au 3 décembre 1469 Pierre s'éteint à Careggi parmi les siens. Il avait cinquante-trois ans et son fils Laurent, qui allait entrer dans sa vingt et unième année, recevait le fardeau d'un pouvoir officieux à l'avenir incertain. C'était là un redoutable héritage pour qui, après la reprise en main du pouvoir par son père, avait vécu heureux et adulé dans les plaisirs et les succès faciles d'une jeunesse dorée.

CHAPITRE III

Le colosse
aux pieds d'argile

LAURENT REÇOIT LE POUVOIR : TABLEAU DE LA CONJONC-
TURE INTERNATIONALE

Le jeune homme qui succède à Pierre de Médicis n'a guère exercé de responsabilités réelles jusqu'à la mort de son père. Il a, tout au plus, assumé brillamment des fonctions de représentation. Les grands notables, partisans des Médicis et hommes d'affaires avisés, entendent que rien ne soit changé. Tommaso Soderini, oncle par alliance de Laurent, fait acclamer les Médicis le soir même du décès de Pierre par sept cents citoyens de tout rang réunis spontanément dans le couvent de Sant'Antonio. Le 4 décembre, après les obsèques, Laurent et son frère Julien reçoivent dans leur palais les condoléances des principaux citoyens et des membres de la Seigneurie. Ils prient Laurent de prendre soin de la Cité et de l'Etat comme l'avaient fait son père et son grand-père. « J'acceptai sans enthousiasme, écrit l'héritier des Médicis dans ses *Mémoires*. La charge me semblait ne pas convenir à mon âge et être pesante et dangereuse. Je la pris uniquement pour assurer la conservation de nos amis et de notre fortune parce qu'à Florence, quand on est riche, il n'est pas facile de vivre si l'on ne possède pas la maîtrise de l'Etat. » Ces paroles sans fard expriment parfaitement l'état d'esprit de Laurent et permettent de comprendre son comportement ultérieur.

Le jeune Médicis sait qu'il va devoir lutter de toutes les façons pour se faire respecter. Sur le plan international, il a besoin de la protection des alliés traditionnels de sa famille, Milan et Naples. Le duc Galeazzo Maria Sforza, à qui il confie son corps, son âme et ses ressources répond le 7 décembre en mettant à sa disposition les troupes milanaises stationnées dans la région de Parme. Laurent a plus de peine à consolider l'alliance napolitaine. Le roi Ferrante se heurte au duc de Milan au sein de la « diète » qui, à Rome, cherche à établir des conditions acceptables par tous les anciens belligérants au terme de la « guerre de Rimini ». Le duc veut la paix immédiate : son ami, le roi Louis XI de France, l'y incite, en espérant que les troupes milanaises disponibles pourront être employées dans une descente française, plus précisément angevine, vers le royaume de Naples. Le roi Ferrante, outré, est prêt à s'allier avec Venise, son ennemie de la veille, récemment encore unie au pape Paul II contre la Ligue de Milan, Naples et Florence. Les porte-parole florentins réussiront en juillet 1470 à éviter l'éclatement de la Ligue. Le maintien des alliances extérieures est un facteur de solidité pour l'Etat toscan, toujours menacé par les intrigues des bannis de la dernière grande conjuration. Florence, par ailleurs, se dote du crédit nécessaire pour réarmer : un impôt extraordinaire de 300 000 florins est décidé à la mi-décembre malgré les fortes réticences du Conseil du peuple. Ainsi l'année 1470 semble devoir apporter la paix indispensable pour permettre à Laurent de prendre dans le calme la direction des affaires. Un conseil restreint l'assiste et ne lui ménage pas les avis : on y trouve, avec Tommaso Soderini, Jacopo Pazzi, chef de la grande famille rivale, que Laurent veut flatter, et deux membres du parti médicéen, Luigi Guicciardini, favorable au duc de Milan, et Antonio Ridolfi, favorable au roi Ferrante.

LA RÉVOLTE DE PRATO

A peine évitée sur le plan extérieur, la guerre menace brusquement à l'intérieur de l'Etat dans la petite ville de Prato. En une nuit, les frères Nardi, des bannis, amis de l'ancien conjuré Diotisalvi Neroni, encouragés, semble-t-il, par Borso d'Este et forts de complicités internes, réussissent à s'emparer le 6 avril de la citadelle et du palais du podestat, Cesare Petrucci. Celui-ci et les membres du gouvernement municipal sont faits prisonniers. Ils doivent servir d'otages, mais les habitants, restés fidèles à Florence, les délivrent rapidement. Ils capturent les frères Nardi et soixante de leurs partisans.

La répression est impitoyable. Bernardo Nardi est décapité le 9 avril. On pend quatorze de ses complices. D'autres exécutions suivent : quatre le 14, sept deux jours plus tard. Le bruit qui s'en répand glace d'épouvante l'ensemble du territoire.

Le podestat agissait sur ordre de Florence. La Seigneurie avait demandé l'avis de Laurent avant de décider les châtiments. Les Médicis savaient depuis longtemps que le mécontentement grondait à Prato. L'oncle naturel de Laurent, Carlo, prévôt de l'église collégiale Saint-Etienne, observait sur place la situation. Au désir d'autonomie s'ajoutait la jalousie des marchands locaux envers leurs rivaux florentins. Lors de son mariage, Laurent avait marqué son mécontentement en refusant le cadeau de Prato, un magnifique vase d'argent ciselé. Il a, cette fois, l'occasion d'abattre définitivement ceux qui viennent de se révéler comme ses ennemis politiques : il n'en fait rien. Bien au contraire, les principaux coupables une fois châtiés, le podestat de Prato reçoit l'ordre de détruire les actes du procès : en assurant l'impunité aux complices, Laurent rend possible leur ralliement et il gagne à bon compte la réputation utile d'homme d'Etat magnanime et généreux.

LE CONTRÔLE DES INSTITUTIONS : MODIFICATION ET OMNIPO-
TENCE DU CONSEIL DES CENT

L'affaire de Prato avait révélé le malaise des notables
à l'intérieur du territoire florentin. Les délibérations du
Conseil des Cent, organe central du régime médicéen,
montrèrent au même moment que ce malaise existait
aussi parmi les grands bourgeois de Florence. Les amis
de Laurent le mirent en garde contre ces velléités
d'indépendance de l'oligarchie : un jour viendrait où les
Cent éliraient des accoupleurs qui ne seraient plus aux
ordres des Médicis. Le risque serait grand alors de voir
ceux-ci nommer une Seigneurie hostile.

Pour conjurer ce péril, une proposition de loi fut
présentée le 5 juillet 1470. Le choix des accoupleurs
serait enlevé au Conseil des Cent et remis à une
commission de quarante-cinq citoyens sélectionnés
parmi les partisans les plus convaincus des Médicis.
Laurent avait préparé une liste comprenant un membre
de chacune des familles qui avaient exercé la charge
depuis 1434. Les Guicciardini, Martelli, Pitti et Ridolfi
étaient plus favorisés que les autres : deux de leurs
membres y apparaissaient.

Les critiques se déchaînèrent contre le projet. Bartolomeo Scala, chancelier de la République, le jugeait trop
oligarchique et critiquait la « fermeture » de la classe
des notables qui empêcherait, disait-il, l'agrégation
ultérieure de nouveaux membres au parti Médicis. Un
adversaire de Laurent, Rinuccini, dénonçait cette innovation qui soumettrait le peuple à « quarante-cinq
tyrans ». On passa au vote devant le Conseil des Cent :
par deux fois, il repoussa la proposition. C'était un échec
sérieux pour Laurent et ses amis. Ils ne se tinrent pas
pour battus et reprirent l'offensive, en envisageant cette
fois de réformer complètement le Conseil lui-même.

Comme à l'accoutumée, la mutation institutionnelle

fut réalisée par l'intermédiaire d'une « balie » créée à cet effet au début de juillet 1471 en réunissant 240 partisans des Médicis. Cette grande commission accepta la proposition de réforme. Une loi, décrétée le 23 juillet, fit du Conseil des Cent l'unique instance compétente pour le vote des impôts et pour l'adoption des décisions politiques et militaires. Ainsi était réduit à néant le rôle déjà fort diminué des Conseils du Peuple et de la Commune. Cet accroissement énorme de compétence s'accompagnait d'une profonde modification de la structure du Conseil des Cent. Il comprendrait désormais un noyau permanent de quarante membres, tous partisans des Médicis. Avec l'aide des accoupleurs en poste, les quarante devaient choisir le restant des membres du Conseil parmi les anciens gonfaloniers de justice. A l'avenir, grâce à cette procédure, l'opposition ne trouverait plus de place dans le seul organe délibérant de l'Etat. Le Conseil constitué sur cette base en 1471 devait être reconduit cinq ans après, en 1476. A lui seul, il suffit à assurer aux Médicis le contrôle de l'Etat. L'institution fonctionna sans encombre jusqu'à la conjuration des Pazzi qui obligea en 1478 à renforcer la mainmise du parti sur le pouvoir politique.

La réforme fut complétée par l'établissement de nouvelles listes de citoyens déclarés aptes à occuper les charges de l'Etat. A cet effet, dix « accoupleurs de scrutin » furent désignés en août 1472 : six appartenaient au noyau permanent des quarante membres du Conseil des Cent, et parmi eux se trouvait Laurent de Médicis. Les listes furent établies : on y remarquait un nombre considérable de membres de familles promédicéennes. Par rapport au scrutin de 1466, pourtant très favorable au parti, l'augmentation était énorme. Ainsi les Ridolfi passaient de 7 à 10, les Canigiani, de 4 à 8, les Guicciardini de 4 à 6, les Capponi de 6 à 10 et les Pucci de 3 à 7. Par contre les Pazzi ne comptaient que 3 représentants.

Les chiffres parlaient d'eux-mêmes ; les Seigneuries à

venir ne seraient plus constituées que de partisans des Médicis. Ainsi le législatif et l'exécutif, après une brève période d'incertitude, étaient tombés aux mains de Laurent de Médicis.

LA BANQUE MÉDICIS : SA DIRECTION GÉNÉRALE ET SES FILIALES ; ÉTAT DES AFFAIRES

Le bilan était loin d'être aussi positif dans le domaine économique. A la tête de la firme familiale, Francesco Sassetti faisait fonction de directeur général. Fils d'un changeur du Marché neuf, facteur puis directeur de la filiale de Genève, il avait lui même édifié sa fortune à partir du moment où, en 1459, il avait été appelé à Florence pour aider le fils de Côme, Jean de Médicis, dont il était ami. On estimait en 1466 qu'il possédait 52 000 florins. Il en avait investi la plus grande part dans le capital des branches d'Avignon, de Genève puis de Lyon. Il vivait princièrement et avait fait construire sur les hauteurs de Montughi une splendide villa qui lui avait coûté 12 000 florins. Préoccupé de sa réussite personnelle, il laissait la plus grande liberté aux directeurs des diverses branches de la firme. Or, la situation, partout inquiétante, aurait exigé non seulement la vigilance du siège central mais une coordination des actions et une politique générale que ni Sassetti, ni Laurent ne prenaient la peine d'élaborer.

Les sommes que la banque Médicis de Milan avait prêtées au duc s'élevaient en 1467 au montant fantastique de 179 000 ducats. Certes, 94 000 ducats devaient être remboursés sur les revenus du duché, 64 000 étaient garantis par des joyaux mis en gage auprès de la branche de Venise, mais 21 000 avaient été prêtés sans caution par le directeur Pigello Portinari. Après la mort de celui-ci, en octobre 1468, son frère Accerrito avait pris la direction. Il était inexpérimenté et imprudent. On s'en aperçut dès que Laurent succéda à son père. En 1470 la filiale ne possédait plus aucun fonds liquide disponible !

A Lyon la situation était devenue très mauvaise en 1468 : Louis XI poursuivait de sa rancune les représentants de la banque Médicis à cause des prêts que Tommaso Portinari, directeur de la filiale de Bruges, consentait au duc de Bourgogne, Charles le Téméraire. Le roi prit le prétexte d'avances d'argent consenties à deux autres de ses adversaires, Antoine de Châteauneuf et Philippe de Savoie, comte de Bresse, pour expulser le directeur de Lyon, Francesco Nori. Un nouveau directeur, Giuliano del Zaccheria, lui succéda mais mourut assez rapidement, en 1470. Laurent nomma alors à ce poste Lionetto Rossi, un employé de la filiale. En mars 1470, Rossi vint à Florence conclure son contrat d'association et il épousa la sœur naturelle de Laurent, Maria : il revint à Lyon avec la jeune femme, qui y mourut en 1479. En réalité, Rossi n'était qu'un partenaire secondaire, l'associé principal étant Francesco Sassetti qui avait fourni 1 800 écus, équivalents à 2 000 florins. Pendant deux ans, la filiale rapporta de l'argent, puis les profits déclinèrent. Progressivement, les mauvais débiteurs et l'accumulation de stocks invendus de marchandises acculèrent Rossi à la faillite, qui, toutefois, ne se déclara pas avant une dizaine d'années.

La filiale d'Avignon avait été, en 1468, entièrement gérée par Francesco Sassetti et son associé Giovanni Zampini. En 1470, Laurent y entra de nouveau comme associé. Les affaires n'y atteignaient qu'un modeste volume. On y importait des draps de lin provenant de Verdun et de Bordeaux que l'on réexpédiait par Aigues-Mortes vers Majorque et Barcelone sur des galères vénitiennes. Une annexe était installée à Montpellier. Ce double comptoir n'était qu'une modeste entreprise, mais l'activité bancaire y était active. Parmi les clients figuraient le roi René d'Anjou, qui emprunta jusqu'à 7 000 florins, et le roi Ferrante de Naples, son ennemi.

La filiale de Venise était en difficulté depuis l'époque

de Pierre de Médicis. Le montant des prêts y était considérable. Le directeur, Giovanni Altoviti, avait consenti trop d'avances aux grandes familles vénitiennes, surtout aux Cornaro et Dandolo. La liquidation, décidée en 1469, fut remise en question en 1471. Laurent nomma un nouveau directeur, Giovanni Lanfredini. Mais la guerre incessante soutenue par Venise avec la Turquie, nuisant aux affaires, rendit rapidement la liquidation inéluctable.

Une grande incertitude sur l'avenir pesait sur la filiale de Naples, rouverte par Laurent en 1471 après une interruption de vingt-cinq ans. En réalité, elle ne constituait qu'une annexe de la branche de Rome que dirigeait l'oncle de Laurent, Giovanni Tornabuoni. L'établissement napolitain se révéla incapable de s'insérer dans le circuit commercial d'exportation du blé et des fruits que dominaient les Vénitiens.

Les deux places de Venise et Naples, devenues moins intéressantes pour les activités bancaires et de change, constituaient d'excellents points d'observation pour contrôler le marché du produit-roi de l'époque : l'alun.

LE COMMERCE DE L'ALUN PONTIFICAL

Le contrat d'avril 1466 que Pierre de Médicis avait obtenu de la papauté, grâce à son fils et à Giovanni Tornabuoni, donnait aux Médicis un quasi-monopole de vente de l'alun pontifical. Venise seule était exceptée : la Chambre apostolique y écoulait elle-même le minéral dont les marchands avaient le plus grand besoin, depuis qu'ils avaient été privés, en 1463, des mines orientales de Phocée, occupées par les Turcs.

Or Venise était la plaque tournante du commerce pour l'Allemagne du Sud. Les Médicis avaient, sur cette considération, exporté de l'alun pontifical à Venise, ce qui gênait leurs partenaires de la Curie. Il convenait d'apurer cette situation.

En ce qui concernait Naples, un accord direct conclu le 11 juin 1470 entre le pape et le roi Ferrante avait supprimé la concurrence des mines napolitaines en mettant en commun pendant vingt-cinq ans leur production et celle de la Tolfa. L'argent provenant de la vente devait aller pour moitié à la papauté et pour moitié au roi.

Un des premiers actes de Laurent le Magnifique fut de négocier un nouveau contrat avec le Saint-Siège pour la vente de l'alun. On aboutit le 17 avril 1471 : les Médicis s'engageaient à prendre à la Tolfa 70 000 cantares, soit 3 500 tonnes de minéral. Ils le paieraient 2 ducats le cantare, soit au total 140 000 ducats : 50 000 ducats seraient remis en marchandises, draps et tissus de soie, une autre partie en argent, la troisième sous la forme d'un transfert à la Chambre apostolique de l'alun entreposé par les Médicis à Venise. En contrepartie, le monopole était concédé à Laurent pendant quatre ans. Rome s'engageait à veiller à ce que l'alun vendu directement à Venise ne soit pas exporté ailleurs. On rappelait l'engagement de Charles le Téméraire signé pour douze ans le 5 mai 1468, par lequel le duc établissait le monopole de l'alun pontifical dans ses Etats, l'achat devant être fait auprès de Tommaso Portinari, directeur de la filiale Médicis de Bruges. Enfin, peu après, la mise en commun des extractions des mines napolitaines et pontificales était cassée. Laurent apparaissait comme le grand maître international du trafic de l'alun. Or ce succès survenait au moment où la filiale Médicis de Londres, qui devait logiquement être un des pôles les plus actifs de diffusion du produit, connaissait les pires difficultés. L'alun n'en était pas la cause, ni les exportations de laines, que les Italiens remportaient en échange du minéral. Comme à Milan, c'étaient les exigences du souverain qui avaient mis la compagnie Médicis de Londres en faillite.

DIFFICULTÉS PARTICULIÈRES DE LA FILIALE DE LONDRES

Formée en 1465 par l'association de Giovanni Bardi et Gherardo Canigiani, la filiale de Londres avait été entraînée, sous la pression du roi Edouard IV, à développer ses activités bancaires de façon assez dangereuse. En 1468, une enquête sur place menée par Angelo Tani, envoyé par Pierre de Médicis, avait révélé que la filiale avait prêté des sommes considérables pour l'époque, 10 500 livres sterling au roi et 10 000 à de grands seigneurs, soit, au total, près de 70 000 florins. Elle devait en outre 7 000 livres sterling, soit 42 000 florins, aux autres branches de Florence, Bruges et Milan. Le roi d'Angleterre avait donné aux agents des Médicis, pour les rembourser, des licences d'exportation de la laine, des draps et des assignations sur les douanes, mais, en retour, il avait obtenu en novembre 1468 un nouveau prêt de 2 600 livres sterling, c'est-à-dire 15 600 florins. En outre, à l'occasion du mariage, à Damme près de Bruges, le 3 juillet 1468, de Marguerite d'York, la sœur d'Edouard, avec Charles le Téméraire, duc de Bourgogne, la filiale de Londres avait ouvert un crédit de 1 000 livres sterling, soit 6 000 florins, au roi d'Angleterre — ceci pour lui permettre d'acheter pour sa sœur des soieries précieuses provenant de la fabrique Médicis à Florence.

Des assignations reçues par Tani avaient considérablement réduit la dette du roi Edouard et la situation était en passe de se régler lorsque le comte de Warwick, brouillé avec le monarque, obligea celui-ci à s'effacer devant Henri VI, le roi de la maison de Lancastre, qu'il avait précédemment détrôné. Le nouveau règne devait durer peu de temps, d'octobre 1470 à mars 1471, mais cela suffit pour ruiner l'équilibre du règlement financier préparé par Tani. Lorsque le roi Edouard remonta sur le trône, le poids de ses dettes avait crû d'une façon telle que les Médicis décidèrent en 1472 de retirer leur capital et de rompre avec leurs associés de Londres. Le 6 juin 1475, le monarque anglais reconnaissait qu'il devait encore 5 000 livres sterling, soit 30 000 florins, à Laurent et son frère Julien, mais à cette date la compagnie Médicis n'avait plus à Londres qu'un bureau dirigé par Tommaso Guidetti, s'occupant presque uniquement du commerce de la laine. L'ancien associé des Médicis, Gherardo Canigiani, avait constitué une compagnie indépendante. Le commerce de l'alun était compromis tant par l'insécurité due à la guerre civile que par la répugnance des marchands anglais à n'acheter qu'au producteur pontifical.

FAILLITE DE LA FILIALE DE BRUGES

La liquidation de la filiale de Londres fut confiée à la compagnie Médicis de Bruges. Le 15 décembre 1469 l'entreprenant Tommaso Portinari avait constitué avec Laurent et Julien de Médicis, ainsi qu'avec son prédécesseur Angelo Tani, une nouvelle compagnie. Les liens étroits entretenus par Portinari avec Charles le Téméraire, qui l'avait nommé son conseiller, avaient valu aux Médicis de gros avantages commerciaux : affermage de la douane de Gravelines aux confins du territoire anglais de Calais (la taxation des laines anglaises en transit rapportait beaucoup) ; remise aux Médicis en 1464 des deux galères que le duc avait fait construire et armer en prévision de la croisade prêchée par Pie II (à partir de 1467 elles firent des voyages réguliers des Pays-Bas vers Pise et vers Constantinople) ; enfin, prohibition par le duc en 1468 de l'importation de tout alun ne provenant pas de l'Etat pontifical.

Or, l'année 1473 devait être néfaste pour les Médicis. Le 27 avril 1473 des pirates de Dantzig capturèrent l'une des galères chargée d'alun et de soie à destination de Southampton et transportant aussi des œuvres d'art

destinées à une église florentine, notamment *Le Jugement dernier* de Memling, commandé par Angelo Tani.
La perte était de 40 000 écus, soit 8 000 livres de monnaie
des Pays-Bas (groat). Enfin, le 7 juin 1473, sous la
pression des Etats généraux, Charles le Téméraire
publia une ordonnance permettant l'importation d'aluns
de toutes provenances.

Ce coup dur, aggravant la situation financière des
Médicis, se transforma en désastre après les défaites de
Charles le Téméraire devant les Suisses à Grandson, le
2 mars 1476, puis à Morat, le 22 juin 1476. Le duc
devenait un débiteur insolvable. Bientôt, sa mort devant
Nancy, le 5 janvier 1477, rendit cette situation irrémédiable. Les Médicis perdaient l'argent prêté par Portinari, soit 57 000 livres d'Artois ou 9 500 livres des Pays-
Bas. Certes, le directeur de la filiale essaya de faire
reconnaître cette énorme dette à Marie de Bourgogne,
la fille du Téméraire, et à son époux l'impécunieux
archiduc Maximilien d'Autriche. Contre une simple
promesse, il avança au couple 20 000 livres d'Artois, soit
3 330 livres des Pays-Bas. Alors que se désagrégeait la
puissance bourguignonne, pareil prêt pouvait être suici-
daire, même pour la plus grande banque de l'époque. A
ces pertes considérables s'ajoutait le gaspillage de Portinari : prêts aventureux aux Portugais pour l'exploration
des côtes de Guinée, somptueuses restaurations de sa
résidence, l'hôtel Bladelin à Bruges. On calcula en 1479
que la firme Médicis avait fourni à sa filiale de Bruges
l'équivalent de 88 084 ducats en dépôts d'argent, alun et
avances diverses, et qu'elle en avait reçu en échange
12 500 ducats correspondant au prix de 62 500 livres de
laine. La ruine de la filiale représentait un risque mortel
pour l'ensemble de la firme. Il fallait amputer le membre
malade.

La liquidation fut effectuée en 1481 par Rinieri da
Ricasoli, envoyé par Laurent. Portinari se voyait reconnaître la jouissance de l'hôtel Bladelin pendant quatre
ans. Il recevait un dédommagement de 1 100 ducats : la

firme acceptait donc de prendre sa part des investissements et dépenses somptuaires de son directeur prodigue.

Pour les grands financiers internationaux que sont devenus les Médicis, la stratégie des affaires implique en effet une active politique de prestige auprès des princes. Les énormes avances d'argent, les brillantes réceptions ne sont pas des placements à fonds perdu : ils rapportent à la firme le maintien de ses marchés, l'affermage de droits réguliers, l'autorisation de développer son activité bancaire dans les divers pays. Mais cette puissance aux allures de société multinationale est semblable à un colosse aux pieds d'argile. Deux dangers principaux en menacent les bases : l'accumulation du passif provoquée par l'insolvabilité des princes et la remise en cause du monopole de l'alun sur lequel se fonde l'essentiel des transactions commerciales. Le monopole est protégé par des censures pontificales contre l'importation de l'alun produit par les infidèles turcs. Il est également assuré, par un accord diplomatique, contre la production napolitaine. Mais rien ne le garantit contre l'apparition d'autres producteurs décidés à s'imposer, en francs-tireurs, sur le marché. Si ce danger s'amorce, il faut agir vite, avec décision, avec cruauté même : Laurent de Médicis en donne l'exemple dans la dramatique affaire de Volterra.

L'AFFAIRE DE VOLTERRA

Volterra, très ancienne ville, était, depuis l'époque étrusque la capitale minière de la Toscane, avec un territoire abondant principalement en argent, cuivre, plomb, soufre et sels divers.

La commune tirait des revenus considérables de l'affermage de ses richesses à ciel ouvert, solfatares, carrières, sources sulfureuses, tels les bains de Morba, fréquentés par les Médicis. Elle avait d'autre part

succédé à l'évêque dans la jouissance des droits impériaux sur le sous-sol. La concession de recherches
minières et l'exploitation des gisements faisaient partie
de sa souveraineté et rapportaient gros.

La ville, dotée d'une administration autonome aux
mains de huit prieurs qui restaient en place deux mois,
était attachée à Florence par un traité remontant à 1361.
Il s'agissait plus d'une alliance que d'un lien de dépendance. Cependant Florence nommait le capitaine du
peuple, responsable local de la police, et Volterra payait
un tribut annuel à Florence.

Jalouse de ses libertés, Volterra s'était soulevée
lorsque les Florentins avaient tenté de la soumettre au
cadastre de 1427 et elle avait obtenu en 1431 que ses
citoyens ne seraient pas obligés à la déclaration de leurs
biens pour recensement fiscal.

En vertu de ses droits, la commune concède, le
22 août 1470, au Siennois Benuccio Capacci, pour cinq
ans, la permission d'extraire dans un site à découvrir,
tout minerai, or, argent, plomb, fer ou alun minéral. Le
prix du bail est minime : 50 livres en 1470 et 1471, 100
livres ensuite par an. Le 3 décembre, Capacci déclare les
noms de ses associés. Ils sont six : Andrea, frère de
Benuccio, Gino Capponi, Antonio Giugni, Bernardo
Buonagiusti, tous trois florentins, Benedetto Riccobaldi
et Paolo Inghirami, de Volterra. Giugni est un « homme
de paille » de Laurent de Médicis. Les autres Florentins
et les Volterrans sont ses amis. Le même jour, Capacci
fait enregistrer les limites dans lesquelles il se propose de
localiser son exploitation. Le terrain comprend une
carrière de pierre d'alun, nouvellement découverte sur
les pentes de la colline portant le château del Sasso. La
prospection a été habilement menée : seule la production de l'alun intéresse la compagnie.

Bien entendu, la révélation de l'existence du gisement
et le bruit de sa richesse répandus instantanément
éveillent le mécontentement de la Seigneurie de Volterra : elle estime dérisoire le montant annuel de la

redevance fixée par le contrat. La société de Capacci en propose alors l'augmentation jusqu'à 4 000 livres. Les prieurs estiment cette nouvelle offre beaucoup trop modeste et, en conséquence, le 4 juin 1471, ils décident de dénoncer unilatéralement le contrat : ils font occuper la mine. Ils envisagent de l'exploiter au profit de la ville.

Les Volterrans, en reprenant leur bien, ont conscience certes d'être dans leur droit. Mais ils savent aussi qu'ils vont nuire au monopole de l'alun possédé par Laurent de Médicis. Pour se justifier et proposer un arrangement ils lui délèguent des ambassadeurs. C'est peine perdue, Laurent ne veut rien entendre. Furieux, il envoie le 28 juin un héraut d'armes porter un ultimatum à la commune de Volterra : c'est une sommation d'évacuer la mine et de la rendre aussitôt à ses possesseurs. Le capitaine du peuple, un Florentin dévoué à Laurent de Médicis, instruit le procès des citoyens qui ont participé à l'occupation du site. Il les condamne, par des poursuites individuelles en septembre, octobre et novembre, à une relégation d'un an.

Désarmés devant cette procédure qui fait fi de leurs droits, les prieurs de Volterra la dénoncent à la Seigneurie de Florence. Ils remettent, disent-ils, en marque de bonne volonté, à Laurent de Médicis l'autorité de juger et arbitrer leur différend. Laurent exige immédiatement la réinstallation de la société expulsée : Volterra, qui connaît la faiblesse de ses moyens de riposte, capitule. Les deux sociétaires qui sont citoyens de la petite ville, Riccobaldi et Inghirami, reviennent en triomphateurs. Le petit peuple ressent leur attitude comme une provocation. Une émeute éclate. Dans la nuit du 22 au 23 février, Inghirami et son beau-père Barlettani sont pourchassés jusque dans la maison du capitaine du peuple où ils cherchent refuge. Ils y sont rattrapés et aussitôt massacrés. Les prieurs se déclarent solidaires des responsables de l'attentat dont la Seigneurie florentine veut tirer vengeance. Volterra s'attend à subir un siège.

Elle répare ses murailles. Le 30 avril, le Conseil des
Cent à Florence autorise la constitution d'une commission de vingt citoyens responsables de l'expédition
décidée contre la commune rebelle. Laurent et Tommaso Soderini en font partie. Le 5 mai, 3 000 fantassins
florentins sont rassemblés. Le 14, le condottière Frédéric de Montefeltre, détaché de son service par le roi de
Naples, prend leur commandement. Les châteaux forts
autour de Volterra tombent l'un après l'autre. Le
16 juin, la petite ville elle-même capitule après un mois
de siège. Les conditions de la reddition garantissent le
respect des personnes et des biens. Or, le 18 juin, les
troupes entrées pacifiquement dans la ville reçoivent de
leurs chefs la permission de la piller et la mettre à sac
pendant douze heures jusqu'à la nuit. Frédéric de
Montefeltre lui-même s'empare de butin précieux.

Rien n'est épargné : couvents, églises aussi bien que la
moindre des maisons. Les horreurs habituelles se pro-
duisent contre les personnes. Laurent, prévenu, se
contente de déplorer un excès que, dit-il, il ne voulait
pas : protestation hypocrite, sans doute. Il avait recom-
mandé la rigueur à Montefeltre pour faire un exemple
comme autrefois à Prato. Au terme de l'expédition la
répression frappe quarante citoyens notables de Volterra et plus de soixante-dix familles doivent quitter la
ville. Laurent, quant à lui, obtient ce qu'il souhaitait :
l'incorporation de la cité et du comté de Volterra à l'Etat
toscan, la suppression des libertés de la commune et la
cession à Florence, en pleine propriété, de la mine
d'alun. Celle-ci est en effet cédée le 29 juillet à l'Art de
la laine, l'une des corporations majeures de l'Etat
florentin. Mais, en fait, six mois plus tard, le 23 décembre, l'Art rend l'exploitation aux membres de l'ancienne
société, donc à Laurent et à ses amis. Ainsi se terminait
l'affaire de Volterra, à la plus grande satisfaction de
Laurent. Il avait mis la main définitivement sur un
gisement d'alun dont il contrôlerait la production et qui
lui servirait à traiter de producteur à producteur avec le

pape et le roi de Naples. Ceux-ci l'avaient aidé à organiser l'expédition punitive. Ils avaient permis à Frédéric de Montefeltre de disposer de leurs propres troupes, en plus des soldats florentins. Ils avaient intérêt, en effet, à ne pas laisser se développer, de façon indépendante, un producteur d'alun qui pouvait leur nuire autant qu'aux Médicis.

Dans cette affaire, l'Etat florentin trouvait son compte : Volterra était ravalée au rang de cité sujette. Elle devenait une réserve de richesses à la disposition de la République, du moins en théorie, car, en fait, l'Etat toscan se confondait de plus en plus avec le bien patrimonial des Médicis. Les prérogatives essentielles de l'Etat, la politique étrangère aussi bien que l'organisation des finances publiques étaient entre les mains de Laurent et de son parti.

VISITE DE GALEAZZO MARIA SFORZA, DUC DE MILAN

Depuis son âge le plus tendre, le jeune Médicis avait été mêlé aux jeux subtils de la diplomatie florentine. Il y trouvait une satisfaction intense. Ses relations avec les princes lui permettaient de se hisser à leur niveau par la magnificence qu'il déployait. Lorsqu'il pouvait avoir pour spectateurs la foule des Florentins, son amour-propre triomphait. La venue à Florence du duc de Milan, l'un des principaux créanciers des Médicis, fut à ce point de vue une réussite. Elle eut lieu en mars 1471. Galeazzo Maria était accompagné de sa femme, Bonne de Savoie, et de ses frères le duc de Bari et le comte de Mortara, qu'on appellera plus tard Ludovic le More.

Une suite immense composait son cortège : deux mille chevaux, montés par des gentilshommes luxueusement vêtus, précédaient un train de deux mille mulets et de dix voitures chargées du mobilier de la duchesse, brillant d'or, d'argent et de soieries. Une fanfare de fifres et de trompettes ouvrait le défilé. Nains et bouffons, équipa-

ges de chasse, serviteurs en livrées de prix escortaient les
seigneurs et les dames. Pendant plusieurs jours, les fêtes
succédèrent aux fêtes. Laurent et son frère, ne voulant
pas demeurer en reste, répondirent au luxe par un luxe
plus voyant encore. Le duc de Milan avait dépensé, à ce
qu'il prétendit, deux cent mille florins, pour une bonne
partie empruntés sans doute aux banquiers qui le
recevaient. La dépense n'était pas superflue. Elle devait
servir à renforcer l'accord de Milan avec Florence, dont
Galeazzo Maria avait le plus grand besoin. Le duc de
Milan, homme violent et tyrannique, commençait à
jouer un double jeu entre Louis XI et son ennemi, le duc
de Bourgogne. Or, Laurent était au mieux avec le roi de
France, qui lui avait conféré le 13 août 1470 les titres de
conseiller et de chambellan. Louis XI était même
devenu en novembre 1470 le parrain de la petite
Lucrezia, fille de Laurent.

En flattant les Médicis, le duc de Milan cherchait à
plaire à la France. Mais au même moment il apportait sa
protection à la duchesse Yolande de Savoie, qui s'était
placée dans le sillage du duc de Bourgogne, Charles le
Téméraire. Laurent connaissait la duplicité de Sforza,
mais il avait besoin de l'appui milanais autant que de
celui de la France. A la suite de la visite de Galeazzo
Maria, il envoya son frère Julien en Lombardie. Comme
il l'avait promis du vivant de son père, il s'offrit comme
parrain lors de la naissance d'un second fils, puis d'une
fille, au foyer du duc de Milan. A la moindre occasion, il
prodiguait les cadeaux les plus somptueux.

FLORENCE ENTRE NAPLES ET VENISE

L'accord avec Milan n'était pas désintéressé. Laurent
avait essayé de le mettre à profit pour s'emparer de
Piombino en 1471, mais l'indignation du roi de Naples
avait fait rapidement échouer la tentative. Depuis 1470
le roi Ferrante était en effet passé d'une hostilité larvée à

une opposition déclarée envers le duc de Milan et toute entreprise fomentée par son rival lui était odieuse. Sans renoncer à son amitié avec Sforza, Laurent fut donc contraint de faire bonne figure aux nouveaux alliés de Naples, les Vénitiens. En 1472 il chargea son frère Julien de visiter Venise : sans doute, en dehors du geste diplomatique, des intérêts économiques et, peut-être, la négociation d'un mariage avec une patricienne motivaient-ils cette mission.

Les Médicis, en pleine bataille commerciale pour défendre leur monopole de l'alun, cherchaient alors à assurer leur place sur le marché international. C'est la même année, rappelons-le, que fut réglé le sort de Volterra, grâce, notamment, à l'entente de Laurent avec le pape et avec le roi de Naples.

L'appât du gain constituait le fil conducteur de la politique italienne. Les intérêts changeants provoquaient des renversements subits d'alliance : brouille entre Naples et Venise à la fin de 1473, ligue entre Venise, Milan et Florence en novembre 1474, alliance de Naples et de la papauté au début de 1475. Dans ce contexte mouvementé, le Saint-Siège était loin de constituer un élément modérateur et un facteur de paix. A l'intérieur de l'Italie, ses titulaires se comportaient plus en princes temporels qu'en chefs de l'Eglise universelle.

LAURENT ET LE PAPE SIXTE IV : LES MENACES DU NÉPOTISME PONTIFICAL

Au pape Paul II avait succédé, le 25 août 1471, un clerc de Savone, Francesco della Rovere, qui prit le nom de Sixte IV. Laurent attendait beaucoup du nouveau pontife : la confirmation du monopole de l'alun et du privilège de banquier pontifical, mais aussi la dignité cardinalice pour son « très cher et très aimable frère », Julien. Laurent voyait là un double avantage : accroître le prestige de sa maison et écarter de lui un rival possible. Aussi décida-t-il de partir lui-même le 23 septembre, en compagnie de cinq notables, pour rendre hommage au Saint-Père. L'accueil fut cordial et Laurent reçut en cadeau de Sixte IV deux bustes de marbre antiques représentant Auguste et Agrippa. Il acquit également de nombreux objets d'art, coupe précieuse de calcédoine gravée, camées et médailles provenant du trésor de Paul II, et que son successeur mettait en vente. C'est à cette occasion qu'il visita en détail les ruines romaines sous la conduite du célèbre Alberti. Mais si le séjour fut fructueux pour sa culture personnelle et ses collections, il ne lui rapporta aucune certitude pour l'avenir.

Sixte IV avait, dès son élection, choisi de s'entourer de ses plus proches parents et de peupler la Curie de ses compatriotes ligures. Le 16 décembre 1471, la première promotion cardinalice portait deux noms, ceux de deux neveux du pape, Pietro Riario et Giuliano della Rovere, le futur Jules II. Les demandes, présentées ultérieurement en faveur de Julien de Médicis par Giovanni Tornabuoni et Gentile Becchi, devaient demeurer sans résultat, bien que Sixe IV ait nommé, en huit promotions successives, trente-quatre cardinaux. Le pape se méfiait sans doute des Médicis, mais il ne leur était pas hostile, et même, en 1472, il aida Laurent à réprimer la rébellion de Volterra. Il voulait il est vrai, ce faisant, sauvegarder le monopole de l'alun.

Dans ses rapports avec Ferrante de Naples, le Saint-Siège était guidé par le même souci : il souhaitait avant tout protéger la production et la commercialisation de son alun contre la concurrence napolitaine.

Un neveu laïc du pape, Leonardo, nommé préfet urbain de Rome, avait reçu pour femme une fille naturelle du roi, avec la ville de Sora comme dot. En récompense le Saint-Père avait dispensé le souverain du paiement du tribut qu'il devait à la papauté pour son royaume.

Dès lors, l'entente du pape et du roi de Naples devint

un fait publié dans toute l'Italie. Leonora, une autre fille illégitime de Ferrante, traversant Rome pour se rendre à Ferrare où elle devait épouser Hercule d'Este, fut fêtée pendant des journées entières. En son honneur, le cardinal Riario offrit dans son palais, près de l'église des Saints-Apôtres, un festin, dont l'abondance fut telle que les convives lancèrent les mets de choix dont ils s'étaient lassés à la foule massée sur la place. Après cette heure de gloire, Riario, nommé par son oncle patriarche de Constantinople, archevêque de Florence et légat pontifical pour toute l'Italie, commença un voyage triomphal qui le conduisit à Florence, Bologne, Ferrare, Milan et Venise. Partout princes, courtisans et poètes se pressaient à sa rencontre. Partout aussi il voulait goûter aux plaisirs. La volupté lui fut fatale. Il mourut le 5 janvier 1474, à vingt-huit ans, miné, dit-on, d'un mal vénérien contracté à Venise.

La fortune des Riario pouvait heureusement se poser sur d'autres têtes. Girolamo Riario était l'un des neveux favoris du pape. Le Saint Père acheta pour lui à Taddeo Manfredi le comté d'Imola, puis il le maria à Catherine Sforza, fille naturelle de Galeazzo Maria. Ainsi la dynastie laïque des Riario se trouvait désormais alliée aux premiers princes d'Italie, les Sforza de Milan et les Aragon de Naples. Ces unions princières étaient inquiétantes pour Florence. Elles créaient à son détriment un réseau de petites principautés sur lesquelles elle n'avait aucune prise. Laurent de Médicis avait surtout été sensible à l'achat d'Imola, qui lui enlevait tout espoir d'annexer un territoire sur lequel il aurait volontiers jeté son dévolu. Le prix d'Imola était de 40 000 ducats. Le pape chercha des prêteurs et les trouva en la personne des Pazzi, les banquiers florentins rivaux des Médicis. Laurent pria secrètement ses compatriotes de ne rien verser. Mais ils passèrent outre, dévoilant ainsi publiquement la jalousie qu'ils entretenaient à l'égard des Médicis.

Cependant, Sixte IV continuait de travailler à

augmenter le territoire de sa famille. Il avait conféré le titre de duc d'Urbin au condottière Frédéric de Montefeltre en 1474. Celui-ci, en contrepartie, donna sa fille en mariage à un autre neveu de Sixte IV, Giovanni della Rovere, qui reçut comme fief Senigallia et Mondovia. Le clan Riario della Rovere était donc en passe de disposer d'une hégémonie extrêmement forte au cœur de la péninsule avec l'aide du roi de Naples, dont on disait qu il avait obtenu du pape la promesse d'être proclamé roi d'Italie

DÉBUT DES HOSTILITÉS AVEC LA PAPAUTÉ. SIXTE IV FAVORISE LES PAZZI

Au printemps de 1474 la situation de l'Italie centrale connut une tension explosive avec l'entrée en campagne du cardinal Giuliano della Rovere en Ombrie, région qui, de tout temps, avait constitué une zone d'influence florentine. Le terrible cardinal, ayant réprimé les soulèvements de Todi, Forli et Spolète, qu'il avait horriblement saccagée, vint mettre le siège devant Citta di Castello où résistait un tyran local, Niccolo Vitelli. La petite ville était voisine de Borgo San Sepolcro, qu'Eugène IV avait donné aux Florentins. Malgré toute sa prudence, Laurent se résolut alors à jeter le masque. Il dirigea une armée de 6000 hommes sur Borgo San Sepolcro pour intimider le pape. Une manœuvre diplomatique engagée avec l'aide de Galeazzo Maria Sforza fit encore pression sur le Saint-Siège. Rome, qui avait envoyé contre le rebelle Frédéric de Montefeltre, consentit enfin à offrir des conditions honorables à Vitelli. L'honneur de chacun était sauf, mais les bons rapports de Laurent et du pape étaient à jamais compromis. Le 2 novembre 1474, Florence signait une ligue défensive avec Venise et Milan. Au mois de janvier suivant, Sixte IV y répliqua en concluant une alliance formelle avec Ferrante de Naples. Deux blocs hostiles se dressaient face à face. Le pape ne tarda pas à manifester sa rigueur envers Laurent, qu'il estimait être le principal responsable de la situation. Il lui lança une série de défis. Le premier fut le remplacement des Médicis par les Pazzi dans la charge de dépositaires de la Chambre apostolique. Cette mesure amorça la ruine de la filiale romaine demeurée le plus sûr fondement de la firme. Le monopole de l'alun fut également remis en question. Il avait fait l'objet d'une apuration des comptes le 27 décembre 1474. Sixte IV avait été contraint de restreindre le droit, qu'il percevait sur chaque cantare de minéral vendu par les Médicis, de 2 ducats à 1 seul. La mévente, en effet, était générale en Europe : elle était provoquée par l'accumulation des stocks et par les troubles qui avaient pour théâtre les principaux pays. Jouant sur son mécontentement, le pape dénonça son accord avec les Médicis dès juin 1476. Il transféra l'exploitation et la vente de l'alun à la compagnie des Pazzi en les substituant purement et simplement aux Médicis pour une période de dix ans.

Naturellement, le Saint-Siège ne se privait pas de faire sentir aux Médicis qu'en matière de bénéfices ecclésiastiques il demeurait le maître absolu. Il avait bien voulu nommer Rinaldo Orsini à l'archevêché de Florence pour remplacer Pietro Riario, à la fin de février 1474. Ce faisant, il cherchait plus à contenter cette vieille famille romaine que Laurent de Médicis qui lui était allié. Bientôt il fit connaître que l'époque des concessions était close : le 14 octobre 1474 il nomma archevêque de Pise Francesco Salviati, protégé des Pazzi, contre la volonté manifeste de Laurent, et, en janvier 1475, il déclara publiquement qu'il ne créerait pas de cardinal florentin.

Par cette déclaration d'hostilité se terminait la longue période où s'étaient épanouies les relations fructueuses entre les Médicis et le siège pontifical. Aux déboires économiques succédaient les catastrophes politiques. Bien qu'ils fussent liés au roi de France, les Médicis devaient, cette même année, pâtir profondément de la

défaite du duc Charles le Téméraire. Un autre événement allait les frapper en remettant en cause la solidité
de l'alliance milanaise. Le 26 décembre 1476, Galeazzo
Maria Sforza tombait sous les coups de trois jeunes gens
conjurés contre sa tyrannie. Le duc avait pour héritier
un enfant de huit ans, Giangaleazzo. Sa veuve, Bonne
de Savoie, fut obligée de laisser le gouvernement à Cicco
Simonetta, chancelier ducal. Cette régence, vite quali-
fiée de dictature, ne pouvait être acceptée par les frères
du défunt duc. Ils préparèrent une révolte, destinée, il
est vrai, à échouer assez rapidement. Ils furent, en
conséquence, comme autrefois les bannis florentins,
confinés dans diverses villes de l'Italie. C'était donner
aux principautés rivales un prétexte facile pour intervenir dans les affaires intérieures du duché. Venise et
Naples n'allaient pas s'en priver. La puissance milanaise
et l'appui qu'en tiraient les Médicis paraissaient ainsi
très menacés au seuil de l'année 1477.

LE DÉSÉQUILIBRE DES FINANCES DE L'ÉTAT ; MARASME ÉCO-
NOMIQUE DE FLORENCE ; EXPÉDIENTS FINANCIERS DE
LAURENT

La multitude d'événements qui en quelques années
s'étaient succédé sur le théâtre des relations extérieures
avait, à cette date, causé un déséquilibre profond dans
les finances publiques de Florence. L'affaire de Volterra
avait fait retentir un signal d'alarme ; l'expédition de
1472 avait coûté cher à la République : 200 000 florins. Il
fallut de nombreuses années pour éponger la dette. Elle
était venue s'ajouter aux dépenses multiples de l'Etat,
frais de gestion, d'ambassades, d'expéditions et de
missions diverses.

La République avait l'habitude du passif dans son
budget. Ainsi, en 1409, les Florentins avaient dépensé
400 000 florins à la guerre et perdu 200 000 florins de
marchandises sur la mer. Mais l'encaisse publique, le

Monte, s'élevait alors à 4 ou 5 000 000 de florins. Les princes, loin d'être débiteurs des banquiers, achetaient des titres d'emprunts publics, tel le roi Jean de Portugal qui s'en était porté acquéreur pour 20 000 florins. En 1422, on estimait les biens immobiliers des particuliers à 20 000 000 de florins et leurs biens meubles à 2 000 000. Le trafic international sur mer et sur terre avait multiplié cette richesse. Toutes les villes de la chrétienté abritaient des comptoirs florentins. L'argent gagné ailleurs refluait à Florence et dans son territoire.

La situation était désormais bien changée. Certes les grands négociants continuaient de tenir le haut du pavé. Mais, s'ils étaient soixante-douze en 1422, en 1472, ils n'étaient plus que trente-trois. Le volume des affaires n'avait pourtant pas diminué : il y avait eu concentration entre un plus petit nombre d'entrepreneurs et paupérisation des artisans. En 1460, on comptait deux cent soixante-treize ateliers élaborant des produits de luxe, draps fins, étoffes d'or et d'argent, soieries, velours, brocarts et joyaux. Les seules exportations sur Venise rapportaient annuellement 392 000 ducats. Or, en 1474, il n'y avait plus à Florence que quatre-vingt-quatre ateliers de ce genre. Les règlements devenaient de plus en plus contraignants pour éviter la concurrence. L'artisan qui réussissait à passer maître était pris au piège. Les défenses les plus rigoureuses le frappaient. Il lui était interdit de s'installer dans le voisinage de son ancien patron, mais aussi de s'établir hors la ville, d'exporter les matières premières de son travail, d'employer, par exemple, la laine d'agneau cardée ou peignée pour certains draps, de teindre en indigo ou écarlate les draps non français ou anglais. Dans chaque boutique on ne devait vendre qu'un seul genre de marchandises. Si on en produisait plusieurs, il fallait ouvrir plusieurs boutiques, donc être fort riche. En 1477, défense est faite aux drapiers de vendre ou donner à teindre, ou même apprêter des draps qu'ils n'ont pas fabriqués eux-mêmes. Même défense est faite aux fabricants de soieries.

Cette rigueur, qui avait pour but d'imposer une qualité uniforme aux produits, débouchait de plus en plus souvent sur un blocage du dynamisme commercial et, finalement, diminuait la compétitivité sur le marché international.

A l'intérieur, il en résultait une contraction des salaires qui brimait terriblement les ouvriers. A l'extérieur, la production, déjà gênée par les règlements, était de plus frappée par une multitude de droits : certaines matières premières étaient taxées à l'importation, tels les draps étrangers pour lesquels on devait verser depuis la fin du xive siècle 5 florins d'or pour toute pièce de 34 mètres.

En 1426, outre le droit d'importation, on doit acquitter un droit de protection des marchandises locales : il s'élève en moyenne à 15 florins d'or pour une valeur de 100 livres. Certaines denrées provenant de l'étranger et transitant sur le territoire florentin doivent payer, en plus de tous ces droits, un impôt de 3,50 à 11,50 % de leur valeur. Ainsi, on voit disparaître des marchés de Florence les futaines et cotonnades de Lombardie et les draps de Perpignan. Bien entendu les comptoirs, dont ceux des Médicis, situés à Milan ou en Languedoc et Roussillon, périclitent. On s'en aperçoit. Un acte public reconnaît en 1466 qu'on manque, pour se vêtir, de ces étoffes à bon marché fabriquées à l'étranger. L'importation est temporairement rétablie, puis retirée quand on croit que Florence va reprendre sa place sur le marché avec des produits compétitifs. Hélas, l'effort est vain ! En 1478, la crise des ateliers florentins est profonde. La Seigneurie prend acte de ce que les droits élevés de sortie qui frappent les draps et soieries florentines ont provoqué l'effondrement du marché extérieur où les Génois ont remplacé les Florentins. Le petit peuple des métiers est réduit à vivre d'aumônes. En conséquence il est décidé que pendant cinq ans il ne sera plus perçu de droits aux portes de Florence et de Pise ni dans aucune autre place du territoire. La liberté commerciale instaurée ainsi de façon fortuite ne durera guère : elle sera rapportée en 1480, car les taxes sur les marchandises sont nécessaires pour alimenter les finances publiques. Sans elles, il est impossible de faire face aux énormes dépenses de l'Etat.

Les taxes sur les produits alimentaires, autre source de financement indispensable, étaient très lourdes. Les droits sur le sel rapportaient à l'Etat environ 20 % de ses recettes. Chaque foyer devait en acheter une quantité fixe. Mais la production du terroir était également soumise à l'impôt. La plupart des riches Florentins — et les Médicis les premiers — avaient placé une bonne partie de leur fortune dans la terre. Le régime d'exploitation était un contrat de métayage, partageant les récoltes mais liant l'exploitant agricole de façon très rigoureuse à son maître et à la terre qu'il travaillait. Ainsi interdiction était faite aux propriétaires d'employer un colon qui aurait abandonné son maître sans son consentement. Mais le propriétaire lui-même était lourdement grevé de charges, impôts fonciers, entretien des chemins et des ponts, entretien des vergers, potagers et plantations de mûriers obligatoires. Ces mesures apparaissaient à tous comme nécessaires : le terroir florentin, montagneux et parfois stérile, ne suffisait à nourrir la capitale que pendant cinq mois. Le marché d'importation de produits alimentaires, perpétuellement troublé par les disettes et les pestes, était cependant taxé sans merci. Le droit sur la vente du vin atteignit jusqu'à 50 % du prix de production et, en 1477, le peuple fut sur le point de faire une émeute contre cette taxe.

Tous les habitants de Florence étaient frappés par ces droits et ces gabelles, mais les petites gens, seuls, en étaient affectés jusqu'à l'extrême misère : leur dénuement les faisait échapper par contre au système de la fiscalité directe, devenu lui aussi très lourd. Le système du *catasto,* ou cadastre, avait été renouvelé. Lors de son inauguration en 1427, et au cours de ses modifications successives, il comportait un calcul du capital imposable à partir des revenus effectivement perçus par un foyer fiscal. On estimait qu'à 7 florins de revenus immobiliers et mobiliers correspondait une fortune de 100 florins. De ce capital étaient défalqués la valeur de la résidence principale, les personnes à charge et les outils de travail ainsi que les dettes. Une taxe de base du *catasto* pouvait atteindre 0,5 % du capital imposable. On décidait, suivant les besoins de l'Etat, de lever cette taxe de base autant de fois que nécessaire, parfois jusqu'à quinze fois par an.

Lorsque Laurent prit en main le pouvoir, l'institution du *catasto* avait singulièrement évolué. La commission des finances publiques, les *Ufficiali del Monte,* se réservait le droit d'évaluer les fortunes des citoyens. Le poids de l'impôt variait suivant les revenus, de 8 %, pour ceux qui étaient inférieurs à 50 florins, jusqu'à 50 %, pour ceux qui étaient supérieurs à 1 500. A partir de 1471, la prérogative d'évaluation du capital imposable fut mise au service de la politique. Suivant que la commission désirait ou non favoriser un citoyen, elle le situait parmi les riches ou parmi les nécessiteux. Les banquiers qui n'appartenaient pas à la clientèle des Médicis se trouvèrent pressurés au maximum.

Malgré tout, l'Etat continuait à souffrir d'un déficit chronique. Les emprunts, prêts volontaires ou forcés, venaient à la rescousse : ils rapportaient aux riches qui y souscrivaient des intérêts versés par l'administration du *Monte Comune.* Les titres faisaient l'objet d'un trafic fructueux. Mais, progressivement, le service des intérêts se mit à souffrir du déséquilibre du budget, le montant des recettes venant bien au-dessous de celui des dépenses, enflées par la politique de grandeur de Laurent.

En 1477 le *Monte Comune* devait aux porteurs de titres un arriéré de 60 000 florins, c'est-à-dire les intérêts de deux années.

Alors, pour éviter la banqueroute, Laurent et ses amis

furent tentés par un expédient facile : la confiscation d'une partie du capital du *Monte delle doti.* Cette caisse publique était alimentée par les pères de famille sou-cieux de constituer une dot à leur fille, ou même un capital à leur fils. La somme initiale, bloquée pendant quinze ans, se trouvait quintuplée à l'issue de ce laps de temps. Si l'enfant mourait avant, le père recevait la moitié de la dot qui lui aurait été servie. La mortalité enfantine très grande faisait de cette sorte de caisse d'assurance-vie une bonne affaire pour l'Etat, mais le rapport n'en était plus jugé suffisant. Dès 1475 on envisagea d'amputer le capital initialement promis pour la dot. En 1478 il fut officiellement décrété que le *Monte* ne paierait que le cinquième de cette somme, le reste étant bloqué et ne donnant lieu qu'au versement d'un intérêt de 7 %.

L'institution vénérable, qui assurait l'avenir des jeu-nes Florentins, était remise en question au moment même où disparaissaient les vestiges des anciennes libertés républicaines. Les vieux Conseils de la Républi-que avaient été réduits à une simple figuration. Depuis 1471, les biens du parti Guelfe et du tribunal des marchands avaient été confisqués pour payer gouver-neurs et garnisons. Le nombre des Arts mineurs fut restreint de quatorze à cinq, ce qui permit de surveiller plus aisément l'application des règlements. Le podestat fut réduit à ratifier les décisions des Huit de Garde, la toute-puissante commission de police aux mains du parti Médicis. La fonction de capitaine du peuple, qui avait pendant des générations soutenu la cause des humbles, fut elle-même remplacée en 1477 par une charge de juge.

Mais cette dégradation considérable de l'ancienne Constitution républicaine ne provoqua aucune révolte. Préoccupés avant tout de leur survie matérielle, les Florentins cherchaient la sécurité dans les corporations et parmi la clientèle des puissants. Ils fuyaient la morosité de leur condition en participant avec passion

aux fêtes et aux réceptions officielles. Ils imitaient,
Laurent de Médicis qui cachait ses soucis d'homme
d'Etat et de financier sous le masque de l'humour et
de l'insouciance.

CHAPITRE IV

Lauriers
et pampres de Toscane

LAURENT EN FAMILLE. POLITIEN ET LES AUTRES INTIMES

Les vingt ans de Laurent courent sur les chemins de Toscane, de Pise au monastère de Vallombrosa, de la villa de Careggi aux domaines du Mugello. Nulle résidence ne le retient longtemps. Florence même le lasse. Centre des affaires et du pouvoir, elle est pourtant un incomparable théâtre. Galeazzo Maria Sforza en goûte les plaisirs lors de sa réception de mars 1471 : l'accueil fastueux qu'il reçoit de la Seigneurie et de Laurent est éclipsé par les spectacles qui se succèdent. Des représentations religieuses, du genre des mystères, se déroulent dans les églises. A San Felice, on montre la Vierge Marie recevant la visite de l'Archange Gabriel. Au Carmine, une machinerie savante reconstitue l'Ascension du Christ. A Santo Spirito, des langues de feu surgissent des cintres pour représenter la descente du Saint-Esprit sur les Apôtres, mais les précautions sont insuffisantes et l'église s'embrase dans un gigantesque incendie.

Les éphémérides florentines gardent trace des cérémonies. Des entrées somptueuses ont lieu en été. Le cardinal François Gonzague est fêté en 1471, Eléonore d'Aragon, fiancée d'Hercule d'Este, en 1473, ainsi que le cardinal Pietro Riario. Les tournois prennent place en hiver, surtout en janvier et février, où ils précèdent le carnaval. La famille de Médicis, entourée de ses familiers et des grands notables de la ville, y paraît et se fait acclamer par la foule. Clarice Orsini, la femme de Laurent, n'y vient qu'à contrecœur. Elle est d'humeur maussade. Sa santé, assez précaire, est ébranlée par des maternités continuelles. De 1470 à 1479 elle donne naissance à sept enfants, quatre filles — Lucrezia, Maddalena, Luisa et Contessina — et trois garçons : Pierre, né en 1472, Jean en 1475 et Julien en 1479. Les soins domestiques et les pratiques religieuses absorbent son temps. Elle reste très attachée à ses parents, les puissants Orsini de Rome. Elle va leur rendre visite en mai et juin 1472. A cette occasion elle assiste à un événement exceptionnel, le mariage par procuration au Vatican du tsar Ivan III de Russie, le bâtisseur du Kremlin, avec une princesse byzantine, Zoé Paléologue. Luigi Pulci accompagne Clarice. Pour divertir Laurent, resté à Florence, il rédige un compte rendu burlesque de la visite qu'ils rendent à la future tsarine.

« Nous entrâmes dans une pièce où la marionnette trônait sur un siège élevé. Elle était là, avec deux énormes perles turques sur la poitrine, un double menton, un visage luisant de graisse, des joues grasses, des yeux ouverts comme des soucoupes, entourés d'une telle masse de graisse et de chair qu'on pensait aux plus hautes digues du Pô. Les jambes étaient loin d'être maigres et les parties voisines avaient les mêmes proportions, si bien que je n'ai guère vu personnage aussi ridicule et repoussant que cette folle de carême. Elle ne cessa toute la journée de jacasser par l'intermédiaire d'un interprète, en l'occasion son frère, qui possédait des jambes dignes d'un véritable maître Jacques. Ta femme, enchantée par l'antre de la sorcière, trouvait beau ce monstre féminin et prenait un plaisir évident aux discours de l'interprète. L'un de nos compagnons admira même la jolie bouche épicée de la marionnette et déclara qu'elle crachait avec infiniment de grâce ! Elle parla en grec jusqu'au soir, mais il n'y eut à manger et à boire ni en grec, ni en latin, ni en italien. Elle trouva cependant moyen d'expliquer à donna Clarice qu'elle portait une robe trop étroite et de mauvaise qualité, bien qu'elle fût de riche étoffe, et si largement coupée qu'on avait dû employer, au moins, six pièces de soie pour la faire, de quoi recouvrir entièrement la coupole de Santa Maria Rotonda.

« Je n'ai pas cessé depuis de voir toutes les nuits en rêve des montagnes de beurre, de graisse, de suif et de chiffons et autres choses dégoûtantes. »

Clarice, il faut le dire, ne détestait pas le style et les récits drôlatiques de Pulci, qui la changeaient agréablement des plats compliments des courtisans et des solliciteurs qu'elle recevait constamment.

Elle ne savait guère résister aux fâcheux. Elle sollicitait sans cesse pour eux son mari. Sur ses instances son frère Rinaldo, orgueilleux et médiocre, sera nommé archevêque de Florence en 1474. Laurent n'appréciait guère ses interventions maladroites et la manière hautaine et maussade dont elle se comportait habituellement.

La mauvaise santé de Clarice explique sans doute son tempérament assez revêche. Elle souffrait de la tuberculose, qui devait l'emporter à trente-sept ans en juillet 1488. Outre ses maladies et son humeur autoritaire, son absence de curiosité intellectuelle, son peu de goût pour l'art et la culture éloignaient d'elle son mari. Il aimait les jeux de plein air, les fêtes et les réceptions. Elle les fuyait. Ses lettres brèves et austères, si différentes de celles, vives et enjouées, que Laurent recevait de sa mère Lucrezia, montrent qu'elle gardait de l'attachement envers son mari, bien qu'il la délaissât souvent. Les époux portaient à leurs enfants un amour très tendre. Ils étaient attentifs à leurs maladies, à leurs premiers pas et

à leurs premières paroles. Laurent jouait avec eux
« comme un bourgeois », note Machiavel, désapprou-
vant ce comportement trop familier du maître de Florence. L'éducation était l'une des principales préoccupations des parents.

Le fils aîné, Pierre, fut confié en 1475, âgé de trois ans
seulement, au jeune humaniste Ange Politien dont
l'esprit leste et les manières déplurent tellement à
Clarice qu'elle le fit peu après écarter. Politien, ami
intime de Laurent, fut cependant rappelé en 1480 et
resta le seul précepteur de Pierre. Il apprit à lire à Jean,
qui devint plus tard le pape Léon X. Julien, le dernier-
né, moins astreint aux contraintes de l'instruction, fut,
par contre, un enfant très choyé, ainsi que, parmi les
filles, Maddalena, la seconde, qui était jolie et spirituelle : son père lui fit faire à quinze ans un beau
mariage avec le « neveu » du pape Innocent VIII,
Franceschetto Cibo. L'union devait avoir pour contrepartie la promotion cardinalice de Jean. Maddalena
paya fort cher l'arrangement : son mari, un débauché,
de vingt-cinq ans plus vieux qu'elle, la rendit très
malheureuse. La troisième-née des filles, Luisa, mourut
très jeune, à onze ans. Les deux autres, Lucrezia,
l'aînée, et Contessina, épousèrent de riches marchands,
Jacopo Salviati et Pietro Ridolfi.

Laurent chargeait ses amis, lorsqu'il était éloigné, de
lui donner des nouvelles des enfants. Aux anciens
membres de la « brigade » se sont ajoutés de nouveaux
intimes. L'un des plus brillants est Angelo Ambrogiani,
surnommé Politien, du nom de Montepulciano, où il est
né en 1454. Devenu orphelin il a été élevé aux frais des
Médicis. Très doué, il surpasse ses maîtres et, par sa
connaissance des lettres antiques et ses talents de poète,
égale les meilleurs humanistes. En 1473, il devient
secrétaire particulier de Laurent, puis éduque les
enfants, malgré l'opposition de Clarice ; il est très
dévoué. Sa sollicitude éclate dans la lettre du 3 septembre 1477 où il essaie de rassurer Laurent à l'occasion

d'une maladie infantile de Jean, le futur Léon X, qui n'a
alors que vingt mois.

« Il ne peut pas téter, mais il mange bien sa petite
soupe. Il souffre, je crois, d'un peu d'irritation à la
langue, plutôt que de la gorge : c'est pour cela qu'il a du
mal à tirer sur le sein. Il doit avoir aussi un peu de
torticolis, car il tourne la tête avec peine. Mais il ne
semble guère affaibli et, en dehors de ce que je viens de
vous dire sur la tétée, il n'a pas l'air d'avoir beaucoup de
mal. »

La même attention affectueuse se rencontre chez
Niccolo Michelozzi, le fils de l'architecte de Côme, l'un
des rares intimes pour lesquels Laurent n'a pas de secret.
Niccolo n'a que deux ans de plus que lui. Il a grandi,
ainsi que son frère Bernardo, le précepteur du jeune
Jean, dans la maison des Médicis. Il est devenu le chef
du secrétariat de Laurent, son chancelier privé. Il ouvre
le courrier et y répond quand son maître ne souhaite pas
le faire lui-même. Il accueille des visiteurs importants. Il
assume des missions diplomatiques délicates. Fin lettré,
il fréquente poètes et philosophes. Et malgré ses multiples occupations, lui aussi surveille les enfants. Il écrit le
19 avril 1476 à Laurent : « Les enfants sont en bonne
santé. Je ne les ai jamais vus si joyeux. Ils n'arrêtent pas
de jouer. La petite Maddalena veut toujours mener la
danse. Le petit Jean va très bien. »

Cet écho est à rapprocher de celui qu'on trouve chez
un autre familier, Cristoforo Benini, qui fait une sorte de
rapport enjoué sur les enfants le 25 septembre 1473 :

« La petite Lucrezia est très obéissante : elle est si
raisonnable. Pierre a bonne mine et, grâce à Dieu, il est
gai et enjoué. Souvent il s'en va vers la porte qui conduit
à Terzolla et il appelle tout le monde, en disant *nona* et
babo et *mama,* d'une manière si mignonne que cela vous
ferait rire. Maddalena se porte bien, elle aussi. Je vais la
voir tous les jours, quand je reviens de chez les

Tornabuoni, et j'envoie sa nourrice faire un tour, pour la distraire et lui faire prendre de l'exercice, afin qu'elle soit en bonne santé et que son lait soit plus parfait encore. »

Figure pittoresque, le prêtre besogneux qu'est Matteo Franco trouve le havre au foyer de Laurent où il est accueilli en 1474. Ses talents de bouffon et d'amuseur séduisent l'austère Clarice. Il ne craint pas d'attaquer Luigi Pulci dans des épigrammes féroces qui contribuent à faire fuir son rival. Il écrit des poèmes burlesques : il célèbre un cheval poussif, une maison délabrée, un souper ridicule. Il sait admirablement distraire mais se dévoue aussi aux intérêts de ses bienfaiteurs. Il gère les intérêts de Clarice. Il accompagne Maddalena à Rome où elle suit son mari : devenu son chapelain, Franco saura la réconforter dans ses malheurs conjugaux et la soigner, à la grande satisfaction de Laurent.

Baccio Ugolini, à qui Laurent accorde toute sa confiance, est, comme Franco, un ecclésiastique qui s'amuse à se moquer en vers de ses semblables. Mais il est aussi compositeur et joueur de lyre. Ses talents lui valent la faveur de Laurent et de toutes les Cours auxquelles il l'envoie successivement : à Rome, en France, en Allemagne, dans le royaume de Naples Ugolini défend les intérêts de son maître en se servant de sa séduction.

Auprès d'un tel personnage et de la dizaine de compères semblables qui évoluent autour de Laurent, Bartolomeo Scala, chancelier de la République depuis 1464, c'est-à-dire secrétaire général permanent du gouvernement de l'Etat, fait figure de mentor. Son âge — il a vingt et un ans de plus que Laurent — et son comportement volontiers solennel l'écartent quelque peu de la troupe des joyeux compagnons, qui ne se privent pas de se moquer de lui : il n'en est pas moins un conseiller très écouté de Laurent qu'il tient au courant de tous les débats au sein de la Seigneurie et des diverses assemblées. Grâce à lui, le parti Médicis est constamment présent dans les instances les plus hautes de l'Etat.

Le dévouement de Scala et celui du petit groupe de ses familiers permettaient à Laurent de se libérer du poids des tâches fastidieuses de sa vie familiale et politique. Il pouvait ainsi, sans rien abdiquer de son pouvoir, se livrer sans contrainte à ses plaisirs. Pour les satisfaire, il savait utiliser habilement les prétextes officiels.

LE TOURNOI DE JULIEN DE MÉDICIS : LA BELLE SIMONETTA VESPUCCI

Laurent avait gardé le souvenir du magnifique tournoi de 1469 comme celui d'un triomphe personnel. S'inspirant de ce précédent, il décida de le renouveler de façon encore plus somptueuse. Le motif déclaré en fut, comme précédemment, la commémoration d'un succès diplomatique, en l'occurence la proclamation, le 2 novembre 1474, de l'alliance conclue entre Milan, Venise et Florence.

En l'honneur de l'événement les joutes traditionnelles de l'hiver qui suivit devaient revêtir un éclat exceptionnel. Laurent se promettait des satisfactions personnelles et souhaitait flatter l'amour-propre de son frère cadet : Julien venait d'entrer dans sa vingt et unième année. Il était aimable et beau. Sa taille élancée, son charme de brun ténébreux, son esprit, son goût pour la danse, la chasse et les sports faisaient de lui l'un des plus séduisants jeunes gens de la bonne société florentine. Les échecs répétés de sa candidature au cardinalat n'avaient pas déplu aux jeunes dames. Il avait connu nombre d'aventures. D'une de ses liaisons il aura, un peu plus tard, un fils naturel qui deviendra le pape Clément VII. Rien ne pouvait donc plus flatter le jeune homme que des joutes lui permettant de briller aux yeux des plus jolies femmes de Florence.

L'une de celles-ci devait être, suivant la coutume, la

reine du tournoi. Le choix se porta sur la belle Simonetta Cattaneo, mariée à Marco Vespucci : il n'en fallut pas plus pour accréditer le bruit que Simonetta était la maîtresse de Julien. Simonetta avait le même âge que le jeune Médicis. Née à Gênes dans une famille patricienne, elle était entrée en 1468, par son mariage, dans un milieu d'hommes d'affaires proches des Médicis.

Pietro, le père de Marco, avait été prieur. Marco lui-même, un homme médiocre et vaniteux, avait occupé quelques menues fonctions, mais il s'était surtout fait remarquer en dilapidant sa fortune dans les fêtes publiques. Un des membres de la famille, Amerigo, a acquis la gloire pour avoir donné son nom au Nouveau Monde.

La beauté de Simonetta était célèbre. Tous les poètes de son temps, tour à tour, la chanteront. Elle incarnait l'idéal féminin. On l'imagine mince et blonde, la poitrine petite et ferme, la taille élancée, le ventre rond, cheminant, le pied léger, dans les allées de lauriers et de myrtes. Elégante et enjouée, elle était devenue comme la reine charmante d'une Cour d'amour courtois supplantant les autres beautés, telle Lucrezia Donati.

Le sort devait être particulièrement cruel à son égard : minée par l'anémie ou la tuberculose, elle mourut dans la nuit du 26 au 27 avril 1476, âgée de vingt-trois ans à peine. Elle n'avait qu'effleuré le sol florentin et les artistes n'avaient guère eu le temps de fixer ses traits pour la postérité : on se dispute encore pour la reconnaître dans un tableau de Piero di Cosimo au Musée Condé de Chantilly, sur une fresque de Ghirlandaio dans la chapelle Vespucci de l'église d'Ognissanti à Florence, un dessin de Léonard de Vinci aux Offices, ou encore dans un portrait de Botticelli au Musée de Berlin. Une chose est sûre : le deuil fut unanime parmi les poètes de Florence et Laurent de Médicis y apporta une contribution exceptionnelle.

Grâce au *Commentaire,* dans lequel il explicite le sujet de ses sonnets, nous apprenons que quatre de ceux-ci sont consacrés à la mort d'une dame « ornée d'autant de beauté et de noblesse qu'aucune autre qui eût vécu avant elle ». Cette dame était pour lui l'étoile discrète et fugitive, qui vint, un court moment, éclipser le soleil resplendissant, c'est-à-dire la Muse habituelle, Lucrezia Donati. Elle demeurait secrètement présente dans le cœur de Laurent.

« Il faisait nuit et nous marchions ensemble, un très cher ami et moi, parlant de ce malheur qui venait de nous frapper. Le temps était serein. Et comme nous parlions, nous aperçûmes vers le couchant une étoile brillante, d'une splendeur telle que non seulement elle effaçait les autres étoiles, mais par sa clarté rejetait dans l'ombre les autres corps célestes. L'admirant, je me tournai vers mon ami et lui dis : " Ne nous émerveillons pas si l'âme de cette gentille jeune femme s'est transformée en une étoile nouvelle ou est montée la rejoindre ". »

Le récit des funérailles de Simonetta est poignant :

« Elle fut transportée, le visage découvert, de son domicile à sa sépulture, si bien qu'elle fit répandre beaucoup de larmes à tous ceux qui accoururent pour la voir... Elle inspirait compassion mais aussi admiration car, dans la mort, elle surpassait sa beauté qui, pendant qu'elle vivait, avait semblé insurpassable. En elle, apparaissait la vérité des paroles de Pétrarque :

La Mort paraissait belle dessus son beau visage. »

Laurent, il est vrai, prit la précaution de cacher son émotion sous une explication de technique poétique : « Si dans mes vers j'ai écrit plusieurs choses qui semblent parler d'une grande passion personnelle, c'est que... je me suis efforcé de me figurer que j'avais moi aussi perdu quelqu'un qui m'était très cher. J'ai rempli mon imagination de tous les sentiments capables de m'émouvoir afin de pouvoir mieux émouvoir les autres. »

Si l'on entre dans le jeu, on en déduira que Simonetta n'était pour lui qu'une connaissance superficielle. Mais des lettres privées attestent au contraire que l'attachement qu'il portait à la jeune femme n'était pas feint. Il envoya au chevet de Simonetta un des meilleurs médecins de l'époque et se tint informé très précisément de l'aggravation de son mal. Quoi qu'il en dît, sa douleur était sincère et profonde.

Dissimulée pour des raisons qui nous échappent, la liaison de Laurent fut, par un artifice habile, fêtée dans le tournoi de 1475. Devant tout Florence, Simonetta fut proclamée la dame de Julien de Médicis et la reine du tournoi. L'heure était à la joie. Politien décrit la belle rencontrant son champion avec des traits qui semblent paraphraser, avant leur réalisation, les fraîches allégories de Botticelli.

> Candide elle est. Candide est sa tunique
> où cependant des roses et des fleurs sont peintes.
> Les tresses des cheveux de sa tête dorée
> descendent sur son front humble et fier à la fois.
> Tout autour d'elle rient les arbres des grands bois.
> Ses yeux brillent de paix et de sérénité
> mais Cupidon y cache un flambeau embrasé.

Les préparatifs des joutes prirent de longues semaines. On fit venir des chevaux de toute l'Italie. On sélectionnait les meilleures montures des écuries princières à Mantoue, Milan, Rimini, Urbin et Naples. Au jour fixé, le 29 janvier, les treize concurrents défilèrent en grande pompe dans les rues de Florence ornées de tapisseries et de bannières. Les champions portaient des noms fameux, ceux entre autres de San Severino, Gonzaga, Soderini, Pitti, Alberti. Julien de Médicis chevauchait précédé de son porte-enseigne qui portait l'étendard où Botticelli avait peint Minerve et l'Amour.

Les stances de Politien décrivent la peinture et en livrent les clés.

La dame de Julien, la belle Simonetta, représentée en Minerve, était debout sur des rameaux d'olivier flambants. Elle tenait d'une main son bouclier orné de la tête de Méduse et de l'autre sa lance. Elle regardait le soleil. A côté d'elle l'Amour était attaché au tronc d'un olivier, son arc et ses flèches étaient brisés. Le soleil figurait la gloire dont Julien allait se couvrir dans les joutes et qui enflammerait d'amour le cœur de la belle.

Derrière l'étendard venaient douze jeunes gens, superbement vêtus. Ils défilaient deux à deux, brandissant leurs lances, montés sur de magnifiques chevaux blancs. La parure de Julien, d'or et d'argent, constellée de pierreries, était évaluée à des milliers de ducats. Laurent, encadré des notables de la ville, marchait à la suite.

Les joutes eurent pour vainqueurs Julien et Jacopo Pitti, qui reçurent chacun comme prix un casque ciselé. Bals et banquets conclurent ces festivités dont les poètes et chroniqueurs célébrèrent encore longtemps les fastes : Politien surpassa tous les autres dans ses *Stanze per la giostra di Giuliano de Medici,* qui immortalisèrent le tournoi.

LES CHEVAUCHÉES DANS LA CAMPAGNE. LE POÈME RUSTIQUE DE LA « NENCIA DE BARBERINO »

La fête du tournoi de Julien à peine terminée, Laurent avait repris l'existence itinérante qu'il affectionnait. Il partait en petit comité de Florence. Politien raconte ainsi la chevauchée de la bande, formée de vingt-six cavaliers, vers San Miniato, en avril 1476 : « Partis hier soir de Florence, nous avons chanté tout le long du chemin et parfois discuté de quelque sujet sacré pour ne pas oublier le carême. A Lastra, nous avons dégusté du Zappolino qui est un vin bien meilleur qu'on ne le dit chez nous... Arrivés le soir à San Miniato, nous avons entrepris de lire du saint Augustin, mais bien vite nous

avons abandonné : nous avons fait de la musique. La
soirée s'est terminée à apprendre les pas d'un danseur
local. Le lendemain matin, Laurent est allé à la messe. »

Pour certaines années on connaît l'itinéraire vagabond
de la « brigade ». Chanceliers et secrétaires, épouse et
confidents ont parfois de la peine à joindre le maître de
Florence. En hiver, il séjourne souvent à Pise dans son
palais près de l'église San Matteo, mais aussi dans les
domaines ruraux qu'il achète à proximité de la mer et au
cœur de cette région particulièrement giboyeuse. Quand
il est à Florence, il s'échappe assez souvent pour se
rendre, à une heure à peine de route, jusqu'à la villa de
Careggi. Lorsque reviennent les beaux jours, il se rend à
Cafaggiolo et dans ses domaines du Mugello. Souvent,
quand la chaleur gagne, il va faire retraite chez les
moines bénédictins de Vallombrosa à San Giovanni in
Val d'Arno. Il se rend parfois, en invité, à Poggio a
Cajano : la villa appartient à Giovanni Rucellai, beau-
père de sa sœur Nannina. Il l'achètera en 1479 et en fera
son séjour préféré.

Dans ses retraites champêtres, le Magnifique trouve
des amours faciles. Ses amis Luigi Pulci, Braccio Martelli et Politien laissent entendre que les Muses qu'il y
rencontre sont de plantureuses créatures. Pulci livre
même le nom d'une certaine Benedetta que Laurent
aurait détournée du droit chemin : elle habitait un
village situé à une trentaine de kilomètres de Florence,
Barberino di Mugello, que le poète dit peuplé de
nymphes attirantes. L'anecdote est datée d'août 1473. A
cette époque, Laurent fréquente assidûment la campagne du Val de Sieve. Il n'y cherche pas seulement un
divertissement. Il s'est pris d'amitié pour la simplicité
des habitants et décide de raconter leur vie quotidienne.
Rompant avec une certaine tradition satirique qui faisait
du « vilain » une brute puante, un sot avide et hypocrite, il reprend la tradition virgilienne des *Bucoliques,*
ouvrant ainsi la voie aux églogues et poèmes champêtres
que donneront après lui Landino, Politien, Alberti et

bien d'autres. Il met en scène une naïve histoire d'amour villageoise : c'est la *Nencia di Barberino*.

Ce texte savoureux nous est parvenu en trois versions. Il a donné lieu à d'interminables controverses. Pour la plupart des érudits c'est la version la plus courte, en vingt strophes de huit vers, qui constitue la composition originale, et Laurent en est bien l'auteur. Le maître de Florence s'y révèle un maître de poésie, maniant à la fois l'humour et la tendresse.

La pièce est tout entière une déclaration d'amour du bouvier Vallera à une jeune villageoise, la bergère Nencia. Le langage employé est le patois local.

Absorbé par sa passion, le paysan ne fait guère allusion aux difficultés courantes de la vie campagnarde. Il n'est pourtant pas un personnage de pastorale. Il souffre véritablement. D'entrée, il clame sa peine de cœur, et il énumère, dans un style rustique désarmant, les avantages de sa belle.

Il s'est rendu dans toutes les foires de Toscane. Nulle part il n'a trouvé aussi jolie fille. Entre autres qualités, elle a le visage aussi doux et blanc qu'un rognon gras. Elle possède des dents plus éclatantes que celles d'un cheval. Elle danse comme une chevrette et tourne comme une roue de moulin. En somme elle n'a aucun défaut. Elle est blanche et rose. Elle est de belle taille et porte une fossette au milieu du menton. Vallera ne veut qu'une chose : devenir son mari. Son désir l'empêche de dormir la nuit. Il se réfugie sous l'auvent du four communal et guette la sortie de Nencia avec ses moutons. Il se risque enfin à lui faire une proposition hardie :

> *Viens t'en dans ces vallons*
> *que je mêle mon troupeau au tien.*
> *Nous paraîtrons un et pourtant deux nous serons.*

Mais la fille est coquette. Il lui faut des cadeaux. Il lui promet un collier de corail. Il est prêt pour la satisfaire à tous les sacrifices : s'ouvrir la jambe pour en extraire la

moelle ou... vendre sa tunique ! Et brusquement cesse le
poème, en même temps que la déclaration : les vaches
redescendent de la pâture. Vallera doit s'assurer qu'aucune ne reste dans l'herbage. D'ailleurs sa patronne,
Mona Masa, l'appelle : il doit partir, mais toujours en
chantant le nom de Nencia.

Ce petit tableau, au genre parodique, parfois burlesque mais tendre, très savamment construit avec des
stances de huit hendécasyllabes, inaugurait en littérature
une nouvelle manière de sentir et d'écrire. C'était une
œuvre complexe par la fraîcheur de sa vision campagnarde et par la sympathie partout visible de l'auteur
pour son fruste héros. Laurent y révélait non seulement
ses qualités de poète mais aussi sa capacité de comprendre ses semblables, fussent-ils situés par rapport à lui au
bas de l'échelle sociale, et de les aimer.

Le succès de la *Nencia* fut tel qu'il donna naissance à
une mode littéraire appelée à durer plusieurs siècles.
Une foule d'auteurs ajouta des épisodes. Après le
mariage, on raconta l'accouchement de Nencia et même
sa mort. Les noms des deux amoureux entrèrent dans
des expressions proverbiales. Enfin, parallèlement, les
aventures d'autres couples furent offertes au public par
des écrivains aussi célèbres que Luigi Pulci, Giambullari
ou Baldovini : mais l'ironie souriante de Laurent le
Magnifique avait fait place à la lourde moquerie, aux
sous-entendus obscènes.

LES PLAISIRS DE LA CHASSE. LE POÈME DE LA « CHASSE AUX
PERDRIX »

La veine poétique de Laurent ne manquait pas de
sujets fondés sur le spectacle de la nature. Sa vie de plein
air, très intense, lui en fournissait abondamment. Afin
de lutter contre la goutte héréditaire qui le menaçait, il
se livrait avec passion à l'équitation. Il entretenait une
écurie peuplée des plus belles montures d'Italie. Nous

connaissons le nom de dix-huit de ses chevaux, parmi lesquels Faux Ami et Cher Ami, Gentil, Cœur allègre, la Foudre, etc. Sa correspondance, de même, révèle les noms de son maréchal-ferrant, de ses maquignons, valets et palefreniers. Ce monde était sans cesse en alerte pour assurer les déplacements du maître, ses parties de pêche dans les affluents de l'Arno ou à son embouchure, et surtout ses parties de chasse. La meute des Médicis était fameuse : Laurent a noté les noms de vingt-cinq de ses chiens préférés, le plus aimé étant le vieux Bontemps. Il possédait chiens courants et chiens d'arrêt. Tout un peuple de maîtres de chasse et de valets formait l'équipage qui chassait dans le Mugello et dans la campagne pisane. Le gros gibier était très varié : chevreuils, sangliers, et même ours. Parfois on prenait les bêtes au filet. Mais la chasse que préférait Laurent était celle que l'on pratique avec des oiseaux de proie lancés sur les hérons, les grues, les perdrix ou les lièvres. Il élevait dans ses volières des éperviers, des faucons, des gerfauts et des autours. Lui-même ne dédaignait pas de les dresser. Ses fauconniers, dont on connaît les noms, et surtout Pilato, le plus habile, étaient traités en personnes d'importance.

Un précieux petit poème a enchâssé pour la postérité la joie fugitive d'une chasse aux perdrix. *L'Uccellagione di starne* — tel est son titre : « La chasse aux perdrix » — n'était pourtant pas destinée à une grande diffusion. Elle resta inconnue jusqu'à l'édition qu'en donna pour la première fois Roscoe en 1795. Ecrites dans un style familier, parsemées de jeux de mots et d'images burlesques, les quarante-cinq strophes de huit vers ne sont rien d'autre que le souvenir, destiné aux membres de la brigade, d'un bon moment qu'ils ont passé ensemble. Il est possible que chacun ait à l'issue de la chasse apporté sa propre anecdote. Laurent aurait mis l'ensemble en forme en s'inspirant peut-être de la tradition littéraire des « chasses », morceaux de circonstance, parfois chantés et mimés dans les Cours médiévales.

Le narrateur s'adresse à un nouveau « compère » entré dans la brigade et qui a été identifié récemment avec Politien. Comme dans la *Nencia,* il n'a que l'ambition d'être drôle et malicieux, ce qui n'exclut nullement les envolées poétiques. La peinture du petit matin frais évoque peut-être la campagne pisane. La trompe qui rassemble les chiens, le défilé de la meute posent le décor du départ. Viennent ensuite les quatre chasseurs à cheval tenant sur le poing chacun un épervier. Laurent ne se met pas en scène lui-même. Il se contente d'observer ses compagnons. Quels événements ne voit-on pas se dérouler ! Dionigi Pucci serait bien resté au lit. Comme il somnole, il glisse de sa selle, roule dans un fossé et tombe sur son épervier qu'il écrase à moitié. L'oiseau de proie, furieux, le griffe cruellement. Alors, de colère, lui-même s'assoit de tout son poids sur la bête et l'aplatit comme une galette. Giovan Francesco Ventura est prêt à intervenir dans le vallon, où les chiens font lever de toutes parts les perdrix. Hélas, il a oublié d'enlever le chaperon de son épervier ! Lorsqu'il s'en aperçoit, l'oiseau s'envole ahuri et se précipite sur une vieille perdrix qui, plus courageuse que lui, se défend en lui arrachant des plumes. Les deux chasseurs restants, Foglia Amieri et Guglielmo Pazzi, n'ont pas de chance : leurs éperviers abandonnent les perdrix pour se battre entre eux. Au total les participants rapportent comme bénéfice le plaisir de la promenade plutôt qu'un gibier convenable : on dénombre deux perdrix prises pour un épervier mort et trois estropiés. La partie se terminera cependant comme à l'accoutumée, dans la bonne humeur.

LE GOÛT DE LA FARCE. LE POÈME SATIRIQUE DES « BUVEURS »

Souvent les chasses alternaient avec de savoureuses agapes où l'on dégustait les fameux vins toscans. La table de Laurent était fournie en mets fins par les envois de ses amis. Il recevait beaucoup de venaison mais aussi des poissons, lamproies de Pontedera, anguilles salées de Ferrare, des fruits frais, figues et oranges, des confitures et même des truffes, qu'il était très difficile de se procurer. Florence était l'une des capitales de l'Italie gourmande et les Florentins étaient fort portés sur la bonne chère et la dive bouteille. Assez tôt, peut-être dès 1469, Laurent avait imaginé de s'en moquer dans un pamphlet sur les *Buveurs*. Il reprit son idée et mena à bien son projet vers 1474 en lui donnant l'aspect d'une parodie burlesque de *La Divine Comédie* de Dante et des *Triomphes* de Pétrarque : ce fut le *Simposio* ou *Banquet*. Le titre lui-même parodiait les sérieuses réunions platoniciennes tenues sous l'impulsion de Ficin. L'œuvre, inachevée, se termine brusquement au début du neuvième chapitre.

L'intrigue est mince : revenant de Careggi, Laurent rencontre un groupe d'ivrognes. Il aperçoit parmi eux des notables connus. Tous se hâtent vers la taverne de l'aubergiste Giannesse, qui s'élève au Ponte a Rifredi, près de l'oratoire consacré à sainte Lucie. S'étonnant de ce rassemblement, Laurent interpelle un certain Bartolino pour en connaître la raison. Bartolino l'introduit dans le cercle des buveurs, les présente et énumère leurs prouesses de la même façon que Virgile dans *La Divine Comédie* guide Dante, des cercles de l'Enfer au Purgatoire, parmi les habitants de l'au-delà. Comme l'*Uccellagione,* le *Simposio* se propose d'amuser les membres de la brigade par un joyeux divertissement. Mais, cette fois, le propos dénonce les vices de personnalités faciles à identifier. C'est un jeu grinçant qui s'insère dans le courant des satires moralisatrices si nombreuses dans l'Antiquité.

Le poème n'est pas dépourvu de recherche. Des expressions viennent directement de Dante et de Pétrarque, mais elles sont employées de façon parodique. L'irrespect est volontaire : des calembours sont faits sur

le double sens du mot *divino (di vino)* ; la plus grande
souffrance du Christ sur la croix est rappelée par sa
plainte : « *Sitio* » (j'ai soif) ; Laurent se moque des
miracles, et aussi du goût de son époque pour la magie :
Ulivieri, l'un des ivrognes, identifié avec Oliviero
Arduini, curé florentin, crache à terre, et, de ce crachat,
naît un crapaud. La verve de l'auteur réussit à faire
partager au lecteur la vision déformée des choses que le
vin impose aux buveurs.

Ces ivrognes qui défilent devant lui, Laurent veut les
ridiculiser. Les ecclésiastiques sont nombreux parmi
eux : l'évêque de Fiesole, son vicaire, le curé de la
collégiale de Santa Maria de l'Antella, les curés de Stia
et de San Cresci a Maciuoli, et Oliviero Arduini, déjà
nommé. Les grands bourgeois sont présents : Carlo
Pandolfini a été l'un des juges d'honneur du tournoi de
1469, gonfalonier de justice à trois reprises ; Antonio
Martelli, homme d'affaires, était l'oncle de Braccio,
l'ami de Laurent ; Bertoldo Corsini, Strozzo Strozzi,
Benedetto Alberti et bien d'autres sont des notables
connus, souvent montés jusqu'aux plus hautes
charges.

Au cours du récit, Laurent change de guide. A
Bartolino succède Ser Nastagio Vespucci, notaire de la
Seigneurie et de plusieurs corporations, père du célèbre
Amerigo Vespucci, et apparenté, par alliance, avec la
belle Simonetta. D'autres comparses appartiennent aux
milieux les plus divers : peut-être Politien y figure-t-il
sous l'épithète de *il Basso* et le peintre Sandro Filipepi
sous son surnom habituel de Botticelli. Le tailleur
d'habits et le maître de poste de Laurent sont, eux aussi,
mis en scène.

La farce se déroule avec des plaisanteries cruelles sur
les infirmités des buveurs, rogneux, peut-être lépreux,
apoplectiques, abrutis par la boisson. Mais le rire
domine. Voici le curé Arlotto qui ne s'agenouille devant
le vin consacré que s'il est bon, car autrement il ne peut
croire que Dieu vienne s'y loger. Voici encore le pique-

assiette Botticelli, le « petit tonneau » qui se rend vide
à un repas et en revient plein. Le comique est aussi dans
les situations grotesques, comme celle de Nastagio
Vespucci et du curé de Stia qui veulent s'embrasser et en
sont empêchés par la grosseur de leur ventre.

Le *Simposio* était caractéristique de l'atmosphère
joyeuse qui régnait dans la brigade de Laurent. Outre les
défauts de l'ivrognerie, il visait la pédanterie de certains
imitateurs des grandes œuvres de la littérature florentine. La moquerie n'était pas gratuite. Laurent, admirable connaisseur des bons auteurs, entendait s'inspirer
d'eux, tout en réalisant une création originale : c'est ce
que montre par ailleurs son œuvre de conteur.

LE GÉNIE DU CONTEUR. LES NOUVELLES DE « GIACOPPO » ET
« GINEVRA »

Les deux nouvelles de Laurent le Magnifique, *Giacoppo* et *Ginevra,* ont été découvertes en 1864, aux
Archives d'Etat de Florence. Le manuscrit est de la main
même de Laurent. Suivant les spécialistes, il peut être
daté approximativement de 1470. La première nouvelle
aurait pu être écrite par Boccace. Elle est tout à fait dans
le genre du *Décaméron.* On a établi que l'un des
protagonistes, Giacoppo Bellanti, vivait encore à Sienne
aux environs de 1489 et était connu de Laurent. Le récit
est un conte gaillard. Un jeune Florentin prénommé
Francesco, venu étudier à Sienne, tombe amoureux de
Cassandra, jeune femme de vingt-cinq ans, épouse du
riche marchand Giacoppo, quadragénaire. Francesco
imagine un stratagème astucieux pour devenir, avec le
consentement du mari, l'amant de la femme. Il va
trouver à Florence une « courtisane honnête », Bartolo-
mea, et la ramène à Sienne où il l'installe, disant partout
qu'elle est sa femme. La courtisane, d'accord avec lui,
séduit Giacoppo, mais elle prétend avoir des remords
pour avoir trompé son mari et elle invite son amant à

faire pénitence en même temps qu'elle. Giacoppo va se confesser à un Franciscain qui a été précédemment acheté par le jeune Francesco. Comme pénitence, le religieux lui ordonne de laisser Francesco prendre sa revanche sur la personne de Cassandra. Et la nouvelle se termine avec l'entrée du jeune Florentin dans la maison de la belle : après avoir copieusement dîné avec Giacoppo, le jeune homme se retire dans la chambre à coucher avec Cassandra, sous la bénédiction du mari repentant qui reste seul dans la salle basse.

On imagine cette charmante petite nouvelle contée par Laurent dans l'abandon d'une soirée entre amis. Cet essai du Magnifique, bien que non diffusé, devait, semble-t-il, avoir une postérité dans la célèbre pièce de théâtre de Machiavel, *La Mandragore,* où se retrouvent, sous d'autres noms, personnages et situation imaginés par Laurent.

La seconde nouvelle, *Ginevra,* dénote, avec le souci réaliste de rapporter des faits réels, une tendance différente, dans le genre de Pétrarque. Ginevra a quinze ans. Elle vit à Pise dans le noble palais des Griffi. Son amoureux Luigi, de la vieille famille des Lanfranchi, sera introduit dans la maison par son ami Maffio Grimaldi. Mais le manuscrit s'interrompt au moment où le jeune homme pénètre dans la chambre de la belle. Ce qui nous en reste est suffisant pour juger de la qualité du style et pour rapprocher cette œuvre, très soignée, des compositions poétiques de Laurent où, comme dans la nouvelle, les peines d'amour, les larmes, les déclarations enflammées tiennent une place très grande, à la manière du *dolce stil nuovo* depuis longtemps prisé dans la bonne société florentine.

L'ORGANISATION DE L'UNIVERSITÉ DE PISE

Fin connaisseur et praticien des belles-lettres, Laurent se préoccupait de conserver à la Toscane entière son séculaire prestige culturel. Pour y parvenir il eut recours à une mesure radicale : le 22 décembre 1472, il fit décréter le transfert à Pise du *Studio,* la vieille université florentine.

La vénérable cité de Pise, réduite au rôle subalterne de port de Florence, avait beaucoup perdu de sa splendeur et de son animation d'autrefois. Sans doute Laurent se proposait-il, en y attirant les étudiants, de redonner une certaine importance à la seconde ville de l'Etat. Il s'était fait désigner comme membre du comité de cinq personnes chargé d'exercer la tutelle officielle sur l'université. La mise en route ne fut pas facile. Le problème du financement était ardu. Pour payer les professeurs et assurer l'accueil des élèves, il fallait 8 300 florins. Laurent demanda une partie de la somme au clergé sur lequel il leva un impôt de 5 000 florins, fort mal accueilli. Rapidement mis en place, l'enseignement souffrit du mauvais comportement des étudiants et des maîtres. Les premiers, qu'on avait attirés des universités voisines, se comportèrent comme un ramassis de voyous. Ils se battaient entre eux, agressaient les bourgeois, volaient leurs poules et buvaient leur vin, emportant en trophées les heurtoirs des portes. Le chahut était tel que les professeurs avancèrent la date des vacances. Les jeunes gens, à court d'argent de poche, en profitèrent pour piller les logements des professeurs pendant les fêtes du Carnaval, s'emparer de leurs livres et les vendre à leur profit !

Les maîtres se haïssaient cordialement et se dénigraient les uns les autres. La qualité de leur enseignement était cependant fort honorable. Parmi les juristes, on trouvait de grands noms : Baldo Bartolini et Bartolomeo Socino, par exemple. Les professeurs de médecine étaient remarquables. Parmi eux, Stefano della Torre était médecin consultant de la famille des Médicis. Piero Leoni, de Spolète, joignait à ses connaissances médicales des talents de philosophe et mathématicien. Il assistait Laurent dans ses cures thermales. Veillant sur lui jusqu'à sa mort et désolé de n'avoir pu prévenir l'issue fatale, il devait se suicider le lendemain du décès de son maître en se jetant dans un puits.

Les philosophes et les professeurs de poétique et d'éloquence n'étaient pas aussi brillants que leurs collègues. Il est vrai que Florence gardait dans ses murs l'enseignement de ces matières de base. Cristoforo Landino continuait d'inculquer aux jeunes Florentins les humanités classiques. Le grec était toujours à l'honneur. La chaire tenue par Argyropoulos jusqu'en 1471 fut reprise par Andronic Callistos, puis par Demetrios Chalcondylas. La tradition était maintenue.

LAURENT PROTECTEUR DES HUMANISTES. SES RAPPORTS AVEC MARSILE FICIN

Florence continuait d'être un foyer d'humanistes militants. Laurent enrichissait les bibliothèques ouvertes aux érudits dans son palais, à San Marco et à l'abbaye de Fiesole. Il avait pris sous sa protection un certain nombre d'hommes de lettres : Bernardo Bellincioni, auteur de sonnets burlesques, Naldo Naldi, poète sensible, amoureux de la nature, Ugolino Verino, une sorte de poète officiel qui célébrait les événements publics et privés intéressant les Médicis. Le notaire Alessandro Braccesi, écrivain sensuel et abondant, avec plus de deux cents sonnets burlesques, et l'humaniste Benedetto Colucci de Pistoia, auteur de déclamations adressées aux puissances italiennes, reçurent en récompense de modestes magistratures. Le terrible vieillard Francesco Filelfo, qui s'était brouillé autrefois avec Côme, se raccommoda avec Laurent, dont il finit par obtenir une chaire de professeur de grec. Bien d'autres écrivains encore quémandèrent, en paiement de leurs œuvres d'adulation, quelques miettes du maître de Florence.

Laurent, poète lui-même, n'avait pas de complexe à

l'égard de ces auteurs féconds. Les philosophes, par contre, l'impressionnaient. A l'égard de Marsile Ficin et des membres de son Académie, il tint à assumer le rôle de protecteur qui avait autrefois été celui de son grand-père et de son père.

Marsile n'avait pas de problèmes matériels. Les Médicis lui avaient donné une maison à Florence et une villa à Careggi. Laurent se contenta de le pourvoir de petites prébendes. En 1473, il lui conseilla d'entrer dans les ordres et il lui fit attribuer ensuite le rectorat de la petite église de San Cristofano à Novoli. Plus tard, en 1487, il lui fera transmettre le canonicat de la cathédrale de Florence, abandonné par Jean de Médicis. Quelques années après, Marsile obtiendra un prieuré à Mantoue : ces dons matériels, dus à l'intervention de Laurent, sont assez minces. Ils n'étaient d'ailleurs pas gratuits : Marsile donnait à Laurent des livres précieux et l'intéressait à l'avancement de sa grande œuvre philosophique. Les relations entre les deux hommes ressemblaient à celles d'un maître et d'un disciple. Laurent assistait aux banquets anniversaires de la mort de Platon, précédemment instaurés par Marsile, mais il n'était guère assidu aux réunions de l'Académie et aux débats qui s'y déroulaient. L'un de ceux-ci cependant devait, en 1473, lui donner le sujet d'une de ses œuvres les plus importantes, connue sous le titre de l'*Altercation,* et parfois sous celui *Du souverain bien.*

LE POÈME DE L'« ALTERCATION »

L'*Altercation,* poème en six chapitres, se présente comme le récit de rencontres philosophiques survenues à la belle saison dans la campagne de Careggi. La première partie — les 169 vers du premier chapitre — n'a qu'un rapport assez lâche avec l'enseignement doctrinal de Ficin.

C'est un poème bucolique où l'on voit Laurent,

prénommé Lauro (le laurier), fuir les ennuis de la ville et de la politique et rencontrer dans un frais paysage le berger Alfeo. Chacun, tour à tour, passe en revue les avantages et les inconvénients de la vie urbaine et de la vie à la campagne. Cette partie du poème répond parfaitement au titre de l'*Altercazione*. Le thème et la composition sont très proches d'une querelle poétique entre le citadin Lauro et le berger Taviano qui figure dans le *Driadeo* de Luigi Pulci. Nul message particulier ne résulte de cet agréable dialogue.

Or le ton change à partir du chapitre II, jusqu'au chapitre V inclus. Les 652 vers de cette partie constituent un véritable traité philosophique qui correspond au second titre donné parfois au poème : *Le souverain bien*. En effet, Marsile Ficin rejoint Laurent et le berger. Prié de donner son avis sur le véritable bonheur que l'on peut trouver dans la vie, il expose sa propre théorie. D'abord il démontre que le vrai bien ne réside pas dans la vie corporelle. Il montre que les biens de la fortune et ceux du corps (force, santé et beauté) sont vains, car périssables. Parmi les biens spirituels, ceux de l'âme sensorielle sont vains, seuls sont réels ceux de l'âme raisonnable et, parmi ceux-ci, les biens qui résultent de vertus acquises et non de vertus innées. Parmi les vertus acquises, on distingue les vertus actives et les vertus contemplatives : ce sont ces dernières qui donnent le véritable bonheur. Mais, pour l'atteindre, il faut parvenir à la séparation de l'âme et du corps. Le bonheur n'est autre que la contemplation de Dieu. Il nécessite, pour s'y préparer, non pas l'unique pratique de la raison, mais la volonté et l'amour. Aussi est-il vain de mettre en dispute la vie urbaine et la vie rurale. Le salut passe par une élévation personnelle.

Ce long traité n'est qu'une paraphrase d'une lettre de Ficin intitulée *De Felicitate* (Du bonheur). Le chapitre VI (208 vers), qui conclut l'œuvre, est une traduction quasi littérale de l'*Oratio ad Deum theologica* de Ficin (Prière théologique à Dieu). Le mouvement du poème est cependant superbe et exalté. Le fondateur de l'Académie platonicienne avait écrit à l'usage de ses disciples cette oraison particulière qu'il prononçait lui-même chaque matin. Mais, alors que les préoccupations philosophiques brident l'élan du texte latin de Ficin, les vers de Laurent regorgent de lyrisme, de ferveur et de tendresse, particulièrement lorsqu'ils implorent la miséricorde divine et la béatitude éternelle.

L'*Altercation,* malgré l'imitation étroite de Ficin, est une œuvre intéressante à bien des égards. Elle brille par d'éclatantes images poétiques. La sincérité du poète lui inspire des envolées frémissantes : d'un docte et sec traité philosophique, il a su tirer des vers passionnés.

LAURENT ET L' « AMOUR PLATONICIEN »

En chantant les thèmes platoniciens, Laurent exprime-t-il son hommage ou son affection envers Ficin ? On s'est posé la question. Ficin et Laurent s'écrivent alors des missives où abondent des expressions presque amoureuses. Le philosophe, on le sait, avait restauré au sein de l'Académie de Careggi les relations d'amour « platonicien » qui unissaient Socrate à ses jeunes et beaux disciples. Les amitiés particulières servaient, suivant cette théorie, à l'élévation spirituelle. Le maître contemplait la beauté de Dieu dans sa créature. Le disciple, objet de cet amour, se situait lui-même dans l'échelle hiérarchique de la création. Il apprenait à respecter, dans son propre corps, l'œuvre divine.

Cette doctrine ne débouchait pas forcément sur une homosexualité pratiquante. Ficin lui-même s'était, certes, lié amoureusement depuis 1467 avec un éphèbe, alors âgé de dix-neuf ans, Giovanni Cavalcanti. Mais, en ce qui concerne Laurent, les amours féminines semblent l'avoir absorbé entièrement. On en a douté parfois en lisant certains vers imités des *Amours* d'Ovide :

> *Toi, blond Apollon, s'il te souvient encore*
> *De ton premier amour, et si ne s'éteint pas*
> *La pitié dans ton cœur,*
> *Fais-moi, je t'en prie, heureux.*

Or, les recherches érudites d'André Rochon ont montré que les sonnets où le Magnifique se travestit en nymphe dolente pour implorer Apollon sont, en fait, la transposition d'un jeu de mots : Laurent s'incarne en Daphné, métamorphosée en laurier, et il s'adresse au dieu du soleil qui n'est autre que Lucrezia (prénom qui contient *luce :* la lumière solaire).

De telles œuvres, animées d'un sens cosmique en même temps que fort ambiguës, correspondaient profondément au goût de l'époque. Comme ses contemporains, Laurent retrouvait avec un engouement extrême des valeurs longtemps oubliées. Le sentiment de la présence divine à tous les stades de la hiérarchie dans la création faisait tomber les interdits séculaires. L'harmonie physique n'était plus considérée comme une tentation diabolique. A la notion de péché se substituait celle d'imperfection réparable. Le message contenu dans les œuvres antiques de l'art et de la littérature, redécouvertes et contemplées avec un œil neuf, indiquait la voie du salut, c'est-à-dire d'une communion avec la Divinité dans la raison et la beauté plutôt que dans la crainte et la pénitence.

L'influence de Ficin sort alors du cercle restreint où elle était née. A partir de 1475 elle grandit dans l'ensemble de la société. Le philosophe vient de traverser une période féconde pendant laquelle il s'est cantonné dans l'érudition et la traduction. Il accède maintenant à une phase de création philosophique où il va développer ses œuvres de syncrétisme néo-païen. Dans cette tentative, qui doit non pas effacer, mais transcender le christianisme, Ficin sera puissamment aidé par Laurent. Cependant que s'élève dans le ciel littéraire de

Florence le nouvel astre de Politien, lui-même acquis profondément à la « renaissance » des valeurs et des images de l'Antiquité, les postulats de Ficin deviennent peu à peu une sorte de philosophie officielle. Les signes du changement ne manquent pas. La littérature parodique et burlesque des continuateurs de la *Nencia,* de l'*Uccellagione* et du *Simposio* descendra à un niveau médiocre et ses tenants, Pulci le premier, fuiront plus ou moins volontairement Florence. La tendance moralisatrice de Laurent se marquera publiquement par une série impressionnante de lois imposant des règles de modestie pour la tenue des citoyens, la célébration des cérémonies, des banquets aux funérailles, et réprimant les désordres du jeu : surprenant aboutissement de l'effort littéraire et mystique sans précédent qui avait porté le jeune maître de Florence à écrire, à vingt-cinq ans, un millier de vers sur la question du Souverain Bien.

Cette évolution devait apparaître dans la suite du *Canzoniere,* ce groupe de ballades, de sonnets et de chansons que Laurent continuait d'accroître au gré des circonstances. Un recueil de pièces choisies, la *Raccolta Aragonese,* établi pour la Cour de Naples, montre que le poète échappe aux stéréotypes décrivant la passion charnelle à la manière de Pétrarque pour verser dans la matière amoureuse de ses vers des motifs et des développements philosophiques sous l'influence de Ficin.

L'ensemble de la production littéraire de Florence en sera affectée. Laurent donne le ton : la Dame que célèbrent les sonnets est désormais un symbole. Peu importe désormais de connaître l'inspiratrice, Lucrezia ou Simonetta. Qu'elle soit vivante ou morte, elle n'est plus qu'un prétexte : l'amant passionné se réfugie dans la surréalité philosophique.

Mais il ne faudrait pas croire que cette « conversion » de Laurent éteint brusquement sa joie de vivre et son appétit des jouissances terrestres. Bien au contraire, chevauchées, chansons, poèmes et vie champêtre prennent le temps que le maître de Florence réussit à arracher aux finances, à la politique et même à la philosophie. Celle-ci ne bride nullement le jaillissement créatif et la vitalité de Laurent. Tout se passe comme si elle les justifiait : et c'est bien ainsi qu'il faut voir les choses. Ficin a démontré que la réconciliation était possible entre la nature et l'esprit : tout était licite dans la création. L'âme reflétait le cosmos. La hiérarchie des valeurs, voulue par la Divinité, était l'échelle naturelle du bonheur suprême, la contemplation. Les plus bas échelons pouvaient être utilisés pour l'ascension spirituelle. De même tous les enseignements esthétiques, moraux et mystiques étaient valables, ceux d'Homère et Platon aussi bien que ceux du Christ.

L'époque où Laurent accepte avec enthousiasme cette « révélation » est celle où entre dans son intimité le jeune Politien, amateur passionné des fables antiques et lui-même créateur de poèmes voluptueux où s'exprime une vision allègre de la vie. Politien répugne à l'abstraction spéculative comme à toute austérité morale. La doctrine de Ficin vient à point pour le dispenser de la réflexion sur les fins ultimes. Il l'accepte et l'oublie en même temps : il peut ainsi vouer son œuvre à célébrer les bonheurs fugitifs.

Laurent ne fait rien d'autre : s'il modifie la forme de son œuvre, il n'en renie rien. Au moment où il écrit cinq « oraisons » qui paraphrasent les textes hermétiques, l'*Asclépius* et le *Pimander* édités par Ficin, ou encore la *Consolation* de Boèce, il remanie sans cesse et améliore ses petits poèmes réalistes. L'esthète qu'il demeure fait bon ménage avec l'élève du nouveau Platon.

LAURENT COLLECTIONNEUR

Laurent avait toujours eu le goût des belles choses. En matière d'art il était, avant tout, un collectionneur avisé. Il aimait plus les œuvres d'art que les artistes. La légende du mécénat de Laurent a été forgée au xvie siècle lorsque Côme Ier de Médicis, soucieux de célébrer la gloire de ses ancêtres, organisa le grand-duché de Toscane. Elle figure dans les appartements princiers du Palazzo Vecchio, peints en 1556-1558 par Vasari, et dans les trois grandes fresques conçues en 1635 pour décorer le rez-de-chaussée du Palais Pitti : Laurent y est entouré d'humanistes, de philosophes et d'artistes. Ceux-ci se pressent dans le « jardin de Saint-Marc », réputé comme une Académie des beaux-arts dirigée par le sculpteur Bertoldo, qui y aurait formé des génies, notamment Michel-Ange. Or la réalité était bien différente. Laurent avait au palais de la Via Larga un cabinet où il conservait ses gemmes, vases précieux, monnaies, médailles et camées dont il avait hérité une bonne partie de son père. A sa mort il avait doublé la collection, qui comptait alors plus de 200 médailles d'or, 1 000 d'argent, 60 intailles et des vases en bon nombre. Il avait, rappelons-le, acheté des pièces rares provenant du trésor du pape Paul II. Parmi elles se trouvaient la coupe précieuse dite « la tasse Farnèse » et une intaille représentant le rapt du palladium.

Dans le jardin à portiques du palais donnant vers l'église San Lorenzo, il avait déposé des statues antiques, de même que dans le jardin près de San Marco qui appartenait à sa femme Clarice. Dans ses collections figuraient notamment les bustes d'Auguste et d'Agrippa, remis par Sixte IV, ainsi que des trouvailles faites fortuitement dont on lui avait fait don. Ces jardins de pierres, lieux de promenade, étaient comme des musées en plein air. Dans ses diverses résidences il possédait de nombreuses œuvres d'art, mais nulle part, et, *a fortiori,* jamais dans le jardin de San Marco, il n'installa et ne prit sous sa protection une école de jeunes artistes. Le sculpteur Bertoldo était uniquement chargé de la conservation matérielle et de la restauration des œuvres.

LAURENT ET LES ATELIERS D'ARTISTES

Ce n'est qu'après la conjuration des Pazzi que Laurent ouvre des chantiers originaux à Poggio a Cajano et à Spedaletto notamment. Dans la première partie de sa vie publique, il se contente de pratiquer un modeste mécénat. Certes, il favorise des ateliers. Celui d'Andrea Cione, dit Verrocchio, produisait des œuvres de tout genre. Il avait réalisé en 1469, pour la villa de Careggi, le *Petit Garçon au dauphin,* cette sculpture charmante qui orne aujourd'hui la fontaine de la cour du Palazzo Vecchio. Mais Verrocchio fournissait aussi, pour les fêtes de la ville, des masques de carnaval, des étendards, tel celui de Laurent dans la joute de 1469, ou encore des décorations provisoires d'édifices pour fêter la venue de princes, comme lors du séjour de Galeazzo Maria Sforza en mars 1471. Ce sont là des commandes publiques. A titre privé, Laurent lui fit exécuter le tombeau de Pierre et de Jean de Médicis, son père et son oncle, un sarcophage élégant sous une arcade fleurie fermée d'une grille dorée qui fut installé dans l'église San Lorenzo en 1472.

Autre commande, celle du *David* en bronze, aujourd'hui au Bargello. Laurent et Julien avaient fait réaliser ce jeune guerrier vêtu à l'antique, montrant de la main droite avec la pointe de sa dague la tête monstrueuse de Goliath qu'il venait de trancher. Ils vendirent la statue pour 150 florins à la Seigneurie en 1476.

Julien fit ciseler par Verrocchio le casque qu'il portait au tournoi de 1475 ; Laurent lui fit restaurer un torse antique de marbre rouge. Plus tard, Verrocchio réalisera les bustes des deux frères, qui sont aujourd'hui à la National Gallery de Washington. L'effigie de Julien de Médicis le montre avec un costume à l'antique, vers 1478. Celle de Laurent, plus tardive, est en terre cuite peinte. Elle le représente arborant le vêtement de cérémonie des notables florentins avec la tunique longue et le chaperon, le visage attentif, la physionomie sévère. Ces œuvres, bien qu'exécutées après la conjuration des Pazzi, résultent peut-être d'une commande antérieure.

Il n'est pas sûr par contre que Laurent ait commandé à Verrocchio d'autres œuvres célèbres, telles *La Madone* et *La Dame au bouquet,* sans doute entreprise dès cette époque.

Un second atelier est favorisé par les Médicis : celui des frères Pollaiuolo. Laurent fait à Antonio des commandes officielles de la Seigneurie : la sculpture d'un grand bassin d'argent puis d'un casque ciselé offert en 1472 à Frédéric de Montefeltre en récompense de son intervention à Volterra. Sans doute eut-il encore en commande des représentations mythologiques, notamment les travaux d'Hercule.

Parmi les autres artistes polyvalents, Giuliano da Maiano est chargé, sur la recommandation de Laurent, de travaux dans des bâtiments officiels, le château de Montepoggiolo, le palais du capitaine à Sarzana, la cathédrale de Faenza. Mais Giuliano et son frère le sculpteur Benedetto seront surtout employés par Laurent après 1478.

BOTTICELLI ET LÉONARD DE VINCI

Formé dans l'atelier de Verrocchio, Sandro Filipepi, dit Botticelli, reçoit à vingt-cinq ans, en 1470, sur l'intervention de Tommaso Soderini agissant peut-être au nom des Médicis, la peinture de l'allégorie de *La Force* pour le tribunal de la *Mercatanzia.* Il orne l'étendard de Julien pour le tournoi de 1475. Sur la commande du marchand Gaspare di Zanobi del Lama il peint ensuite pour sa chapelle funéraire à Santa Maria Novella une *Adoration des Mages* qui ressemble à une cérémonie liturgique. Le premier roi est Côme de Médicis. Dominant l'assistance, il est agenouillé au pied de la Vierge et touche respectueusement le pied nu de l'enfant. Au droit de la Vierge et en contre-bas, drapé dans une longue cape pourpre, le second roi agenouillé est Pierre le goutteux. A sa droite, en tunique gris-vert, son frère Jean est le troisième roi. Derrière lui, debout, Julien de Médicis offre au spectateur le beau profil de son visage pensif.

Laurent serait le jeune cavalier à la tunique courte rouge et azur qui s'appuie dédaigneusement au premier plan, à gauche, sur son épée. Deux personnages se retournent et fixent le spectateur : le donateur, près de Julien, se montrant du doigt, et, au premier plan, à droite, dans un manteau mordoré, Botticelli lui-même, l'œil attentif sous ses mèches blondes.

L'œuvre est d'une précision remarquable : placée à l'entrée de l'église, comme un tableau officiel, elle rappelait à tous ceux qui entraient le pouvoir bien établi de la dynastie qui régnait sur Florence.

Un autre peintre qui, à cette époque, fait preuve de son talent à Florence a le même âge que Laurent : c'est Leonardo, fils naturel du notaire Piero da Vinci. Mis par son père dans l'atelier de Verrocchio, il est d'abord employé dans la savante restauration des antiques déposés au jardin de San Marco. Le jeune artiste s'impose en peignant alors un *Saint Jean-Baptiste,* puis l'*Ange,* vite célèbre, du *Baptême du Christ.* Viendront ensuite *L'Annonciation* (aujourd'hui au Louvre), *La Madone aux fleurs* (à Munich), une *Adoration des Mages* inachevée et *La Vierge aux Rochers* où apparaissent des adolescents ailés, aux cheveux joliment bouclés, comme ceux des jeunes femmes. Mais Laurent ne fera pas de commande personnelle à Léonard : il lui demandera simplement un tableau d'autel pour la chapelle San Bernardo du palais de la Seigneurie en janvier 1478. Ce relatif désintérêt explique peut-être la rapidité avec laquelle Léonard offrira ses services ultérieurement au duc de Milan, comme d'ailleurs le feront à l'époque suivante la plupart des grands artistes florentins au bénéfice des Cours étrangères.

Les commandes d'art passées par Laurent sont donc modestes, et, même si on les compare à celles des autres princes de l'époque, Borso d'Este ou Sixte IV, par exemple, tout à fait mineures. Mais Laurent était alors un homme jeune aux plaisirs simples, cherchant la joie de l'instant plutôt que les grandes entreprises destinées à gagner une renommée durable auprès des générations futures.

LAURENT ET LA MUSIQUE

Parmi les arts que Laurent pratique figure la musique : il joue de la lyre et chante — bien que son timbre ne soit pas excellent —, il développe et améliore la chorale et l'orgue du baptistère Saint-Jean. Outre le fameux organiste Squarcialupi, il comble de faveur des artistes étrangers. Il s'efforce de recruter des ténors aux Pays-Bas, à Cambrai et à Anvers. Il tient toujours auprès de lui une formation de fifres et de trompettes.

Par cet engouement pour la musique, accompagnatrice des cérémonies religieuses et profanes, en même temps qu'expression de la « fureur sacrée » du poète inspiré, Laurent est un Florentin typique. Il en est de même, nous l'avons vu, dans ses passe-temps, dans ses œuvres, dans ses relations avec le milieu si fécond des artistes. Homme complet, aimant le quotidien de la vie mais capable aussi de s'élever jusqu'à la méditation, il a trouvé le temps de tresser une guirlande de poèmes, légers comme le pampre, sérieux comme son emblème, le laurier. Mais le temps de la création était aussi celui des affaires, de la politique et des intrigues : si Laurent l'oubliait, d'autres profitaient de cet oubli et, dans l'ombre, préparaient le piège où ils espéraient voir succomber le maître de Florence.

CHAPITRE V

Le fil
du poignard

L'ASSASSINAT DU DUC DE MILAN, GALEAZZO MARIA SFORZA

« Courage ! La mort est cruelle mais la gloire immortelle ! Le souvenir de mon geste ne périra pas ! »

Le cri du jeune Olgiati retentit dans toute l'Italie. Ligoté sur l'échafaud, face au bourreau qui va le tenailler vif, il est fier de mourir : il a assassiné le tyran de Milan, Galeazzo Maria Sforza, le 26 décembre 1476. Il s'était ligué avec une poignée de jeunes aristocrates. Leur but était de restaurer les anciennes libertés. Dans cette noble tâche, ils comptaient sur l'appui enthousiaste de la population. Leur espoir fut tristement déçu.

L'attentat ne provoqua aucune émeute, bien au contraire. Le peuple écharpa sur-le-champ deux des jeunes meurtriers. Il assista sans murmurer au supplice horrible du jeune Olgiati. Soumis à la misère et à de dures contraintes continuelles, les humbles regardaient se déchirer notables et privilégiés. Ils ne prenaient pas parti et la violence s'éteignait d'elle-même comme un feu de paille privé d'aliment.

L'époque est fertile en semblables révoltes suivies d'autant d'échecs : soulèvement de Girolamo Gentile à Gênes en juin 1476, de Niccolo d'Este à Ferrare en

septembre, de Ludovic Le More et ses frères en 1477 à
Milan. Le véritable ressort de ces conjurations est la
jalousie politique. Autrefois les institutions permettaient
l'alternance : une fraction parvenait toujours à bannir
l'autre. Or le renforcement du pouvoir personnel, son
accaparement par un clan ou un parti, le despotisme
érigé en système ne laissent plus qu'un moyen pour se
hisser de l'opposition aux responsabilités publiques : le
crime de sang.

L'ANTAGONISME DES MÉDICIS ET DES PAZZI

A Florence, la tyrannie du parti au pouvoir s'exerçait
à l'égard de ses adversaires par des vexations multiples,
mise à l'écart des charges publiques mais aussi ruine
financière par une super-taxation fiscale.

Pour se mettre à l'abri, il était indispensable de s'allier
aux puissants Médicis. Tel avait été depuis des décennies
le jeu des Pazzi. Ils appartenaient à une famille de
l'ancienne noblesse du *Contado* entrée dans la marchandise au moment des Ordonnances de Justice. Ralliés à
Côme en 1434, ils s'étaient affiliés au parti « populaire ».

Leur chef, Andrea, avait été membre de la Seigneurie
en 1439. C'était un très riche banquier. Il pratiquait un
mécénat brillant. Il avait financé le chapitre de Santa
Croce, construit par Brunelleschi de 1429 à 1442 et que
l'on connaît depuis sous le nom de chapelle des Pazzi. Il
avait reçu le roi René d'Anjou dans sa maison et était
devenu son ami. De ses cinq fils, deux devinrent
gonfaloniers de justice : Piero en mai 1462, au retour
d'une ambassade en France où il était allé complimenter
Louis XI pour son avènement, et Jacopo en janvier
1469. Jacopo était l'aîné. Il devint chef de famille à la
mort de son père. Comme il n'avait pas de descendant —
à l'exception d'une fille naturelle — ses biens devaient
passer aux enfants de ses frères, Piero et Antonio. Côme

de Médicis estima honorable et profitable une alliance avec des banquiers qui étaient souvent ses concurrents. Il maria sa petite-fille Bianca, la sœur de Laurent, à Guglielmo, fils d'Antonio. Un autre fils de celui-ci, Francesco, dit Franceschino à cause de sa petite taille, était chef de la succursale romaine des Pazzi. Les Médicis s'étant dérobés, il offrit à Sixte IV l'avance de 30 000 ducats nécessaire pour garantir l'achat du comté d'Imola en faveur de Girolamo Riario. Le pape ne fut pas ingrat : les Médicis furent privés des avantages dont ils bénéficiaient à Rome. Le monopole de l'alun et la charge de dépositaire pontifical furent transférés aux Pazzi. Naguère pareille situation s'était produite : mais alors le pape favorisait des banquiers de sa ville natale et cette coutume était admise comme normale, le banquier étant considéré comme un membre de la « famille » du Saint Père, au sens large.

Or, la désignation d'une firme florentine soumise à leur pouvoir politique, faite à leur détriment, était pour les Médicis un défi inacceptable. Ce geste signifiait que le pape considérait les Pazzi comme les notables les plus représentatifs de Florence. Il était logique qu'il aidât ses protégés à s'imposer dans leur propre ville comme puissance dominante. Laurent vit le danger et chercha une parade. Francesco Pazzi fut sommé de revenir à Florence pour se défendre d'une accusation de trahison : on lui reprochait d'avoir fait échapper Imola à l'empire florentin et d'avoir permis à Girolamo Riario de constituer un Etat qui représentait un danger certain pour la Toscane. Francesco, prudent, se déroba.

Les attaques des Médicis se portèrent sur son frère Giovanni, qui avait épousé Béatrice, la fille unique de Giovanni Borromeo, un homme extrêmement riche. Son père étant mort, la jeune femme hérita normalement de tous ses biens. Laurent entreprit de l'en priver. Il fit décréter une loi qui, en cas de mort sans testament, attribuait l'héritage au parent mâle le plus proche, à l'exclusion des filles. On proclama en 1474 que son effet serait rétroactif. Borromeo n'ayant pas testé, sa fortune fut enlevée à sa fille et remise à Carlo, son neveu, une créature des Médicis.

LA PRÉPARATION DU COMPLOT DES RIARIO ET DES PAZZI

Les Pazzi, brûlants du désir de la vengeance, ne pouvaient, seuls, monter et réussir un complot contre leurs puissants adversaires. La famille du pape Sixte leur était acquise, mais pour décider les Riario à agir il fallait des motifs sérieux : ceux-ci ne manquèrent bientôt pas. La mort de Galeazzo Maria Sforza avait enlevé à Girolamo Riario un appui indispensable pour la jeune principauté qu'il essayait de construire autour d'Imola. Les troubles de la succession milanaise inciteraient tôt ou tard Florence à ruiner la puissance de Riario.

Durant l'été 1477, un incident vint révéler les intentions de la République florentine. Secrètement conseillé par Laurent, le condottière Carlo Fortebraccio, que Venise venait de licencier, attaqua la République de Sienne. Le calcul était simple : on voulait éveiller l'inquiétude de Sienne et l'obliger à recourir à Florence qui la prendrait sous sa protection. La Toscane, enfin unifiée, formerait un Etat très fort qui barrerait le chemin à toute extension de la principauté de Riario et lui reprendrait aisément les territoires qu'il avait acquis.

La manœuvre ayant été éventée, Sienne se retourna vers Rome et Naples, qui lui envoyèrent des troupes. Fortebraccio fut repoussé ; le résultat fut opposé à celui qu'espérait Laurent : une ligue de Sienne, Rome et Naples contre Florence. La souris devenait chat. Riario commençait à penser que Florence pouvait lui offrir une admirable capitale. L'Etat toscan serait son royaume.

Il prêta alors à Francesco Pazzi une oreille attentive : l'élimination physique de Laurent et de son frère Julien était la première mesure qu'impliquait son projet. Il se proposait d'y parvenir en se servant des Pazzi. Il se promettait ensuite, après la réussite, de se débarrasser de ses très obligeants collaborateurs.

L'an 1477 se passa à tisser le complot. Francesco Pazzi et Girolamo Riario se mirent d'accord sans s'ouvrir au pape de leur dessein. Ils s'adjoignirent un auxiliaire de choix en la personne de l'archevêque de Pise, Francesco Salviati. Le prélat, ennemi de Laurent à cause des entraves apportées à sa carrière, haïssait la race entière des Médicis : il leur reprochait le bannissement que Côme avait infligé à sa famille. Le trio décida qu'il fallait d'abord obtenir l'accord de Jacopo, chef de la famille Pazzi, qui résidait à Florence. Son assentiment obtenu, il serait facile de convaincre le pape et son allié le roi de Naples que l'attentat projeté répondait au vœu des notables et de l'ensemble des citoyens florentins. Une première tentative de Francesco auprès de son oncle échoua. Le vieux banquier était prudent. Il ne voulait prendre aucun risque tant que le Saint-Siège ne se serait pas engagé. Au reste, Renato, l'un de ses neveux, réputé pour son bon sens, lui avait fait remarquer que Laurent, par son insouciance, avait compromis ses affaires et serait bientôt en banqueroute. Il suffisait d'attendre un peu : en perdant sa fortune et son crédit le Médicis perdrait aussi la place prépondérante qu'il occupait dans l'Etat.

Mais les conjurés n'avaient aucune envie d'attendre. Quand Francesco leur rapporta la réponse de Jacopo, ils se résolurent à mettre Sixte IV au courant. Le pape était déjà hostile à Laurent. Il ne fallut pas beaucoup d'efforts pour le convaincre que les Médicis tenaient Florence dans l'oppression. Il se montra favorable au renversement de Laurent mais à condition qu'il n'y aurait pas effusion de sang. Son neveu Girolamo ne l'entendait pas ainsi. Il voulait être garanti totalement. Il fit la réflexion que s'il y avait mort d'homme, le Saint Père devrait bien consentir à accorder son pardon aux meurtriers.

« Tu es une bête, répondit Sixte. Je te répète que je ne veux la mort de personne. » Mais en congédiant les chefs de la conjuration il leur donna sa bénédiction et leur promit de les aider « par une troupe armée ou tout autre moyen qui serait nécessaire ».

Ainsi la papauté donnait solennellement son accord, sans toutefois se compromettre. Les conjurés étaient accompagnés à l'audience pontificale par Gian Battista de Montesecco, condottière du pape, apparenté à Girolamo Riario. Peu désireux de participer à l'entreprise, Montesecco se laissa convaincre quand il constata que le pape l'autorisait. Il se persuada que l'action serait facile. Aux forces armées pontificales et napolitaines, s'ajouterait, croyait-il, l'aide des Florentins. Il ne doutait pas de l'hostilité de ceux-ci : on lui avait dépeint Laurent comme un sombre tyran. Il fallait prendre contact avec les mécontents et surtout avec Jacopo Pazzi. Nul, pensa-t-on, ne le ferait mieux que Montesecco ; il était au courant des dispositions du pape et il connaissait les forces dont on pourrait disposer. Un prétexte se présenta pour justifier sa venue à Florence. Le seigneur de Faenza, Carlo Manfredi, était tombé gravement malade et souhaitait régler les différends qui l'opposaient à ses voisins. Il occupait une terre, Valdeseno, revendiquée par Girolamo Riario. Montesecco fut envoyé par le Saint-Siège pour enquêter sur place et régler le contentieux. Il devait s'arrêter à Florence et demander conseil à Laurent : telle était sa mission officielle, mais, en réalité, il était surtout chargé de préparer l'attentat contre les deux Médicis en observant les lieux et en établissant les contacts nécessaires.

Laurent reçut aimablement le condottière. Il lui parla avec douceur et politesse. Sa cordialité impressionna Montesecco. Il se demanda comment il pourrait porter la main sur un homme aussi sympathique, tellement différent de l'être repoussant qu'on lui avait dépeint et affectant en outre de porter beaucoup d'amitié au comte Riario. En soldat discipliné, Montesecco écarta cette réflexion intempestive et, sortant du palais Médicis, se rendit auprès de Jacopo Pazzi. Le vieux banquier était seul : son neveu Francesco était parti pour affaires à Lucques. Peut-être l'avait-il éloigné pour pouvoir plus facilement repousser les avances des conjurés. « Aussi froid qu'un glaçon », il refusa de recevoir le condottière mais accepta de lui rendre visite à son auberge, ce qui était moins compromettant.

Dans sa chambre, Montesecco lui transmit le salut du pape et lui remit des lettres de recommandation de Francesco Salviati et de Girolamo Riario. Le vieillard les parcourut mais n'en fut nullement impressionné : « Ces gaillards me rompent la cervelle. Ils veulent devenir maîtres de Florence. Or, moi, je sais mieux qu'eux à quoi m'en tenir. Je ne veux pas entendre parler de cette histoire. »

Montesecco revint à la charge. Il raconta en détail l'audience au cours de laquelle Sixte IV avait pris parti pour un changement de gouvernement à Florence. Il montra que le plus sûr moyen pour y parvenir était l'assassinat de Laurent et de Julien : le neveu du pape et l'archevêque de Pise s'y étaient résolus à la sortie de l'audience.

Jacopo Pazzi, songeur, promit de faire connaître sa décision à Montesecco lorsqu'il reviendrait à Florence après avoir mené son enquête en Romagne. Peu de jours après, le condottière était de retour. Il fut à nouveau accueilli aimablement par Laurent et même par Julien, auprès de qui il séjourna dans la villa de Cafaggiolo. Une nuit, il rendit visite à Jacopo, qu'il trouva en compagnie de Francesco Pazzi. Le vieux banquier avait réfléchi. Il pensait qu'il suffisait de tuer l'un des deux frères Médicis. Il espérait que le meurtre réveillerait l'opposition. Les adversaires du régime, par un coup d'Etat, chasseraient des Conseils et des offices publics les membres du parti Médicis. Les occasions d'agir ne manqueraient pas. L'un des deux frères devait incessamment se rendre à Piombino dans le cadre des négociations engagées pour le mariage de Julien avec la fille du seigneur de ce lieu. On pouvait profiter de ce voyage

Sinon il serait possible d'attirer Laurent à Rome et de le tuer en chemin. Francesco Pazzi estimait cependant ce départ fort aléatoire. Il était plus sûr de se débarrasser des deux frères à Florence même, quand ils se rendraient à des noces, au jeu ou à l'église, où ils allaient habituellement désarmés et sans escorte. On se mit d'accord sur cette proposition. Montesecco repartit pour Rome afin d'aviser le comte Riario.

Pour anéantir la résistance des partisans des Médicis et empêcher leur fuite, il fallait prévoir un encerclement du territoire florentin. Le plan en fut arrêté à Rome dans ses grandes lignes. Les troupes du roi de Naples qui stationnaient dans le territoire siennois devaient s'avancer jusqu'à la frontière florentine. Une armée du pape se concentrerait près de Pérouse sous prétexte de mettre le siège devant Montone, château de Carlo Fortebraccio. Gian Francesco de Tolentino, un des condottières du pape, rassemblerait des renforts à Imola et Lorenzo Giustini ferait de même à Citta di Castello. Les troupes n'interviendraient qu'au signal de l'archevêque Salviati et de Francesco Pazzi chargés d'assurer le meurtre des Médicis. Il ne restait plus qu'à se tenir prêt à intervenir dès que l'occasion se présenterait. Jacopo Pazzi, homme roué, joueur et blasphémateur, mit, en attendant, de l'ordre dans ses affaires : du jour au lendemain, on le vit secourir les pauvres, payer ses dettes et remettre à autrui les marchandises qu'il avait en dépôt. Il dissimula ses biens sous couvert de donations pieuses dans les couvents. Il visait à la fois le salut de son âme, s'il devait périr, et la sauvegarde de sa fortune, s'il devait être banni. La plupart de ses parents, prévenus, s'étaient déclarés favorables à l'attentat. Seuls Renato, le plus prudent de ses neveux, et Guglielmo, beau-frère de Laurent de Médicis, se tenaient à l'écart : le premier s'était retiré peureusement à la campagne et le second, trop proche de la famille ennemie, s'était lui-même depuis longtemps abstenu de faire cause commune avec ses parents.

Montesecco, ayant tout mis en place à l'extérieur, revint s'installer à Florence. Laurent, qui lui avait accordé son amitié, était persuadé que le condottière lui serait utile pour renouer des relations normales avec les Riario et le pape Sixte IV. Il le reçut fraternellement et, comme il n'avait aucun soupçon, accueillit même dans la ville les soldats de Montesecco, recrutés pour l'entreprise de Montone. L'archevêque Salviati et Francesco Pazzi avaient secrètement réuni un certain nombre de comparses encadrés par des hommes sûrs : le frère et le cousin de l'archevêque ; Jacopo Bracciolini, le fils — couvert de dettes — de l'humaniste Poggio Bracciolini ; Bernardo Bandini Baroncelli, un aventurier ; Napoleone Franzesi, qui avait fait partie de la clientèle de Guglielmo Pazzi ; et enfin deux prêtres, Antonio Maffei, un clerc originaire de Volterra, qu'animait un ressentiment patriotique contre Laurent, et Stefano de Bagnone, chapelain de Jacopo Pazzi, qui enseignait le latin à sa fille naturelle.

L'ÉXÉCUTION DU COMPLOT DANS LA CATHÉDRALE

Les comparses trouvés, il ne restait plus qu'à monter le guet-apens : un jeune homme de dix-sept ans, Raffaele Sansoni, petit-neveu du pape Sixte IV, étudiait le droit canon à l'université de Pise. En décembre 1477, son grand-oncle l'avait créé cardinal et avait relevé pour lui le titre de cardinal Riario. Au printemps de 1478, le tout jeune cardinal, nommé légat à Pérouse, décida d'aller prendre son gouvernement. L'archevêque Salviati offrit de l'accompagner jusqu'à Florence : lui-même devait y rendre visite à sa mère malade. Francesco Pazzi, banquier du pape, avait demandé à son oncle Jacopo de recevoir le cardinal à Montughi, sa villa proche de Florence. Les Médicis, pour ne pas être en reste, invitèrent le jeune prélat dans leur villa de Fiesole

Un bon nombre de conjurés s'étaient glissés dans la suite cardinalice, fort nombreuse.

Rien n'était plus facile que d'assassiner les deux frères au moment du banquet. Or Julien s'était blessé à la jambe au cours d'une chasse et gardait la chambre à Florence. L'exécution fut donc remise. On était alors le samedi 25 avril.

Sur la suggestion des Pazzi et de l'archevêque Salviati, le cardinal demanda à visiter le palais de la via Larga. Laurent accepta très volontiers. Il fut convenu que le cardinal présiderait une grand-messe dans la cathédrale, après quoi il participerait, entouré de sa suite, à un banquet chez ses hôtes Médicis. Pendant la nuit qui suivit, les chefs de la conjuration se répartirent les rôles. Tout était prêt au matin, mais une nouvelle faillit remettre tout en cause : Julien, encore faible, avait fait savoir au cardinal qu'il n'assisterait pas au banquet, mais se rendrait à la cathédrale. Il ne restait plus qu'une possibilité pour tuer les deux frères en même temps : agir pendant la messe. Un nouveau conseil de guerre se réunit secrètement : on décida d'agir au moment où le prêtre annoncerait la fin de la messe.

Francesco Pazzi et Bernardo Bandini devaient poignarder Julien, Gian Battista de Montesecco, Laurent. Or le condottière était un homme scrupuleux : l'amabilité de Laurent à son égard l'avait déjà retourné et, profondément croyant, il répugnait à répandre le sang devant Dieu présent sur l'autel. Il se récusa. Les deux prêtres Antonio Maffei et Stefano de Bagnone, qu'un tel sacrilège ne troublait nullement, s'offrirent pour le remplacer.

La cathédrale Santa Maria del Fiore avait, en ce dimanche précédant l'Ascension, attiré la grande foule des Florentins. A travers l'assistance extrêmement dense, Montesecco, avec trente arbalétriers et cinquante fantassins, fraya un passage au jeune cardinal jusqu'au chœur, où le rejoignit bientôt Laurent. La stupeur des conjurés fut grande : Julien ne venait pas. Ses deux assassins désignés sortirent alors pour aller le chercher au palais proche. En plaisantant et en le flattant ils le décidèrent à venir. Le jeune Médicis s'était habillé légèrement. Il ne portait pas de dague afin de ne pas heurter sa jambe blessée. Sous un prétexte amical, Francesco tâta sa poitrine pour s'assurer qu'il n'était pas protégé par une cotte de mailles. Julien s'étonnait un peu : il connaissait l'inimitié des Pazzi. Mais, croyant que la venue du cardinal Riario annonçait une paix prochaine, il se laissa entraîner dans le chœur sans méfiance.

L'*Ite Missa est* du prêtre tomba soudain sur la foule. Les deux Médicis se mirent en route vers la sortie. Julien était devant la chapelle de la Croix lorsque, rapide comme l'éclair, une lame surgit du pourpoint de Bernardo Bandini et plongea dans sa poitrine. Titubant, le jeune Médicis s'écroula. Francesco Pazzi se précipita alors comme un furieux sur la victime étendue et le frappa de tant de coups et avec une telle violence désordonnée qu'il se blessa lui-même gravement à la jambe. Julien était déjà mort que, de l'autre côté du chœur, Laurent se débattait entre les deux prêtres désignés pour l'exécuter. Antonio Maffei avait mis la main sur l'épaule de sa victime avant de le frapper. Ce geste, en une fraction de seconde, permit à Laurent de se détourner. Le poignard le blessa au cou sans l'atteindre gravement. Se dégageant des mains des deux prêtres, il enveloppa son bras gauche de son manteau pour parer les coups, tira son épée, sauta par-dessus la clôture du chœur, et, passant devant le maître-autel, se réfugia, entouré de ses deux familiers Antonio et Lorenzo Cavalcanti, dans la nouvelle sacristie. Politien et d'autres amis fermèrent sur lui la lourde porte de bronze.

Francesco Pazzi et Bernardo Bandini avaient, avec fureur, vu Laurent s'échapper. Ils avaient en vain essayé de le rattraper et Bandini avait poignardé Francesco Nori qui se jetait sur son passage. Mais sa retraite dans la sacristie hermétiquement close avait sauvé Laurent.

Comme on craignait que le poignard du prêtre n'ait été empoisonné, Antonio Ridolfi se dévoua pour sucer la blessure et aspirer le venin qui aurait pu s'y trouver. Un petit pansement improvisé suffit à arrêter le sang.

De la cathédrale parvenait faiblement bruits et clameurs. On courait de toutes parts. Le cadavre de Julien, abandonné sur les dalles, perdait son sang. Dans le chœur, le jeune cardinal Riario, tremblant, s'était retiré près du maître-autel, blême d'épouvante. Des clercs de la cathédrale vinrent pour le mettre à l'abri dans une chapelle. Un peu plus tard, il devait en être tiré par deux membres du comité des Huit qui le mirent en état d'arrestation. Les assassins, après leur demi-échec, avaient pris la fuite. Les deux prêtres, vite rattrapés, avaient été lynchés par la foule. Les autres meurtriers avaient pu momentanément s'échapper. Bandini, brusquement saisi d'une peur panique en constatant l'échec de l'entreprise, était monté à cheval et, ventre à terre, avait gagné les frontières de l'Etat. Il devait poursuivre sa route jusqu'à Constantinople pour chercher un refuge qui se révéla précaire : Laurent obtint sa remise par Mahomet II en 1479, et il fut pendu le 29 décembre aux fenêtres du Bargello, où Léonard de Vinci l'observa et en fit un croquis.

Francesco Pazzi, sérieusement blessé, était allé se faire panser dans le palais familial, mais il avait envoyé s'enquérir de l'action des autres conjurés au palais de la Seigneurie.

LA SURPRISE DU PALAIS DE LA SEIGNEURIE

L'archevêque Salviati et Jacopo Bracciolini avaient été chargés de s'emparer de l'édifice communal pendant que se déroulait l'attentat à la cathédrale. Ils devaient chasser les prieurs, instaurer un gouvernement insurrectionnel et le faire acclamer par la foule. Le début de l'action s'était déroulé comme prévu. Le vieux palais était gardé au rez-de-chaussée par une mince garnison. L'archevêque y laissa Bracciolini et une partie des gens qui l'accompagnaient — ses propres parents ainsi qu'une trentaine d'habitants de Pérouse, bannis de leur ville, auxquels les Pazzi avaient promis la réinstallation dans leur patrie. Il monta les degrés vers l'étage noble disant qu'il avait à remettre un message urgent du pape à la Seigneurie. La matinée étant fort avancée, les prieurs étaient à table avec le gonfalonier de justice, Cesare Petrucci, le même homme qui, huit ans auparavant, avait, comme podestat de Prato, fait face victorieusement au complot des Nardi. L'archevêque et une poignée de ses gens furent introduits dans la chancellerie. Le prélat y laissa son escorte et se rendit seul vers la chambre où le gonfalonier devait le recevoir. En sortant il avait poussé la porte de la chancellerie et enfermé son escorte sans y prendre garde : en effet la serrure de la pièce se fermait automatiquement et on ne pouvait entrer ou sortir qu'en utilisant une clé. Mis en présence de Petrucci et pressé de s'expliquer, l'archevêque se troubla et ne sut que prononcer des paroles confuses. Il se tournait sans cesse vers la porte par laquelle il espérait que sa suite allait faire irruption. Le gonfalonier comprit rapidement qu'il y avait là quelque chose d'anormal. Il sortit dans le couloir de circulation et cria pour prévenir ses collègues et leurs serviteurs. Il se heurta alors à Jacopo Bracciolini : inquiet de ne pas avoir été appelé par l'archevêque, celui-ci était monté à l'étage pour se renseigner. Sa présence suspecte confirma les soupçons du gonfalonier qui sauta sur lui pour l'empêcher de tirer son épée, le prit par les cheveux et le fit tournoyer sur lui-même. Les serviteurs et les prieurs arrivaient. Ils s'étaient munis, en guise d'armes, de ce qu'ils avaient trouvé aux cuisines, des couteaux et des broches. L'archevêque fut ligoté en même temps que Bracciolini. Très expéditif de tempérament, le gonfalonier, d'accord avec les prieurs, fit barricader les portes de l'étage. Les Pérugins enfermés dans la chancellerie et la poignée d'hommes qui venait de monter du rez-de-chaussée furent immédiatement poignardés ou jetés vivants par les fenêtres. L'archevêque, son frère, son cousin et Bracciolini se balancèrent bientôt dans le vide, pendus aux grandes croisées.

Cependant le restant des conjurés tenait le rez-de-chaussée du palais. Le gonfalonier et les prieurs étaient donc prisonniers à l'étage. Ils appelèrent à leur aide la population en sonnant le tocsin du beffroi et en déployant le grand étendard de Florence, le gonfalon de justice. Depuis les fenêtres hautes, les serviteurs de la Seigneurie se mirent à jeter des pierres pour écarter de la grande porte les partisans des Pazzi qui venaient donner l'assaut au vieux palais.

ÉCHEC ET RÉPRESSION DE LA CONJURATION

Les nouvelles de l'évolution imprévue des événements parvinrent à Francesco Pazzi, retiré dans le palais de son oncle. Tout sanglant et faible qu'il était, il ordonna qu'on le mît à cheval, espérant rameuter ses fidèles dans une ultime tentative pour dominer la situation. Peine perdue ! Il ne put se tenir debout et retomba sur le lit. Il supplia son oncle Jacopo de le remplacer. Le vieux banquier savait que tout était perdu. Mais, animé du courage du désespoir et montrant sa bravoure, il enfourcha une monture et, à la tête de cent cavaliers fidèles, tournoya dans le quartier de la Seigneurie au cri traditionnel : « Le peuple et la liberté ! » Mais les simples citoyens avaient eu vent de l'échec de la révolte. Laurent, sorti indemne de la sacristie, venait de regagner son palais. La Seigneurie avait pris parti pour les Médicis. Des cris fusèrent : « Palle, Palle ! » (« Boules, Boules ! ») On se ralliait de toutes parts au symbole héraldique de Laurent. La clameur « Mort aux traîtres ! » fut bientôt générale et la curée commença contre les conjurés. Les deux prêtres qui avaient raté l'assassinat de Laurent avaient déjà été lynchés par la foule. Une multitude envahit la maison des Pazzi. Francesco, jeté à bas de sa couche sanglante, fut tiré, sans vêtements, au palais de la Seigneurie et pendu à la même fenêtre que l'archevêque Salviati.

Tous ceux qu'on dénonçait comme amis des Pazzi étaient sommairement exécutés : on traînait des cadavres dans les rues, on brandissait des têtes sur des piques, des restes humains jonchaient les venelles.

Ce n'était que le début de la répression. Elle s'abattit avec méthode sur tous les membres de la famille Pazzi. Renato, le plus modéré, qui ne se sentait pas en sécurité dans sa villa, s'enfuit dans la campagne déguisé en paysan. Il fut reconnu, arrêté et transféré à Florence où il retrouva, prisonnier, le vieux Jacopo qui avait connu la même mésaventure, ayant été identifié dans sa fuite par des paysans des Apennins. Quatre jours après la conjuration, tous les deux étaient condamnés à mort et immédiatement pendus. Le corps de Jacopo devait subir de multiples outrages posthumes : enterré dans la sépulture familiale, il en fut exhumé un mois après et enfoui par dérision sous les murs de la ville ; le lendemain, déterré par des enfants, le cadavre en décomposition fut traîné sur une claie au bout d'une corde et enfin jeté dans l'Arno. A quelques kilomètres de là, d'autres enfants repêchèrent les pauvres restes, les pendirent à un saule, les bâtonnèrent et jetèrent les os dans le fleuve : on en retrouva des fragments sous les ponts de Pise.

Ceux des Pazzi qui ne s'étaient pas compromis furent cependant frappés d'exil ou de prison, les uns aux *Stinche,* les autres dans la forteresse de Volterra. Galeotto Pazzi s'était déguisé en femme et réfugié à Santa Croce. On sut l'y retrouver et l'arrêter de même que Giovanni qui s'était enfermé dans le monastère des Anges. Une relative mansuétude fut manifestée par Laurent envers son beau-frère Guglielmo, qui s'était réfugié au palais Médicis : il dut quitter femme et enfants pour être relégué dans le *contado,* où il fut assigné à résidence à plus de cinq milles et à moins de vingt, afin qu'on puisse éventuellement le saisir et faire son procès. Secrètement on l'avertit de fuir et il trouva le moyen de se rendre à Rome avec l'espoir que son épouse obtiendrait sa grâce.

Quiconque était soupçonné d'avoir aidé les conjurés était puni : les frères de Jacopo Bracciolini furent bannis et Piero Vespucci, accusé d'avoir favorisé la fuite de Napoleone Franzesi, fut emprisonné aux *Stinche.*

En un mois avait été prononcé un nombre très grand de peines, parmi lesquelles une centaine de condamnations à mort. La réaction de Laurent et de ses amis, brutale, avait, à ce prix, ramené le calme dans la ville. Le condottière Montesecco, après avoir longuement confessé dans des aveux soigneusement enregistrés sa participation au complot, avait eu la tête coupée. Les soldats peu nombreux qui l'accompagnaient avaient sans peine été dispersés. Les autres condottières du pape, Lorenzo de Castello, à Val di Tevere, et Gian Francesco de Tolentino, en Romagne, s'étaient préparés à intervenir à Florence pour assurer le pouvoir des Pazzi. Avertis de l'échec alors qu'ils venaient à peine de se mettre en route, ils avaient fait immédiatement retraite. Mais le pape et le roi de Naples n'entendaient pas abandonner de sitôt la partie : le gros de leurs troupes avait pris l'offensive ; l'armée napolitaine avait franchi le Tronto et celle du Saint-Siège s'était installée dans la région de Pérouse.

Le danger d'encerclement qui menaçait le territoire relança la terreur. Une longue guerre commençait entre Sixte IV et le roi Ferrante, d'une part, et Laurent d'autre part, devenu l'incarnation de la résistance florentine. Ce régime de terreur devait se prolonger tout au long des hostilités. Laurent n'oubliait pas son frère bien-aimé dont il avait célébré avec émotion les obsèques, au milieu d'un immense concours de peuple : le cercueil ouvert avait été publiquement exposé à San Lorenzo pour montrer le corps percé de vingt et un coups de poignard, comme celui de César. Le jeune Médicis avait, peu avant l'attentat, conçu un enfant naturel d'une jeune femme appartenant à la famille Gorini, voisine de la maison de l'architecte San Gallo. Quelques mois après la mort de son père, un petit garçon naquit et reçut le prénom de Giulio. Laurent devait l'élever parmi ses enfants, comme leur frère plutôt que leur cousin, et l'associer étroitement aux destinées de la famille. Les Pazzi, quant à eux, après leur châtiment, se voyaient infliger l'opprobre public. Le 22 mai, il fut décrété que leurs armes glorieuses, reçues lors de la première croisade — cinq croix et deux dauphins —, seraient effacées sur tous les édifices qui les portaient.

Le carrefour, appelé *Canto dei Pazzi* depuis des siècles, perdit ce nom. On débaptisa aussi une tradition très populaire, celle du « Chariot des Pazzi ». Depuis la participation de Pazzo, ancêtre de la famille à la prise de Jérusalem en 1099, un char contenant trois pierres qu'il avait rapportées du Saint-Sépulcre était promené dans Florence le samedi saint. On frappait l'une de ces pierres pour en tirer une étincelle allumant dans la nuit un feu d'artifice volant qui illuminait les églises. La fête ne fut pas supprimée, mais on fit disparaître dans son déroulement toute allusion à la famille maudite.

Les survivants durent changer de nom et d'armoiries. Quiconque épouserait une descendante d'Andrea Pazzi par les mâles serait à jamais privé d'office et de dignité. Enfin, l'habituel signe d'infamie publique fut infligé aux coupables : la Seigneurie chargea Sandro Botticelli, pour un salaire de 40 florins, de les représenter, pendus, sur la façade du palais communal. Bernardo Bandini, qui, par sa fuite, avait échappé pour quelque temps au châtiment, y figurait sous l'inscription :

Je suis Bernardo Bandini, un nouveau Judas.
J'ai été dans l'église un traître meurtrier.
Ma rébellion me fait attendre une mort plus cruelle.

Les pamphlétaires se déchaînèrent contre la famille réprouvée. Les opposants firent prudemment silence. Seul Alamanno Rinuccini osa secrètement écrire au début de 1479 un traité, *De la Liberté,* où les Pazzi étaient proclamés martyrs de la Liberté à l'égal des jeunes assassins du duc de Milan. Leur révolte était présentée comme exemplaire contre l'oppresseur, Laurent de Médicis. En réalité, bien qu'ils eussent soigneusement préparé l'affaire sur le plan international, les Pazzi avaient négligé, comme les meurtriers de Sforza, d'y intéresser le peuple. A Florence comme à Milan, les humbles citoyens avaient vite compris que les conjurés ne cherchaient qu'à se substituer au pouvoir établi et à remplacer une dictature par une autre, sans aucun bénéfice pour les catégories défavorisées de la société. Ils avaient donc choisi la fidélité aux Médicis, et spécialement à Laurent, dont ils appréciaient au moins la magnificence.

Après le deuil public des funérailles de Julien, des actions de grâce furent ordonnées pour remercier le Ciel d'avoir préservé son frère. La Seigneurie ordonna que des ex-voto à son image seraient déposées dans les églises. Trois effigies furent commandées à Andrea Verrocchio. Aidé d'un compagnon modeleur, Orsino, le sculpteur réalisa trois figures de cire de grandeur naturelle, formées de bois entrelacé de joncs et marouflées avec des draps cirés. Les mannequins avaient une tête, des mains et des pieds en cire, peints à l'huile, au naturel. La ressemblance était frappante. L'une des statues, couverte du vêtement que portait Laurent dans la cathédrale lors de l'attentat, fut déposée chez les Augustines de la via San Gallo ; la seconde avec le *lucco,* la robe longue des notables florentins, à l'Annunziata ; la troisième à Santa Maria degli Angeli.

En outre, afin de commémorer l'événement et le faire connaître au loin, Laurent fit frapper par le sculpteur Bertoldo une médaille sur laquelle figurait de part et

Côme de Médicis "Pater Patriae". Avers et revers de médaille avec l'allégorie de Florence. *Bibl. nat., Paris.* (Cl. Giraudon.)

L'aïeul et le père du Magnifique.

Pierre de Médicis (Pierre le Goutteux). Buste par Mino da Fiesole, *Florence, Bargello.* (Cl. Alinari-Giraudon).

Le Palais Médicis.

La façade. (Cl. Ander
son-Giraudon.)

La cour centrale. (Cl. Anderson-Giraudon.)

La naissance de la Vierge, par Ghirlandaio (Santa Maria Novella). Intérieur d'une chambre de palais. Parmi les visiteuses,
la jeune Lodovica Tornabuoni suivie de patriciennes (peut-être
au centre Clarice Orsini, femme de Laurent). (Cl. Anderson-Giraudon).

La basilique de San
Lorenzo. (Cl. Brogi-
Giraudon.)

La chevauchée des Mages par Benozzo Gozzoli. Côme, Pierre de Médicis, leurs parents, leurs hôtes et leurs familiers. *Chapelle du palais Médicis.* (Cl. Anderson-Giraudon).

Le jeune Roi Mage. Portrait de Laurent le Magnifique par Benozzo Gozzoli. *Chapelle du palais Médicis.* (Cl. Anderson-Giraudon.)

Le cavalier au lynx. Portrait de Julien de Médicis par Benozzo Gozzoli. *Chapelle du palais Médicis.* (Cl. Anderson-Giraudon.)

La "dame au bouquet", par Verrocchio. Portrait présumé de Lucrezia Donati. *Florence, Bargello.* (Cl. Scala.)

Simonetta Cattaneo Vespucci, par Ghirlandaio. Fresque de la Madone de Miséricorde, *Florence, Ognissanti.* (Cl. Alinari-Giraudon.)

Adoration des Mages provenant de la chapelle del Lama, par Botticelli. *Florence, Offices.* Portraits de Côme de Médicis avec ses enfants et petits enfants. (Cl. Giraudon.)

Julien de Médicis, frère de Laurent. Buste par Verrocchio. (Cl. National Gallery of Art, Washington, D.C.)

Jean de Médicis, oncle de Laurent. Buste par Mino da Fiesole. *Florence, Bargello.* (Cl. Anderson-Giraudon.)

Lorenzo Tornabuoni, cousin de Laurent le Magnifique, accueilli par les allégories des arts libéraux. Fresque par Botticelli. *Paris, Musée du Louvre (anc. villa Lemmi).* (Cl. Giraudon.)

Giovanni Tornabuoni, oncle maternel de Laurent (à gauche) et ses parents, par Ghirlandaio. Détail de la fresque du Sacrifice de Zacharie. *Florence, Santa Maria Novello.* (Cl. Anderson-Giraudon.)

Laurent le Magnifique entre Antonio Pucci (à sa droite) et
Francesco Sassetti, accompagné de son plus jeune fils Teodoro
(à sa gauche), par Ghirlandaio. Détail de la fresque de Saint
François devant Honorius III. *Florence, Santa Trinita.* (Cl.
Scala.)

La naissance de Vénus, par Botticelli. *Florence, Offices.* (Cl. Giraudon.)

Laurent le Magnifique par Verrocchio. Profil droit. (Cl. National Gallery of Art, Washington, D.C. Samuel H. Kress Collection.)

Laurent le Magnifique, attribué à Benedetto da Maiano. Profil gauche. *Galerie Nationale de Prague.* (Cl. Narodni Galerie V Praze.)

Laurent le Magnifique, attribué à Benedetto da Maiano. Portrait de face. *Galerie Nationale de Prague.* (Cl. Narodni Galerie V Praze.)

Effigies de Laurent et de Julien. Faces de la médaille commémorative de la conjuration des Pazzi par Bertoldo. *Paris, Cabinet des Médailles.* (Cl. Bibl. nat.)

Moulage du visage de Laurent sur son lit de mort. *Florence, Palais Médicis.* (Cl. Scala.)

Esquisse par Michel Ange du tombeau du Magnifique et de son frère Julien. *Paris, Louvre, Cabinet des Dessins.* (Cl. Musées Nationaux.)

"Le grand Laurent de Médicis".
Médaille de Nicolo Fiorentino.
Paris, Cabinet des Médailles.
(Cl. Bibl. nat.)

Laurent casqué. Médaille du
Médailleur à la Tenaille. *Paris,
Cabinet des Médailles.* (Cl.
Bibl. nat.)

Enluminure de Giovanni
Boccardi avec portrait et
emblêmes de Laurent. *Pa-
ris, Cabinet des Médailles,
don Valton.* (Cl. Bibl. nat.)

Vue de la ville de Florence. Recueil de Gaston d'Orléans. *Paris,
Bibl. nat., Cartes et plans.* (Cl. Bibl. nat.)

Les villas préférées de Laurent.

Cafaggiolo.

Careggi.

Poggio a Cajano et les rives de l'Ombrone.

Gravures de Giuseppe Zocchi. *Paris, Bibl. nat., Cabinet des Estampes.* (Cl. Bibl. nat.)

d'autre son portrait et celui de son frère. La tête de Julien surmontait l'inscription *Luctus publicus* (« Deuil public »). Au-dessous était représenté le chœur de la cathédrale au moment où le prêtre terminait la messe et où les assassins perçaient le jeune homme de coups. Sur l'autre face, la tête de Laurent surmontait l'inscription *Salus publica* (« Salut de l'Etat »). On y voyait l'autre côté du chœur et l'échec des meurtriers entourant Laurent sans réussir à l'abattre. La médaille symbolisait ainsi la continuité du pouvoir des Médicis et proclamait qu'il était exercé pour le bien de l'Etat. La mort était impuissante à l'interrompre. Laurent, le survivant, héritait d'une légitimité dont il n'avait point eu jusque-là le bénéfice. L'attentat constituait un sanglant et glorieux avènement. Le peuple avait pris parti pour Laurent, l'avait défendu et acclamé comme s'il avait été le prince de Florence et comme si les Pazzi étaient coupables d'un crime de lèse-majesté. C'était bien ainsi que le roi Louis XI de France interpréta les événements dans une lettre de condoléances adressée à la Seigneurie le 12 mai 1478. Dans ce message, il annonçait la venue à Florence de son bien-aimé conseiller et chambellan, Philippe de Commines, sire d'Argenton et sénéchal de Poitou, pour aviser la meilleure façon de punir les responsables du forfait : il s'agissait en effet maintenant de frapper ceux qui, à Rome et à Naples, avaient dirigé le poignard des assassins.

CHAPITRE VI

Le cap des tempêtes

SIXTE IV DÉCLARE LA GUERRE À LAURENT ET À FLORENCE

L'échec des Pazzi est ressenti à Rome comme un désastre.

Dès que Girolamo Riario apprend la nouvelle, dans sa fureur il se rend avec trois cents hallebardiers dans la maison de l'ambassadeur de Florence, Donato Acciaiuoli. Il se saisit de la personne du diplomate, le conduit au Vatican et s'apprête à l'incarcérer au Château Saint-Ange. Acciaiuoli exige d'être reçu par le pape. Il assure Sixte IV que son petit-neveu le cardinal Sansoni Riario va être relâché. Il déplore la mort de l'archevêque Salviati. Ses collègues, les ambassadeurs de Venise et de Milan, se déclarent solidaires de lui. Le pape cède, relâche Acciaiuoli, mais, en contrepartie, fait arrêter et détenir quelque temps des marchands florentins, leur arrachant la promesse de ne pas s'éloigner : il tient des otages.

Laurent se soucie peu du mécontentement de Rome. Sa haine contre les Riario, qu'il estime, à l'égal des Pazzi, coupables du meurtre de son frère, est telle qu'il ne fait aucun geste d'apaisement. Le pape lui envoie l'évêque de Pérouse pour négocier la libération immédiate du jeune cardinal. Il s'y refuse. Il n'écoute pas non plus les conseils de modération du Sacré Collège, dont les membres lui ont adressé leurs condoléances, sans parler dans leurs lettres de la pendaison de l'archevêque mais en y suggérant la remise en liberté du petit-neveu de Sixte IV.

Cette obstination est inadmissible pour la papauté. Une commission de cinq cardinaux est chargée d'instruire le « procès de Florence ». Le 1er juin, le pape prononce la sentence : il excommunie Laurent, la Seigneurie, les Huit de garde et tous leurs complices.

La bulle pontificale, promulguée le 4 juin au matin, énumère tous les griefs du Saint-Siège contre Florence, la guerre de Citta di Castello, le secours apporté à Carlo Fortebracci, l'asile offert à des ennemis du pape, l'empêchement de l'installation à Pise de l'archevêque Salviati, sa pendaison, et enfin l'emprisonnement du cardinal.

Pas un mot, par contre, du meurtre de Julien de Médicis et de la tentative d'assassinat perpétrée par les deux prêtres à l'encontre de Laurent. Celui-ci, qualifié de fils d'iniquité, est excommunié ainsi que ses comparses déclarés infâmes, abominables, inaptes à exercer toute charge, à tester, hériter ou paraître en justice. Il est interdit à tout homme d'avoir avec eux des rapports quelconques, qu'il s'agisse de commerce ou de simple conversation. Leurs biens seront dévolus à l'Eglise, leurs maisons détruites jusqu'aux fondations et à jamais laissées en ruine. La bulle prononçait aussi l'interdit contre la ville de Florence si elle n'avait pas, dans un délai d'un mois, soit au 1er juillet, livré les coupables aux tribunaux ecclésiastiques. Nulle personne, alors, ne pourrait être baptisée, mariée ou enterrée et aucune messe ne serait plus célébrée dans les diocèses de Florence, Fiésole et Pistoia. Florence perdrait en outre son rang d'archevêché.

La Seigneurie était solidaire de Laurent : elle lui marqua sa sollicitude en lui octroyant le privilège princier de s'entourer d'une garde personnelle tant elle craignait le geste vengeur d'un désespéré. Mais devant l'ampleur de la condamnation papale, les prieurs crurent habile de faire preuve de conciliation. Le jeune cardinal Sansoni Riario, détenu dans le palais Médicis, fut transféré le 5 juin à l'Annunziata, couvent des Servites. Le 12 juin on lui permit d'en sortir et il s'enfuit, tout pâle et tremblant, vers Rome. Il ne devait jamais oublier cette humiliation et gardera son désir de vengeance jusqu'au pontificat de Léon X, le fils du Magnifique, contre qui il montera, bien plus tard, une conjuration. Laurent et la Seigneurie ne se faisaient pas d'illusion : la libération du cardinal ne suffirait pas à apaiser le pape et le comte Riario. Il fallait s'attendre à une déclaration de guerre. Le 10 juin on constitua à Florence le comité des Dix pour préparer et diriger les opérations à venir. Laurent en faisait partie. Il convenait d'aviser au plus vite les alliés de la République, Milan et Venise.

Tommaso Soderini se trouvait à Milan. Il fut chargé d'obtenir du jeune duc et de sa mère une troupe de mille hommes et une aide financière de 8 000 ducats afin de renforcer les soldats milanais qui se trouvaient déjà en Romagne. De la même façon, Giovanni Lanfredini, directeur de la filiale Médicis, à Venise, fut chargé de la même démarche auprès de la Sérénissime République : Laurent annonçait qu'il souhaitait attaquer Imola, la ville du comte Riario.

La Seigneurie florentine chercha à débaucher pour son service les seigneurs de Romagne qui, traditionnellement, s'engageaient comme condottières auprès du Saint-Siège. Galeotto Manfredi, seigneur de Faenza, avait effectivement conclu un engagement avec Florence dès le début de juin. Mais Costanzo Sforza, seigneur de Pesaro et Pino Ordelaffi, seigneur de Forli, hésitaient. Le premier souhaitait obtenir la protection de ses terres, entourées dangereusement par les possessions du pape et du duc d'Urbin. Le deuxième devait, pour s'engager, rompre le contrat qui le liait à la papauté : il recevait 8 000 ducats du Saint-Siège et Florence lui en offrait 12 000 pour qu'il devienne son condottière. Ordelaffi, après beaucoup d'atermoiements, finit par refuser. Le pape avait mis tout son poids dans la balance : il avait excommunié par une bulle du 22 juin les seigneurs de Romagne qui apporteraient leur aide à Florence.

La République souffrait cruellement du manque d'armée : il lui aurait fallu disposer d'au moins 2 000 hommes alors qu'elle n'en avait encore que quelques centaines, dont ses alliés, Venise et Milan, assuraient partiellement la solde.

L'OFFENSIVE DIPLOMATIQUE CONTRE LE PAPE : INTERVENTION DE LOUIS XI

Décevante sur le plan militaire, la riposte florentine fut cinglante sur le plan diplomatique. La Seigneurie avait immédiatement réfuté la bulle d'excommunication. Elle voulut faire connaître ses arguments au monde entier. Le chancelier Bartolomeo Scala fut chargé de rédiger un document qui serait envoyé à tous les princes de la chrétienté. Ce long discours, qui incluait la confession de Montesecco, fut terminé le 11 août seulement. Il fut certifié par sept abbés et religieux, sept notaires et l'archevêque de Florence, Rinaldo Orsini.

En juin, le clergé florentin avait formulé l'avis que la condamnation pontificale n'avait aucune valeur et que, en conséquence, il était licite dans les trois diocèses mis en interdit de sonner les cloches, dire la messe, administrer les sacrements. La fête de saint Jean-Baptiste fut célébrée avec un peu de retard. Gentile Becchi, évêque d'Arezzo, et Rinaldo Orsini, archevêque de Florence, fomentaient et soutenaient la résistance des prêtres. Un avis de théologiens éminents, daté du 23 juillet, fut envoyé au pape mais aussi à l'empereur, aux rois de France, de Hongrie, Castille et Aragon, à tous les princes qui n'étaient pas concernés par le conflit. L'attitude partiale et cruelle du Saint Père était fustigée. On y trouvait un appel au Roi Très Chrétien, Louis de

France, de tout temps « patron et protecteur de l'Etat florentin ». Cet appel n'était pourtant pas nécessaire : Louis XI avait déjà fait connaître à Sixte IV qu'il épousait complètement la cause de Laurent et qu'il attendait du pape la punition des coupables. Il venait d'envoyer Commines à Florence : le sire d'Argenton arriva en juillet après s'être arrêté à Milan où il confirma l'alliance de la France. Il renouvela l'inféodation au Milanais de Savone et de Gênes. Commines était accompagné d'une escorte de 600 hommes. Mais le roi de France ne pouvait guère aider Florence sur le terrain. Il pouvait, par contre, s'employer à ruiner le crédit de Sixte IV dans la Chrétienté. Pour cela, il réunit en septembre à Orléans un concile formé de prélats français, à défaut du concile général qu'il demandait vainement au pape pour unir les chrétiens contre les Turcs. Le résultat fut, il est vrai, plus profitable à la France qu'à Florence : tant que le pape lutterait contre d'autres chrétiens, il serait interdit de faire sortir du royaume l'argent destiné à la Chambre apostolique, de crainte qu'il ne servît à la continuation de la guerre menée par le Saint-Siège en Italie.

LA « GUERRE DES PAZZI ». PROGRESSION DES ARMÉES DU PAPE ET DU ROI DE NAPLES

La saison s'avançait. Les opérations des troupes napolitaines et pontificales avaient été gênées au début de l'été par une catastrophe naturelle : des nuées de sauterelles s'étaient abattues sur le nord de l'Italie et avaient détruit la plupart des récoltes, de Venise à Florence et au-delà. La famine et la peste avaient suivi ce fléau. Venise et Milan hésitaient à envoyer de nouveaux soldats et Laurent cherchait vainement un condottière comme général en chef. Cependant le pape et le roi de Naples avaient réussi à conclure un contrat avec le fameux Frédéric de Montefeltre, l'homme de

guerre le plus réputé de ce temps. Le 3 juillet Montefeltre rejoignit Alphonse de Calabre, fils du roi Ferrante de
Naples, sur la frontière du territoire florentin. Le 11 ils
campaient près de Montepulciano. De là ils envoyèrent
un héraut porter à Florence un bref pontifical en forme
d'ultimatum : la guerre cesserait immédiatement si la
Seigneurie chassait Laurent et s'engageait à participer à
la croisade contre les Turcs. Bien entendu, la Seigneurie
resta sourde à cet appel. Les hostilités étaient donc
inévitables. Elles s'engagèrent au fur et à mesure
qu'arrivaient les troupes milanaises, commandées par
Alberto Visconti et Gian Jacopo Trivulzio, un noble qui
avait guerroyé au côté de Louis XI contre la Ligue du
bien public et qui devait devenir plus tard maréchal de
France pendant les guerres d'Italie. Avec beaucoup de
peine on avait enfin engagé un général en chef du côté
florentin : c'était Hercule d'Este, duc de Ferrare. Or ni
les uns ni les autres n'étaient motivés pour combattre les
soldats du roi de Naples et du pape. Le jeune duc de
Milan, Gian Galeazzo, n'était-il pas le beau-frère du
comte Girolamo Riario qui avait épousé sa sœur
bâtarde ? Un grand nombre de militaires milanais de
tout rang avaient servi les Riario et recevaient d'eux des
soldes. Par ailleurs Hercule d'Este, dont Venise, alliée
de Florence, se méfiait comme d'un voisin peu scrupuleux, était lui-même gendre du roi de Naples ; son frère
servait dans l'armée napolitaine et son beau-frère, le duc
de Calabre, était à la tête de cette armée. Florence le
payait cher pour s'assurer de sa fidélité : 60 000 florins
par an pendant les opérations militaires et 40 000 si la
paix survenait. Mais afin de vérifier les services de ce
général en chef douteux, la République l'avait flanqué
d'un commissaire civil, Jacopo Guicciardini.

Arrivé au camp devant Poggio Imperiale le 13 septembre, le duc de Ferrare ne reçut son bâton de commandement que le 27, jour désigné comme faste par les
astrologues. Le temps perdu ne l'aurait point été en vain
si l'on avait pu en profiter pour mettre l'armée en état de

combattre : or les troupes, d'origine disparate, étaient indisciplinées, les compagnies mêlées les unes aux autres, le ravitaillement mal organisé — il était interdit de piller le territoire florentin et les marchands de vivres en profitaient pour vendre les denrées à un prix exagéré. Sur l'ensemble des troupes, Trivulzio estimait qu'il y avait cent cinquante hommes armés convenablement. Pendant l'inaction de l'armée florentine, les Pontificaux et les Napolitains ravagèrent sous la direction de Monte-feltre la région du Chianti, le Val d'Elsa et les hauteurs qui dominaient l'Arno, brûlant notamment les châteaux de la famille Ricasoli que la Seigneurie de Florence récompensa de sa résistance par des privilèges et une déclaration d'aptitude aux charges de la République. Enfin, lorsque le duc de Ferrare eut regroupé son armée, ses adversaires, pour l'attirer, mirent le siège devant Monte San Savino, une place forte importante qui commandait, sur la frontière florentine, l'entrée des plaines d'Arezzo et de Cortone, le val d'Ambra et le val d'Arno. Hercule d'Este continuait à perdre un temps précieux dans des manœuvres imprécises. Certains le soupçonnaient de trahir : n'avait-il pas reçu au camp la visite de son frère Alberto, ami du roi de Naples ? Les événements semblaient le confirmer : Monte San Savino succomba le 8 novembre 1478 sous les yeux du général en chef de l'armée florentine qui laissa ses ennemis aller prendre tranquillement leurs quartiers d'hiver dans le Chianti.

INSÉCURITÉ FLORENTINE. MANŒUVRES DIPLOMATIQUES INTERNATIONALES

Pendant toute la campagne, Laurent ne s'était pas mis en peine d'aller visiter l'armée. Il estimait que les commissaires de la République y suffisaient largement. Lui-même préférait se tenir à Florence où le contact était facile avec les ambassadeurs des pays étrangers amis, et, au premier chef, avec Commines, le représentant spécial de Louis XI. Clarice et ses enfants avaient été envoyés, aussitôt après la conjuration des Pazzi, à Pistoia, ville bien protégée, où ils étaient les hôtes de la famille Panciatichi. Politien donnait des nouvelles fréquentes. Il rédigeait son récit de l'attentat des Pazzi en forme d'apologie des Médicis et recueillait l'avis de théologiens émérites au sujet de l'interdit jeté sur Florence. Mais il poursuivait aussi ses tâches de pédagogue : il faisait étudier les enfants, puis les promenait dans les jardins qui abondaient dans la ville ainsi que dans la librairie de Maître Zambino, emplie de bons manuscrits grecs et latins. « Jean est sur son poney toute la journée, écrivait-il en août, et tout le monde court après lui dans la ville. Chacun nous fait des présents que nous refusons, à part la salade, les figues et quelques flacons de vin... Nous prenons des précautions et avons mis une garde aux portes. » Au début de septembre le petit Pierre fit les honneurs de la ville au duc Hercule d'Este. Quelque temps après, il écrivit à son père pour lui dire qu'il avait appris beaucoup de vers de Virgile et connaissait presque en entier le premier livre de la grammaire grecque de Théodore Gaza. Ce bambin de six ans ajoutait : « Je pense que je la comprends. Mon maître me fait réciter les déclinaisons et m'interroge chaque jour. Jean va parfois à la messe avec lui. »

L'intensification des opérations militaires et l'insécurité qui en résultait mirent fin à ce calme séjour. Laurent décida à l'automne d'envoyer Clarice et ses enfants dans la villa de Cafaggiolo, qui était fortifiée et située dans la région retirée du Mugello. Ils devaient y passer l'hiver dans le froid et la pluie continuelle, au coin du feu. Toute promenade ou partie de chasse étant impossible, Politien et les enfants se dégourdissaient en jouant au ballon.

A Florence, rassuré par les calmes rapports qu'il recevait de la campagne, Laurent ne chômait pas. Il envoya un ambassadeur à la Diète impériale pour se

justifier devant l'empereur Frédéric III. Il reçut le
12 novembre un émissaire de Mathias Corvin, roi de
Hongrie, ·gendre du roi de Naples et beau-frère d'Hercule de Ferrare. L'empereur et le roi intervinrent à
Rome en faveur de Laurent, mais en vain. En décembre,
Louis XI adressa huit ambassadeurs en Italie, deux à
chacune des villes de Milan, Florence, Rome et Naples.
Ils devaient faire connaître son désir d'un concile général
qui pourrait se tenir à Lyon sous la présidence du pape
ou d'un légat : on y examinerait les meilleurs moyens de
mener la croisade contre le Turc. Mais auparavant il
fallait faire cesser la guerre menée, avec l'argent du
Saint-Siège, contre les chrétiens.

Louis XI considérait que Riario, « homme naguère
inconnu, de basse et petite condition », avait une
influence néfaste sur le pape et qu'il fallait en libérer le
Saint-Siège. L'intervention française constituait une
manœuvre diplomatique qui servait Florence. A défaut
de l'aide militaire promise — cinq cents lances — il fallut
bien s'en contenter.

A Milan et à Venise on applaudissait à l'initiative du
Roi Très Chrétien et on demanda la réunion du concile
œcuménique. La Sérénissime République, qui venait de
faire la paix avec les Turcs le 26 janvier 1479, se permit,
en outre, de parler fort à la Cour de Rome. Elle dénonça
les offenses de Sixte IV à l'égard des Florentins. Ce
n'était pas seulement Laurent, innocent de toutes ses
prétendues fautes, que le pape attaquait, mais l'Etat et
le gouvernement de Florence. Le pontife, furieux,
refusa de revenir sur ses sanctions.

Le roi Edouard IV d'Angleterre, de son côté, se
décida à prendre parti malgré ou peut-être à cause des
prêts énormes qu'il avait reçus des Médicis et qui
n'avaient pas été remboursés. Il envoya une ambassade
à Rome, au début du printemps, en faveur de Laurent.

Soumis à cette intense pression internationale, Sixte
IV fit mine de céder. Il proposa de régler son différend
avec Florence par l'arbitrage d'une commission formée

des rois de France et d'Angleterre, de l'empereur et de son fils, l'archiduc Maximilien marié à l'héritière de Bourgogne, et enfin du pape, représenté par un légat. Or il était impossible de réunir de tels personnages, qui étaient à couteaux tirés. Quand on le lui remontra, le pape fit connaître, à la mi-avril, les conditions de son pardon. Les Florentins devraient implorer leur absolution à Rome, distribuer des aumônes, faire dire des messes et bâtir une chapelle expiatoire pour racheter le meurtre des prêtres qui avait eu lieu pendant la conjuration. L'effigie infamante de l'archevêque peinte sur le palais serait effacée. Florence rendrait au Saint-Siège Borgo San Sepolcro et lui céderait Modigliana et Castrocaro. Elle s'engagerait à ne plus jamais attaquer les Etats de l'Eglise.

En contrepartie, pour montrer sa bonne volonté, avant même que ses conditions fussent acceptées, le pape consentait à relever les censures ecclésiastiques frappant Florence qui, au reste, n'avaient jamais été appliquées.

La pénitence était trop dure pour être acceptée. Ne parvenant pas à la faire alléger, les ambassadeurs de Venise, Milan et Florence protestèrent et quittèrent Rome brusquement, le 2 juin.

Sur le plan militaire, les chefs des armées du pape et du roi de Naples marquaient des avantages. Ils bénéficiaient de l'appui des cités indépendantes de Toscane, Sienne et Lucques. Dans cette dernière ville s'était réfugié Cola Montano, le maître et l'instigateur des trois jeunes assassins de Galeazzo Maria Sforza : ses discours enflammés désignaient Laurent de Médicis à la vindicte publique comme le nouveau tyran à abattre.

Les alliés de Florence étaient loin d'être aussi pugnaces que leurs adversaires. Venise ne souhaitait pas allumer la guerre en Romagne. Elle dissuadait Bentivogio, seigneur de Bologne, et Manfredi, seigneur de Faenza, d'attaquer Imola. Le jeune duc de Milan et sa mère venaient de perdre Gênes, qui s'était déclarée indépendante en novembre 1478.

Laurent, de peur de voir saisir quatre galères chargées de 300 000 florins de marchandises lui appartenant, avait reconnu la sécession génoise, ce qui l'avait mis en froid avec le gouvernement de Milan.

Celui-ci, par ailleurs, avait fort à faire pour résister sur sa frontière du Nord aux attaques lancées par les Suisses du canton d'Uri, à l'appel du pape Sixte IV.

L'INTERVENTION DE LUDOVIC LE MORE

Au moment où se produisaient les défaillances des alliés de Florence, surgit un nouveau danger. L'armée de Roberto San Severino, condottière de Ludovic le More, avait aidé Gênes à se libérer. Forte de 4 000 hommes, elle était disponible pour une autre campagne. Ludovic la dirigea sur la Toscane. Il la mit au service de la coalition du pape et du roi de Naples. Il espérait obtenir, en récompense, la reconnaissance de ses droits au gouvernement de Milan et une aide effective pour y parvenir.

Il aurait fallu aux Florentins un général de génie pour faire face à l'armée de Ludovic le More. Ce n'était pas le cas. Hercule d'Este se dépensait en marches infructueuses. Il avait sous ses ordres des condottières fournis par Venise, Carlo le fils du célèbre Fortebraccio et Deifobo de l'Anguillara ainsi que les seigneurs romagnols, Costanzo Sforza, Antonello Manfredi et surtout Roberto Malatesta de Rimini. Ce dernier sut être vainqueur des troupes du pape près du lac Trasimène, mais le duc de Ferrare et le marquis de Mantoue, lui-même condottière du jeune duc de Milan, uniquement préoccupés de partage de butin, se laissèrent couper l'un de l'autre par le général en chef ennemi, Montefeltre, installé à l'extrémité du val de Chiana. Les Napolitains s'avançaient dans la vallée de l'Elsa. Une place forte, Poggio

Imperiale, leur fermait le chemin. Les Florentins s'y
étaient installés pour barrer la route de leur capitale. En
voyant l'ennemi s'avancer, ils furent pris de panique et
décampèrent, entraînant la fuite éperdue des paysans
vers les murailles de Florence. On était le 7 septembre
1479. Ce même jour, à Milan, une entrevue dramatique
mettait face à face Ludovic Le More et sa belle-sœur, la
duchesse Bonne. Le More réussissait à s'emparer du
pouvoir, qu'il allait détenir de façon absolue sous le
couvert nominal de son neveu, le jeune duc Gian
Galeazzo Maria.

Dans l'automne 1479, autour de Laurent régnait le
pessimisme. Certes, après la honteuse débandade de
Poggio Imperiale, le petit château de Colle retint
soixante jours l'armée napolitaine triomphante, dirigée
par le duc de Calabre. Le siège dura suffisamment
longtemps pour forcer le duc à prendre ses quartiers
d'hiver, sauvant ainsi momentanément Florence de
l'invasion. Mais ce n'était que partie remise : or les
ressources manquaient pour poursuivre la guerre. Les
citoyens murmuraient contre les dépenses militaires
inconsidérées et la mauvaise conduite des opérations.
Les marchands, pourvoyeurs de la richesse de l'Etat, se
désolaient de voir leurs affaires réduites à néant. Le
scandale de cet interminable affrontement avec la
papauté tourmentait les âmes pieuses. Mais, au-dessus
de toutes les rancœurs et les craintes, s'élevait, commune à tous les citoyens, la peur qu'au printemps
suivant Ludovic le More, s'appuyant sur l'alliance du
pape et du roi de Naples, ne renversât l'équilibre des
forces en dénonçant la Ligue qui unissait Florence à
Milan. S'il prenait l'offensive contre la République, c'en
était fait de la résistance florentine. L'appui financier de
Venise, l'aide diplomatique des monarques occidentaux,
les quelques troupes de ses condottières ne fourniraient
plus à Florence qu'un rempart dérisoire, qui serait
rapidement renversé. L'entente avec Ludovic le More
était vitale. Laurent le comprit rapidement. Dès qu'il

reçut l'avis de la capitulation de la duchesse douairière devant son beau-frère, il n'hésita pas. Il dicta sa ligne de conduite à Girolamo Morelli, ambassadeur florentin à Milan, dans une lettre du 11 septembre 1479 :

« Je ne pense pas que le Seigneur Ludovico, devenu tout-puissant et détenant le pouvoir absolu, voudra nous nuire : ce serait contre son intérêt. Il est d'un naturel bienveillant et je crois qu'il n'a jamais reçu d'injure de nous, en public ou en privé. Il est vrai qu'il a obtenu le pouvoir grâce à la faveur du roi de Naples, mais je pense que l'aide que d'autres lui ont donné et ses propres qualités lui ont profité davantage. Du peu que je sais de Sa Seigneurie, il me semble apte à comprendre ce qui est bien pour lui et capable d'exécuter ce qu'il a compris. C'est pourquoi, dès que vous le pourrez, il sera bon que vous voyiez Sa Seigneurie et que vous lui montriez, en employant toutes les raisons que vous pourrez, que nous n'attendons de lui que du bien, au nom de notre vieille amitié, parce qu'aucun différend ne nous oppose et parce que c'est son intérêt. Assurez-le que notre ville désire aller la main dans la main avec l'Etat de Milan, c'est-à-dire avec Sa Seigneurie, et pour cela, priez-le et encouragez-le à vous informer de ses intentions afin que nous puissions agir en conformité avec ses souhaits. Montrez-lui les périls dans lesquels nous nous trouvons, de quelle importance ils sont pour son Etat et qu'il a le remède entre ses mains. »

Laurent chargeait Morelli de remettre à Ludovic une lettre personnelle. Il annonçait qu'il envoyait à Milan Niccolo Martelli, par l'intermédiaire de qui il avait précédemment traité toutes les affaires importantes avec le More. Martelli était d'ailleurs lié d'amitié avec le nouveau potentat.

Les rapports entre Laurent et Ludovic se renouèrent facilement grâce à cette initiative.

LE JEU DIPLOMATIQUE DE LUDOVIC LE MORE

L'un des premiers gestes de Ludovic quand il avait pris le pouvoir avait été d'envoyer deux ambassadeurs au pape et au roi de Naples, ainsi qu'à leurs généraux, les ducs d'Urbin et de Calabre, pour proposer l'étude d'un arrangement : Laurent était anxieux de connaître le résultat de leurs démarches. Très affecté par une grave crise de fièvre tierce, il chargeait son propre chancelier Niccolo Michelozzi d'aller se renseigner à Milan même. Le prétexte était d'obtenir la libération d'Orfeo Cenni de Ricavo, un Florentin membre du Conseil secret de l'ancien duc, compris dans l'épuration engagée contre les tenants de Cicco Simonetta, conseiller tout-puissant de la duchesse Bonne.

Certes, Laurent et la Commission des Dix, chargée des affaires militaires, ne mettaient pas tout leur espoir dans les tractations diplomatiques. Ils avaient essayé, après la défaite de Poggio Imperiale, de réunir les deux parties de leur armée, l'une placée sous le commandement de Costanzo Sforza, l'autre sous celle de Roberto Malatesta. Mais les deux seigneurs avaient été livrés à eux-mêmes par le départ d'Hercule d'Este, très mal remplacé par son frère Sigismond : ils n'entendaient pas renoncer à leur indépendance d'action. L'unité tactique était pourtant indispensable si on voulait reconstituer une force convenable. Venise, qui payait déjà 1 000 fantassins, offrait la solde de 1 000 soldats supplémentaires. Giovanni Bentivoglio de Bologne pouvait fournir lui aussi 1 000 nouveaux soldats. La glorieuse résistance de la petite place de Colle avait montré que la partie n'était pas perdue totalement sur le terrain si, les effectifs étant maintenus, on résolvait le problème du commandement. Sortant de sa réserve habituelle, Laurent alla inspecter les troupes florentines, près de San Casciano, les 29 et 30 octobre 1479. Les condottières étaient découragés en comparant le nombre de leurs soldats à celui des ennemis, qui était double : 100 escouades de cavalerie et 5 000 fantassins. Ils refusèrent de se concentrer dans un camp commun à San Gimignano et le commissaire vénitien auprès de l'armée leur donna son appui.

Ce désordre était de mauvais augure. Les troupes florentines ne pourraient faire front à l'ennemi si elles étaient réduites à elles-mêmes par la sécession de Milan. Une telle perspective n'avait rien d'impossible. Les deux ambassadeurs envoyés par Ludovic à Rome avaient été aimablement accueillis et le pape avait chargé le cardinal Jean d'Aragon, fils du roi de Naples, de faire part à Milan de ses bonnes intentions. Les termes mêmes qui avaient été échangés au cours de l'audience du 12 octobre n'avaient pas été portés à la connaissance de Laurent, ce qui avait provoqué son inquiétude.

Il avait moins de souci du côté de Naples. Les deux diplomates milanais qui s'y étaient rendus le tenaient au courant ponctuellement des progrès de leur négociation. Ferrante accepta d'étudier une formule de paix qui inclurait à la fois Milan et Florence. Le 3 novembre il proposa à Laurent, par l'intermédiaire des deux ambassadeurs, de préciser les concessions qu'il pourrait faire afin de contenter le neveu du pape, Girolamo Riario.

LES NÉGOCIATIONS DE LAURENT À NAPLES

Le 5 novembre, Laurent confia ses propositions de paix au marchand Filippo Strozzi, qui avait séjourné longtemps à Naples pendant son exil et avait conservé de bonnes relations avec le roi. Strozzi partit immédiatement avec une petite escorte de dix-sept cavaliers. Peu après, une lettre de Ludovic le More à Laurent, datée du 12 novembre, annonçait que le roi Ferrante consentait à engager les pourparlers. Le More donnait le conseil de forger le fer pendant qu'il était chaud.

Le moment, en effet, était on ne peut plus favorable.

Florence, morose et affaiblie, n'avait plus la volonté de se battre ; le roi de Naples non plus, car l'importance prise par Riario dans l'Italie centrale lui était devenue insupportable : le comte tenait une vaste région qui coupait le royaume de Naples de ses amis du Nord de la péninsule, Gênes et Milan ; il empêchait Ferrante de s'installer à Sienne comme il l'aurait souhaité. Florence, qui était dans le besoin, saurait, sans nul doute, se montrer plus souple que le neveu du pape.

Le terrain étant ainsi préparé, l'ambassadeur de France à Naples, Pierre Palmier, fit savoir à Florence qu'il était nécessaire d'envoyer pour conclure la paix quelqu'un qui eût « plus de pouvoir » que le marchand Strozzi.

Laurent prit alors la décision audacieuse de partir lui-même à la Cour de Naples. Il fit porter un message secret au duc de Calabre, chargé de régler les préalables de l'accord : « Le Magnifique Laurent, y était-il dit, a décidé de venir librement trouver le roi et il le prie d'envoyer pour cela des galères à Pise. » Lorsqu'il reçut ce message, le duc fit appareiller, le 4 décembre, deux galères royales de Talamone vers Pise et en avisa Laurent. Dès le 5 décembre Laurent réunit dans la soirée une quarantaine de citoyens. En présence des Dix de la guerre, il annonça solennellement que, puisque c'était à lui seul qu'on prétendait faire la guerre, c'était à lui d'aller chercher la paix, au péril même de sa vie.

Cette emphase gratuite — car il savait bien qu'on l'attendait à Naples — servait sa popularité. Ses parti-sans n'allaient pas tarder à rappeler la mésaventure du condottière Piccinino invité par Ferrante à Naples et traîtreusement mis à mort en 1465. Sa déclaration faite, Laurent désigna Tommaso Soderini pour le représenter pendant son absence. Le matin du 6, il prit la route pour Pise. Le 7, il fit étape à San Miniato, d'où il avisa officiellement la Seigneurie de son départ. Il chargea les Dix de la guerre d'afficher sa lettre sur la place publique et de la distribuer aux diplomates, notamment à Filippo Sacromoro, représentant de Ludovic le More à Florence.

Le ton de cette lettre était empli d'émotion. Laurent se disait heureux de payer de sa personne pour ramener la paix à Florence, et ceci pour deux raisons : étant personnellement poursuivi, il verrait, en se livrant, si son sacrifice suffisait à arrêter la guerre ; d'autre part, ayant reçu à Florence une abondance d'honneurs et de distinctions, il lui revenait de se dévouer plus que quiconque, et même de faire don de sa vie à la patrie. « Je m'en vais avec cette ferme volonté, pensant que peut-être Monseigneur Dieu veut mettre entre ses mains la fin de cette guerre, commencée dans mon sang et celui de mon frère. Je désire ardemment que ma vie et ma mort, ce qui me nuira et ce qui me profitera, servent toujours au bien de notre ville. »

Le 10 décembre, le Magnifique est à Pise, mais les deux galères ont été retardées par des vents contraires. Le départ ne peut se faire qu'après le 14. Les Dix de la Guerre profitent de ce retard pour lui faire parvenir une commission d'ambassadeur auprès du roi de Naples afin d'officialiser sa mission.

Laurent débarque à Naples le 18 décembre. L'accueil est fastueux. Le fils cadet et le petit-fils du roi l'attendent au port. Le lendemain, Ferrante lui-même le salue avec des paroles affectueuses et le conduit au château. Le lundi 20 commencent les conversations sérieuses avec quatre conseillers royaux, dont le puissant secrétaire Antonello Petrucci, et Antonio Cicinello, spécialement chargé des relations avec Rome. La négociation se révélait ardue : la paix semblait beaucoup plus dure à négocier que Laurent ne se l'était figuré sur les indications reçues à Milan.

Le roi Ferrante ne semblait nullement disposé à rendre toutes les places qu'il avait prises en Toscane et à assurer la sauvegarde des seigneurs de Romagne — Rimini, Pesaro et Forli — qui avaient fourni des troupes à Florence. Laurent trouvait une aide efficace auprès des ambassadeurs milanais, mais ses vieux ennemis, Jacopo Piccolomini, représentant de Sienne, et Diotisalvi Neroni, qui s'était fait nommer représentant du pape à Naples, intriguaient à qui mieux mieux pour renforcer la défiance des Napolitains.

Les tractations durèrent trois mois. Dès les premiers jours il était évident que Laurent ne rentrerait pas de sitôt à Florence. Les opposants à son régime, qui se tenaient cois depuis la répression de la conjuration, s'avisèrent d'en profiter. Ils se groupèrent derrière Girolamo Morelli, ancien ambassadeur à Milan, devenu membre de la Commission des Dix de la Guerre, et qui se signalait par son esprit critique assez acerbe.

Les négociations de Laurent, disaient-ils, créaient un réel danger : l'Etat, confiant dans la paix en marche, ne pourvoyait plus à sa défense ; la frontière de Sienne était dégarnie ; la place de Sarzana, vendue par Ludovico Fregoso aux Florentins, venait d'être surprise par son fils, au mépris de la trêve. Les tractations de Laurent et les propositions qu'il faisait à Naples étaient par ailleurs passées au crible dans les Conseils. La répartition des impôts était contestée. Les partisans de Laurent, affolés par cette contestation grandissante, le prièrent de hâter son retour. Or, il n'était pas possible d'accélérer le cours des épineuses discussions qui se déroulaient entre Laurent et les Napolitains. Elles achoppaient régulièrement sur la question de la restitution des localités florentines occupées et sur la sauvegarde à accorder aux seigneurs de Romagne employés à Florence comme condottières. Le roi Ferrante avait avisé le pape de la position très ferme de Laurent sur ces deux sujets. Une première réaction de Sixte IV, inspirée par Girolamo Riario, avait été, sous le coup de la colère, d'exiger, avant de traiter de ces points, la venue à Rome du Médicis. Ferrante avait dissuadé Laurent d'accepter, car c'eût été, proprement, se jeter dans la gueule du loup. Dans un second temps, le pape accepta, au début de janvier, que

Ferrante arbitrât la restitution des places en tenant compte de l'intérêt des Siennois, mais il demanda que les localités occupées récemment aux alentours d'Imola fussent attribuées à Girolamo Riario. En ce qui concernait les seigneurs de Romagne, il entendait qu'ils fussent livrés à sa discrétion afin qu'il pût les châtier. Par contre, à l'égard de Laurent, s'il exigeait toujours un acte solennel de pénitence, il marquait un certain adoucissement : il n'imposerait pas à la Seigneurie florentine la condition préalable de son bannissement.

C'était là une bien piètre consolation dans la lenteur désolante des pourparlers, qui donnaient pourtant lieu à un va-et-vient continuel de messagers et de diplomates entre les Cours. Dans cette redoutable épreuve de la négociation, Laurent était soutenu par les sages avis des Dix de la guerre qui se comportaient comme une sorte de Conseil privé de gouvernement. Mais il trouvait également un grand réconfort dans la chaude affection de sa petite famille. Les fréquentes lettres de ses proches continuaient de le tenir au courant des moindres faits et gestes des enfants. La petite Lucrèce faisait son rapport sur le comportement du futur pape Léon X : « Le petit Jean va sans rechigner se coucher de bonne heure. Il dit : " Je ne me réveille pas pendant la nuit ! " Il est gros et frais. » Et Politien ajoutait : « Jean veut toujours savoir quelles nouvelles nous avons de vous. Il dit à tout propos : " Quand reviendra Loenzio ? " »

Nul ne savait quand finiraient les interminables conférences. Au côté de Laurent, les ambassadeurs milanais s'impatientaient. En plus du traité de paix ils devaient mettre au point une ligue avec Naples : Ludovic le More, reconnaissant de l'aide que Ferrante lui avait apportée, souhaitait en effet transformer l'état d'hostilité antérieur en une alliance solide. Ses représentants ne pouvaient cependant accepter toutes les conditions de leurs anciens adversaires, notamment que Gênes fût considérée dans le traité comme puissance indépendante. Il restait aussi, naturellement, à prendre l'avis de

Venise, l'autre alliée de Florence. Mais Venise avait, de son côté, engagé des tractations de paix avec le pape. L'avis en parvint à Naples vers la fin de février, avec la nouvelle que René de Lorraine, héritier des prétentions angevines, était parti de Marseille pour une expédition contre Ferrante. Ce danger et les relations directes entre Venise et Rome, joints à l'impatience des Milanais, ne pouvaient qu'inciter le roi de Naples à conclure au plus vite la paix avec Laurent.

D'ailleurs la situation de chacun des acteurs de ce ballet diplomatique apparaissait fluctuante et mal assurée. Ludovic le More n'était pas nominalement le maître de Milan : son neveu pouvait fort bien le supplanter. Le pape pouvait mourir subitement et son successeur changer totalement de politique. Suivant la pression des Turcs, la République de Venise pouvait représenter ou non un danger pour ses voisins. Florence, où l'opposition était désarmée, semblait au contraire, dans ce contexte, un partenaire stable. Elle disposait de l'appui de Louis XI : le roi était redoutable pour Naples, où la France pouvait toujours relancer les entreprises des Angevins. Il l'était également pour la papauté, qu'il ne ménageait guère. Florence était aussi l'amie du Turc : Mahomet II ne venait-il pas de lui livrer Bandini, le meurtrier de Julien ? Enfin, malgré le bruit de ses difficultés bancaires, Laurent s'était comporté en grand seigneur généreux à Naples, dépensant une fortune en festins et en fêtes, allant jusqu'à doter des jeunes filles pauvres et à libérer des galères cent prisonniers en donnant à chacun dix florins d'or, un habit et des chausses de drap vert.

Un tel homme, magnifique dans son train, généreux et brave en public, prudent et minutieux dans les discussions privées, ne pouvait qu'attirer la sympathie du monarque napolitain, habitué à observer et à se jouer des individus qui l'entouraient.

CONCLUSION DE LA PAIX ENTRE FLORENCE ET NAPLES

C'est en toute connaissance de cause que Ferrante se décida à passer outre aux nombreuses difficultés et à conclure la paix dès qu'il eut reçu l'accord de principe de Rome, le 27 février : il en avisa immédiatement Laurent. La nuit même, celui-ci, sans attendre la mise par écrit du traité, monta dans une galère royale et se fit conduire jusqu'à Gaète.

Ce brusque départ ressemblait à une fuite. En réalité il faisait partie d'une mise en scène savante convenue avec Ferrante. Sixte IV avait effectivement accepté la paix, mais, avant de la conclure, il exigeait que Laurent vînt s'humilier devant lui. Au cas où Laurent refuserait, le roi Ferrante devait s'emparer de lui et l'expédier à Rome sous bonne garde. Repris par sa haine, Sixte IV avait déclaré qu'il ne déposerait les armes que si Laurent sortait d'Italie : l'envoyé de Ferrante à Rome, Antonio Cicinello, avait entendu lui-même ces paroles.

En laissant le Médicis s'éloigner, le roi de Naples n'avait pas à désobéir au pape et pouvait mettre en forme le traité à sa convenance. Il suffisait que Laurent donnât procuration et pouvoirs à des personnes de confiance. C'est ce qu'il fit en comparaissant le 6 mars devant Angelo Bontempo, juge aux contrats, et Niccolo Castagnola, notaire public à Gaète : il désigna pour le représenter à la signature du traité Ippolita d'Aragon, duchesse de Calabre, et son propre chancelier Niccolo Michelozzi. Le 13 mars ceux-ci paraphèrent le traité de paix en compagnie du roi de Naples et des représentants des belligérants, notamment de Lorenzo Giustini, envoyé du pape. Ce même jour Laurent débarquait à Livourne après une traversée horriblement agitée. Les bourrasques étaient telles, écrivait-il à Michelozzi, qu'elles l'avaient épouvanté. Mais il avait la satisfaction de revenir en triomphateur. L'accueil qu'il reçut fut à la mesure de la peine qu'il s'était donnée. On l'acclama au port et dans la ville de Pise où il fit étape. On l'applaudit avec des cris de joie à Florence. Tous les citoyens se précipitaient au-devant de lui, les uns lui donnant l'accolade, les autres lui tendant leurs mains à serrer.

Les instruments originaux de la paix parvinrent le 20 mars à Florence. Le 25, fête de l'Annonciation, qui marquait à Florence le début de l'année nouvelle, la paix fut solennellement proclamée et des processions d'actions de grâce parcoururent les rues en liesse.

Le traité s'assortissait d'une nouvelle ligue défensive conclue pour vingt-cinq ans entre le pape, le roi de Naples, Milan, Florence et Sienne. Il était prévu que Venise et Ferrare pourraient s'y agréger. La paix était plus favorable à Milan qu'à Florence. La restitution des localités occupées était soumise à l'arbitrage de Ferrante. Celle de Sarzana n'était pas évoquée. La protection des seigneurs de Romagne n'était pas assurée. Laurent devait personnellement se rendre auprès du pape afin de solliciter son pardon et celui de Florence.

Lorsque les Florentins connurent le texte, leur satisfaction fut singulièrement amoindrie. Le peuple soupçonna, écrit Rinuccini, « que le traité contenait beaucoup d'articles secrets qui n'étaient ni utiles ni honorables à cette malheureuse cité ». Certes, la paix n'était ni glorieuse ni rassurante pour l'avenir. Elle coûtait cher : il avait fallu assurer au fils du roi de Naples, le duc de Calabre, un somptueux contrat de condottière, 60 000 florins par an. Le duc s'était installé à Sienne où, à la faveur des dissensions locales, il était devenu tout-puissant. Le danger était grand de le voir sous un prétexte quelconque envahir depuis cette base le territoire florentin en se servant des soldats payés par Florence.

Laurent avait été contraint d'élargir les Pazzi, qu'il tenait encore prisonniers dans la forteresse de Volterra : c'était rendre à la liberté des hommes sans nul doute assoiffés de vengeance et qui pouvaient un jour devenir redoutables.

Mais le danger pouvait également survenir à l'extérieur. Le pape Sixte IV, en attendant la pénitence publique de Laurent, ne désarmait pas. Bien mieux, il s'était rapproché de Venise. La Sérénissime, son ennemie de la veille du fait de son alliance avec Florence, constitua en avril une ligue avec le Saint-Siège. Le comte Riario en devint le capitaine général, avec pour lieutenant René II d'Anjou, qui recevait 2 000 ducats par mois. La leçon était claire : désormais Florence ne pourrait plus compter sur l'aide vénitienne contre le clan Riario. Parallèlement, l'alliance avec Milan risquait de perdre son efficacité au bénéfice du rapprochement de Ludovic le More et de Ferrante, encore renforcé par le mariage de la fille du duc de Calabre avec Gian Galeazzo, le jeune duc, neveu du More.

LE RENFORCEMENT DU POUVOIR : LE CONSEIL DES SOIXANTE-DIX

La nouvelle géographie politique des alliances défavorisait donc Florence et l'exposait comme point de mire à toutes les ambitions de l'Italie. Elle rendait plus nécessaire que jamais le renforcement du pouvoir exécutif. Or, au moment où la paix était proclamée, cessaient les fonctions du puissant Comité des Dix de la guerre, qui avait si efficacement soutenu l'action militaire et diplomatique de Laurent. Celui-ci, pour avoir traversé depuis deux ans les pires tempêtes de son existence, ne souhaitait pas se retrouver démuni dans l'épreuve. Il recourut au vieux procédé qu'avaient si souvent utilisé son père et son grand-père : la constitution d'un Comité de réforme tout-puissant.

Le 8 avril 1480, sans sonner la cloche communale, et donc à l'insu de la grande majorité des citoyens, Laurent réunit un groupe de ses fidèles à la manière des parlements florentins d'autrefois et leur fit adopter le principe de réunion d'une balie. La résolution fut portée devant les trois Conseils de l'Etat qui l'adoptèrent en deux jours. Les membres de la Seigneurie devaient élire, à la majorité légale de six voix sur neuf, trente citoyens pour désigner, conjointement avec la Seigneurie et les Collèges, 210 personnes âgées de moins de trente ans, c'est-à-dire n'ayant jamais connu le régime républicain. A ces 210 jeunes hommes s'adjoindraient les Seigneurs, les Collèges et les trente citoyens élus pour former une balie qui durerait jusqu'au 30 juin, se substituerait aux trois Conseils de la République et aurait le droit de déléguer ensuite tous ses pouvoirs à une autre instance. Or une tâche apparaissait comme prioritaire dans la reprise en main de la vie publique, après la désorganisation née de la conjuration et de la guerre : réaliser un scrutin, c'est-à-dire remplir les bourses officielles des noms des citoyens aptes aux offices que les accoupleurs extrairaient lors des vacances périodiques.

Dans ses délibérations la balie décida que les trente citoyens élus par la Seigneurie procéderaient à la nomination des candidats aux charges en s'adjoignant quarante-huit autres citoyens, à raison de douze par quartier. Le résultat de l'opération fut si satisfaisant que Laurent se résolut le 19 avril à rendre permanente cette commission et à en faire la base d'un nouveau corps de l'Etat. Peu après elle reçut délégation des pouvoirs de la balie. Elle se transforma alors en Conseil des Soixante-Dix.

Le nouveau Conseil devait constituer un véritable Sénat. Il éclipsa le Conseil des Cent et les deux vieux Conseils du peuple et de la commune. Organe exécutif et législatif à la fois, le Conseil des Soixante-Dix comptait des membres nommés à vie représentant les Arts, suivant la même proportion que dans les autres offices de l'Etat. Il pouvait remplacer lui-même par cooptation ceux de ses membres qui mourraient ou seraient frappés d'incapacité. Aucune famille, à part les Médicis et une autre famille obscure, ne pourrait y avoir plus d'un membre. Laurent, assuré de la pérennité de cette assemblée et de sa docilité, la partagea en deux sections, fonctionnant chacune six mois, à tour de rôle.

Les prérogatives des Soixante-Dix étaient immenses. Ils désignaient le gonfalonier, les prieurs et les membres de toutes les commissions, les Huit de pratique chargés des relations extérieures et qui choisissaient les ambassadeurs, les Huit de balie, qui instruisaient les causes civiles et criminelles, les Dix de la guerre, lorsque celle-ci éclatait, les Douze procurateurs, chargés de fixer les impôts, de surveiller le *Monte*, le tribunal du commerce et les Consuls de mer.

Toutes les décisions étaient, sur propositions de la Seigneurie, examinées par les Soixante-Dix, les autres Conseils, devenus totalement symboliques, n'intervenant qu'occasionnellement. Laurent possédait désormais, avec cette chambre d'enregistrement dévouée, autant de pouvoir à lui seul qu'en avait le Conseil des Dix qui dirigeait Venise. C'est pour commémorer l'événement, a-t-on dit, qu'il aurait fait frapper une médaille portant d'un côté son profil avec l'inscription : « Le grand Laurent de Médicis », et, de l'autre côté, la figure de République, tenant un lys, assise sous un palmier avec l'inscription : « Tutelle de la patrie ».

LA PAIX AVEC SIXTE IV

Le Magnifique avait accédé au rang le plus éminent. Il incarnait l'Etat dans ses rapports avec l'étranger. Sa dignité lui interdisait d'aller s'humilier à Rome auprès du pontife vindicatif qui continuait de le menacer. Or le pape attendait ce geste pour effacer définitivement ses griefs et ses condamnations touchant Florence. Un dramatique événement eut raison de l'entêtement du vieillard. Le 28 juillet une flotte turque de cent vaisseaux porta l'armée du grand vizir Keduk Ahmed devant Otrante, ville du royaume de Naples : le Turc voulait punir Ferrante de l'aide qu'il apportait à ses ennemis, les chevaliers de Malte. La place capitula le 11 août. Le retentissement en fut immense. Le roi de Naples exigea du pape qu'il renonçât à tous ses différends en Italie pour faire cause commune avec lui, afin de reconquérir la ville tombée aux mains des infidèles.

La semonce porta. Sixte IV accepta de recevoir à la place de Laurent douze ambassadeurs pour accorder son pardon. Le 25 novembre, les Florentins, entrés de nuit dans Rome, furent reçus en consistoire secret. Le 3 décembre, premier dimanche de l'Avent, ils se présentèrent sous le portique de Saint-Pierre. On les fit attendre devant la porte close. Enfin ils furent admis à se prosterner devant le pontife. Le rite s'accomplit. « Ne retournez pas, comme les chiens, à vos vomissements. » Disant ces mots, le pape frappa les épaules de chaque ambassadeur avec la grande verge du pénitencier pendant qu'ils chantaient le *Miserere*. Il les admit ensuite à baiser ses pieds, leur donna sa bénédiction et les réconcilia avec l'Eglise. Plus tard il devait demander à Florence d'armer quinze galères contre les Turcs : c'était en quelque sorte imposer le prix de la pénitence.

L'invasion turque et l'occupation d'Otrante allaient durer presque un an. Elles avaient providentiellement dénoué la crise et contraint le pape à céder. D'autres conséquences se firent sentir. Le duc de Calabre, rappelé par son père, abandonna le pays de Sienne et les localités qu'il occupait. Les seigneurs romagnols retrouvèrent leur ancienne liberté d'action. Ils formaient aux portes du territoire florentin un écran protecteur contre toute agression.

La chance avait enfin souri à Laurent. Florence, écrit Machiavel, le porta aux nues, disant que « sa bonne fortune lui avait fait regagner par la paix ce que la mauvaise lui avait fait perdre par la guerre ». En vérité Laurent ne devait qu'à son habileté d'avoir doublé, sans grand dommage, le cap des tempêtes. Il avait évité à sa Cité les avanies et les outrages. Il s'était servi du danger pour se doter d'instruments de pouvoir efficaces. Il pouvait désormais confondre son destin avec celui de Florence.

TROISIÈME PARTIE

Le maître de Florence

CHAPITRE I

Parmi les princes rapaces

CONSOLIDATION TERRITORIALE DE GIROLAMO RIARIO

En retardant son pardon, Sixte IV avait neutralisé Florence pendant de longs mois. Habilement il en avait profité pour travailler à l'accroissement territorial de la principauté d'Imola. Le 4 septembre 1480, à la faveur de troubles de succession, il arracha Forli à la famille Ordelaffi et il en investit son neveu chéri.

La Seigneurie de Florence n'avait pas réagi. Une autre tâche l'absorbait. Profitant du départ du duc de Calabre pour le siège d'Otrante, elle réoccupait, sans attendre l'arbitrage prévu, Colle, Poggibonsi, Poggio Imperiale, Monte San Savino : l'opération se termina en mars 1481. Toutes les troupes napolitaines avaient été rappelées dans le Midi. Ce ne fut point, pourtant, leur afflux en masse qui fit lever le siège mais un événement fortuit : la mort subite de Mahomet II, le 3 mai 1481, suivie d'une guerre civile entre ses deux fils Bajazet et Djem. La garnison d'Otrante, privée de secours, capitula le 10 septembre 1481. Le duc de Calabre prit à son service les vaillants défenseurs de la place. Il avait avec eux la possibilité de se porter à l'attaque de Constantinople : il en fit la proposition au pape et aux princes chrétiens, mais aucun ne s'en saisit. Ils étaient plus soucieux de leurs intérêts que de ceux de la Chrétienté.

En accord avec Sixte IV, Girolamo Riario continuait ses entreprises en Romagne. Il voulait s'installer à Faenza. Le Conseil des Dix à Venise lui fit savoir en janvier 1481 qu'il n'y mettrait pas opposition. Encouragé par ces bonnes dispositions, Riario proposa alors au Conseil une association intéressante. Venise lui assurerait l'appui de ses vaisseaux dans une expédition militaire qu'il envisageait contre le royaume de Naples. Il s'agissait de reconquérir les comtés d'Alba Fucense et de Tagliacozzo arrachés aux Orsini par le roi Ferrante. En contrepartie, Riario assurait la Sérénissime que le pape fermerait les yeux si elle s'avisait de marcher contre Hercule d'Este : celui-ci ne payait plus le tribut annuel qu'il devait comme feudataire du Saint-Siège ; il méritait d'être puni.

LA GUERRE DE VENISE CONTRE FERRARE

Venise était très désireuse d'abattre la puissance grandissante du duc de Ferrare qu'elle jugeait particulièrement dangereux depuis qu'il avait épousé la fille du roi de Naples. La proposition du neveu du pape venait à point. Une convention qui en reprenait les termes fut passée en septembre 1481 entre la Sérénissime et le comte Riario, qui fut à cette occasion proclamé citoyen et noble de Venise.

On crut tenir un prétexte de guerre dans une excommunication prononcée par l'évêque de Ferrare contre le « vidame » qui représentait sur la place les intérêts vénitiens. Mais le duc s'en avisa à temps. Il demanda à l'évêque de relever ses censures. La Sérénissime trouva aussitôt un nouveau motif. Ferrare tirait son sel des lagunes de Comacchio, annexe de son territoire. Venise prétendit que les marais lui appartenaient et qu'elle avait le monopole de la fabrication du sel. Elle le garderait tant que Ferrare retiendrait la Polésine, région de Rovigo, qu'elle disait être son domaine. N'ayant pas obtenu satisfaction, comme il fallait s'y attendre, le 3 mai 1482 elle déclara la guerre à Ferrare. La Sérénissime avait pour alliés la papauté et Girolamo Riario ainsi que Sienne, Gênes et le marquis de Montferrat. Hercule d'Este pouvait compter sur l'aide de Naples, Florence, Milan, Mantoue et Bologne.

De part et d'autre, les chefs militaires furent rapidement désignés : Venise recruta Roberto San Severino, qui venait de se rebeller contre Ludovic le More ; le pape engagea Roberto Malatesta, seigneur de Rimini, gendre de Frédéric de Montefeltre, duc d'Urbin ; Hercule d'Este confia sa défense au duc Alphonse de Calabre et au duc d'Urbin.

La guerre s'engagea sur trois théâtres. Au centre, Florence se réservait l'attaque des positions pontificales. Elle fit assiéger et occuper Citta di Castello par Costanzo Sforza, seigneur de Pesaro. La place de Forli fut investie par Antonio de Montefeltre, fils de Frédéric. Laurent et les Dix de la guerre, dont la commission avait été reconstituée, cherchaient à ruiner la menaçante principauté du comte Riario.

Au nord, les opérations se déroulèrent dans la plaine du Pô, emplie de marais et d'eaux stagnantes, de canaux et de fleuves encombrés de sables mouvants. Les Vénitiens, habitués au terrain, progressaient victorieusement, occupant Adria, Comacchio, le château de Ficarolo, Rovigo et Lendinara. Les garnisons de Montefeltre furent faites prisonnières. Un nombre important de soldats fut exterminé par la malaria, qui fit, dit-on, 20 000 victimes cette année-là dans la plaine du Pô. Le grand condottière Montefeltre en fut lui-même atteint : il mourut le 10 septembre à Ferrare. Les opérations contre Venise se soldaient donc par un échec.

Au sud, le troisième lieu d'affrontement se situait tout près de Rome. Le pape ayant le soutien des Orsini, les autres familles féodales, les Savelli et les Colonna,

offrirent leur aide à l'envahisseur napolitain. Alphonse
de Calabre s'empara de Terracine. Il s'avança dans la
campagne romaine, enlevant sans résistance Albano et
Castel Gandolfo. Enfin il rencontra à Campo Morto,
dans les marais de Nettuno, le 21 août 1482, son
adversaire Roberto Malatesta. Le combat fut acharné.
La victoire revint à Malatesta qui fit une entrée triom-
phale à Rome le 24 août : mais il avait contracté les
germes de la malaria dans les marécages et il en mourut
le 10 septembre, le jour même où succombait dans le
nord son beau-père, le duc d'Urbin.

Or, le comte Riario s'étant quasiment brouillé avec les
Orsini, Sixte IV se trouva démuni subitement de protection. Il s'affola. Il lui parut indispensable de négocier. Il
écrivit le 29 août aux princes de la Chrétienté pour
exprimer sa volonté de paix et à l'empereur Frédéric III
pour lui demander sa médiation. Il voulait, ce faisant,
désamorcer une tortueuse manœuvre conciliaire à
laquelle se prêtaient Laurent de Médicis et le roi de
Naples.

MANŒUVRE CONCILIAIRE CONTRE SIXTE IV

Le protagoniste de l'intrigue montée contre le pape
était un étrange prélat, Andreas Zamometič, archevêque de Carniole. C'était un dominicain envoyé en
mission à Rome en 1478 par l'empereur. Le pape lui
ayant refusé le chapeau de cardinal, l'archevêque était
devenu furieux et s'était répandu en termes injurieux
contre Sixte IV. Enfermé au château Saint-Ange, puis
libéré, par égard pour Frédéric III, en septembre 1481, il
s'était rendu à Florence où Laurent, dit-on, l'encouragea
dans sa révolte contre le Saint-Siège. L'archevêque
partit ensuite pour Bâle où, le 25 mars 1482, il monta en
chaire dans la cathédrale : il se proclama représentant de
l'empereur et annonça la réouverture prochaine du
concile œcuménique de Bâle, qui n'avait jamais été

formellement clos. Il poursuivit ensuite sa campagne d'agitation à Berne. L'empereur confirma la protection qu'il accordait au prélat. Celui-ci, en juillet, lança des proclamations violentes contre le pape, qui l'excommunia. A la fin de l'été 1482, Florence et Milan envoyèrent des conseillers à Bâle pour assister l'archevêque. L'un d'eux était Baccio Ugolini, l'ami et le confident de Laurent. Durant la deuxième quinzaine de septembre, Ugolini réussit à rallier à l'archevêque de Carniole le Conseil des magistrats de Bâle. Florence était donc en mesure de susciter un antipape contre Sixte IV. En fait le péril avait été gonflé artificiellement, comme on s'en aperçut un peu plus tard lorsque l'empereur, ayant, en octobre, retiré sa protection, l'archevêque fut arrêté par le Conseil de Bâle et détenu en prison jusqu'à ce qu'on le trouvât pendu dans sa cellule, le 13 novembre 1484.

Pour lors, au début de l'automne 1482, la manœuvre conciliaire se révéla utile pour amener le pape à ouvrir des pourparlers de paix avec le duc de Calabre bientôt suivis d'une trêve. Son neveu Riario l'y avait d'ailleurs vivement incité, car il voulait avoir les mains libres afin de s'emparer de Rimini : l'héritier de Roberto Malatesta, le condottière qui avait donné la victoire à Sixte IV, était un petit enfant, Pandolfo. Par amour pour son neveu, le pape lui laissa dépouiller l'orphelin et la veuve : mais celle-ci, Isabelle de Montefeltre, était une femme énergique. Elle répudia, devant le danger, l'engagement conclu par son époux avec le Saint-Siège. Elle demanda l'aide de Florence que Laurent lui accorda et réussit à garder Rimini hors d'atteinte de Riario.

RETOURNEMENT DE ROME CONTRE VENISE. RAPPROCHEMENT AVEC FLORENCE

Décidément la chance tournait. Sixte IV se dépêcha de traiter. Le 12 décembre 1482 il signa la paix avec la ligue adverse. Les places conquises de part et d'autre seraient rendues, le Saint-Siège se rangerait au côté des alliés pour défendre Ferrare. Il s'engagerait avec eux dans une ligue de vingt ans. Il avait été convenu que l'on proposerait à Venise d'y adhérer. Or, en faisant la paix sans se soucier d'eux, le pape s'était aliéné les Vénitiens. Son envoyé, Sigismondo de Conti, essuya un refus très net lorsqu'il demanda, en décembre, au doge et au Conseil, d'accepter l'armistice : plutôt que de s'y rallier, Venise était prête à appeler les Turcs à son aide. Elle ne pouvait se résigner à se voir arracher une victoire facile sur Ferrare.

Tenu par la parole qu'il venait de donner, Sixte IV changea aussitôt, du tout au tout, son comportement. Il envoya son neveu à Ferrare, accompagné, comme légat, du cardinal Gonzague. L'ambassadeur de Venise quitta Rome prestement. Le 5 février, le condottière pontifical Cesare de Varano reçut l'ordre de partir pour Ferrare. Laurent de Médicis s'était fait envoyer à Rome en qualité d'ambassadeur afin de bien marquer que, dorénavant, l'alliance prenait le pas sur les anciennes injures : en signe de bonne volonté, le pape s'engagea à favoriser la carrière ecclésiastique du petit Jean de Médicis, alors âgé de sept ans. Laurent était à la recherche de gros bénéfices pour son fils et bientôt il allait en obtenir de ses alliés : Louis XI offrit l'abbaye de Fontdouce au diocèse de Saintes, à défaut de l'archevêché d'Aix, bénéfice trop important pour être tenu par un bambin ; le roi Ferrante dota l'enfant de l'abbaye du Mont-Cassin, l'une des plus riches de la chrétienté. Sixte IV ne pouvait pas, dans ces conditions, mettre d'obstacle à l'accession du petit Jean à ces dignités à la fois lucratives et singulièrement honorifiques.

Le pape décida de tenir avec ses alliés une conférence pour préparer une expédition punitive contre Venise, coupable de continuer, seule, la guerre de Ferrare.

LA DIÈTE DE CRÉMONE. OPÉRATIONS MILITAIRES CONTRE VENISE

A Crémone, le 28 février 1483, se réunit la diète des princes fédérés. Le pape était représenté par son légat, le cardinal François Gonzague. On y voyait Laurent de Médicis, le duc de Calabre, Ludovic le More et son frère Ascanio, le marquis de Mantoue Frédéric Gonzague, Giovanni Bentivoglio de Bologne, et, bien entendu, Hercule d'Este. Il fut décidé de mener l'offensive en territoire vénitien au-delà du Pô. Ludovic le More accepta à contrecœur d'y participer. Toutes les troupes disponibles furent réunies à Ferrare : les alliés avaient 4 000 hommes d'armes à cheval et 8 000 fantassins. Le 7 mars, ils rencontrèrent sur le Pô l'armée vénitienne, forte de 2 000 hommes d'armes et de 6 000 fantassins. Venise fut battue. Elle engagea alors comme condottière René II de Lorraine, l'héritier de René d'Anjou, toujours prêt à chercher aventure en Italie. Pendant qu'il contenait l'armée des fédérés, l'autre condottière vénitien, Roberto San Severino, devait franchir l'Adda, investir Milan et chercher à soulever la ville au nom du jeune duc et de sa mère contre Ludovic le More. Parallèlement à ces opérations, se déroulait une guerre maritime. Les alliés avaient dépensé 50 000 ducats pour lever une flotte, mais ils furent impuissants à empêcher les Vénitiens de ravager les côtes des Pouilles et à enlever au roi Ferrante l'importante place de Gallipoli. Enfin le pape se décida à employer les armes spirituelles : le 24 mai il publia une bulle frappant Venise d'interdit et l'envoya à tous les princes de l'Europe. Cette démarche fut bien accueillie en France. Le roi Louis XI, craignant la mort, subissait l'influence de l'ermite François de Paule ; il s'empressa de publier la sentence pontificale.

Les opérations entraient dans une phase active. Dans l'été, laissant à Ferrare pour sa protection 4 000 cavaliers

et 2 000 fantassins, le duc de Calabre pénétra avec
12 000 cavaliers et 5 000 fantassins dans les régions de
Bergame, Brescia et Vérone. San Severino et Lorraine
résistaient avec beaucoup de peine. Ils défendaient
l'accès de Venise. En septembre 1483, son temps de
contrat terminé, Lorraine se retira. Le moment semblait
proche où l'ensemble des possessions vénitiennes de
terre ferme tomberait entre les mains des alliés. La
Sérénissime appelait en vain à l'aide Anne de Beaujeu,
qui gouvernait maintenant la France pour son jeune
frère Charles VIII. Dans cette extrémité, le salut lui vint
des troubles qui éclatèrent dans le camp des vainqueurs.
De mai à juin 1484 une terrible querelle entre les Orsini
et les Colonna mit Rome à feu et à sang. La mort de
Frédéric Gonzague, en juin, priva les alliés d'un élément
modérateur capable d'apaiser les dissensions entre
Ludovic le More et le duc de Calabre : ce dernier
souhaitait voir le jeune duc de Milan, Gian Galeazzo,
époux de sa fille Isabelle, prendre effectivement le
pouvoir. Le désir impérieux d'éloigner les Napolitains
de Milan poussa Ludovic à signer à Bagnolo, près de
Brescia, le 7 août 1484, une paix qui était un triomphe
pour les Vénitiens : ils recouvraient toutes leurs possessions, annexaient Rovigo et la Polésine et obligeaient
Ferrare à reconnaître leur prééminence. Ils entraient
dans la ligue des Etats italiens, mais pour y commander :
leur condottière San Severino devenait commandant en
chef des troupes alliées avec une solde annuelle de
20 000 ducats. Ils restituaient Gallipoli au roi de Naples.
Secrètement, ils avaient accordé, d'après Commines,
60 000 ducats à Ludovic le More. Mais Florence et Rome
n'obtenaient aucun avantage.

MORT DE SIXTE IV. ÉLECTION D'INNOCENT VIII

Le pape Sixte, malade depuis quelque temps, était
alité avec une forte fièvre quand on lui apprit la
conclusion de la paix. Il fut profondément ulcéré par la

traîtrise du More et de son frère, le cardinal Ascanio Sforza. Dans l'agitation des remords et des regrets, son mal empira. Le 12 août, dans la nuit, il mourut empli d'amertume. Le comte Riario était absent de Rome. Sa femme, Catherine Sforza, eut la présence d'esprit de se retrancher dans le château Saint-Ange où, peu après, son époux vint la retrouver.

Dans la ville, la vindicte des Colonna se donna libre cours. Leurs partisans pillèrent les palais du comte Riario et des Orsini. A leur suite, le peuple misérable s'attaqua aux magasins à grains et aux navires génois chargés de vin, amarrés aux quais du Tibre. Il fallait rétablir le calme pour pouvoir ouvrir le conclave. Le collège des cardinaux négocia la reddition de la forteresse pontificale, le château Saint-Ange, qui protégeait le Vatican : Riario la laissa contre 4 000 ducats et se retira à Imola. Sous la garde des troupes pontificales, le conclave élut, le 29 août, le cardinal génois Giambattista Cibo, qui prit le nom d'Innocent VIII.

LA QUESTION DES PLACES FORTES DE SARZANA ET PIETRA SANTA

Florence applaudit à l'élection pontificale. Elle espérait que le nouveau pontife l'aiderait à tirer profit de la paix de Bagnolo. Lorsque celle-ci avait été signée, les Florentins étaient engagés dans le siège de Sarzana, passée depuis 1479 sous la domination génoise. Gênes, comprise dans le traité comme alliée de Venise, devait rendre les places qu'elle occupait indûment : c'était le raisonnement florentin. Bien entendu, Agostino Fregoso, qui défendait la place, ne l'entendait pas ainsi ; le gouvernement de Gênes non plus, bien qu'il fût alors en pleine anarchie, l'archevêque de la ville ayant arraché le pouvoir au doge, son parent. Le nouveau pape, un Génois, pourrait peut-être leur faire entendre raison. L'espoir se révéla rapidement vain.

Abandonnant momentanément l'action diplomatique auprès de la Curie romaine, Laurent et ses conseillers décidèrent d'amplifier leur pression sur Sarzana. En septembre 1484 toutes les troupes florentines disponibles encerclèrent la place. Agostino Fregoso, que les troubles intérieurs de Gênes privaient de l'aide nécessaire, vendit la ville à la banque San Giorgio plutôt que de se rendre. Cette société constituait à Gênes un Etat dans l'Etat. Elle possédait d'immenses richesses. Elle percevait la plupart des revenus publics au titre du remboursement de prêts consentis à la République génoise. Elle prit tout de suite la situation en main, mit une flotte à la mer et renforça la garnison de Pietrasanta, une bourgade contrôlant le chemin de Florence à Sarzana. Les Florentins devaient nécessairement faire sauter ce verrou. Ils s'y employèrent avec vigueur.

La tâche n'était pas facile. Il fallait assurer, en même temps que le siège des deux places, la défense du territoire florentin. L'impudence des Génois ne connaissait pas de bornes. Ils prirent et brûlèrent le château fort de Vada. La flotte de la banque San Giorgio lança sur Livourne des pontons incendiaires. Mais le 5 novembre, Pietrasanta se rendit : le 8, Laurent vint recevoir sa capitulation. Ce succès — tout relatif, puisque Sarzana résistait toujours — faillit entraîner un nouveau conflit. Les Lucquois revendiquaient Pietrasanta, qui leur avait autrefois appartenu et qu'ils avaient simplement remise en gage à la banque San Giorgio. Florence écarta leur prétention avec habileté : elle y consentirait contre l'indemnisation des énormes frais engagés et des pertes en vies humaines subies pendant le siège.

L'épine de Pietrasanta enlevée, Laurent exigea de nouveau d'Innocent VIII qu'il fît entendre raison à ses compatriotes au sujet de Sarzana. Les Florentins étaient prêts, disait-il, s'ils n'obtenaient pas la place, à entrer de nouveau en guerre au printemps de 1485. Le risque était grand pour Florence : Gênes pouvait espérer en Toscane l'appui de Sienne et de Lucques. Elle avait fait appel à René de Lorraine et même au duc d'Orléans. Cependant les hostilités ne reprirent pas. La volonté politique faisait défaut.

Laurent, gravement atteint par la goutte, souffrait de très graves et subites douleurs d'estomac : il fut contraint de s'éloigner des affaires pour chercher du soulagement à ses maux dans des cures thermales. A Gênes, l'instabilité du régime ne se prêtait pas à une conduite ferme des opérations. Le pape, quant à lui, était tombé malade et avait dû renoncer à poursuivre son arbitrage. Mais le feu, momentanément étouffé entre Florence et Gênes, allait reprendre de plus belle, cette fois entre Innocent VIII et l'allié de Florence, le roi Ferrante de Naples.

LE DIFFÉREND D'INNOCENT VIII ET DU ROI DE NAPLES

Giambattista Cibo, cardinal de Sainte-Cécile, avant de devenir pape, avait été étroitement lié avec la Cour de Naples. Candidat à la tiare, soutenu par Giuliano della Rovere, le neveu de Sixte IV, par les Vénitiens et les Colonna, il n'avait été élu que grâce au ralliement d'Ascanio Sforza et de Jean d'Aragon, le fils du roi Ferrante.

Pour les Napolitains, ce Génois de cinquante-deux ans était presque un compatriote. Son père, un riche marchand de Gênes, trafiquait à Naples, où le jeune Giambattista avait été élevé et avait vécu dans l'atmosphère licencieuse de la Cour. Jeune clerc, voué à la carrière ecclésiastique, il s'était, dans la fougue de la jeunesse, livré sans retenue aux plaisirs de l'amour : de diverses femmes, il avait eu sept enfants, dont deux, au moins, Teodorina et Franceschetto, étaient nés avant qu'il ait reçu la prêtrise. Il les reconnaissait comme ses enfants et fut le premier des pontifes à renoncer à l'appellation hypocrite de neveux pour les désigner. En 1467, Paul II lui avait conféré à trente-cinq ans l'évêché de Savone, qu'il échangea, sous Sixte IV, contre celui de Molfetta, une petite ville voisine de Bari sur la mer. Adriatique, que lui avait concédée le roi Ferrante. Il était devenu cardinal en 1473. De son existence mondaine et courtisane, il gardait des habitudes très douces, de bonté et de bienveillance, qui faisaient l'effet d'une faiblesse de caractère. En fait, il laissa prendre à l'énergique cardinal Giuliano della Rovere, le futur Jules II, une part prédominante dans le gouvernement de l'Eglise : Giovanni, le frère du cardinal, qui était déjà préfet de Rome, devint en décembre 1484 le chef des armées du Saint-Siège, avec le titre de capitaine général.

Ainsi donc, si le régime de Riario était terminé, celui des della Rovere, les autres neveux de Sixte IV, en prenait la relève. Laurent de Médicis ne s'y était pas trompé : « Envoyez une bonne lettre au cardinal della Rovere, commandait-il à son ambassadeur, en septembre, car il est pape, et plus que pape. » Le cardinal insufflait au nouveau pontife un esprit combatif qui n'était pas dans sa nature. Les Napolitains s'en aperçurent bientôt. Le duc Alphonse de Calabre passant par Rome, à son retour de Ferrare, fut reçu par le pape le 20 octobre 1486. Innocent VIII évoqua l'obédience et le tribut traditionnel que lui devait Ferrante. Or le duc, au lieu de confirmer l'envoi d'une ambassade prochaine à cet effet, présenta une réclamation arrogante. Son père avait engagé des frais considérables pour reprendre Otrante aux infidèles et il avait aidé, par le vote du cardinal son fils, à l'élévation d'Innocent VIII : en récompense il voulait annexer les territoires de Bénévent, Terracine et Ponte Corvo. Le refus péremptoire du pape, conseillé par le cardinal della Rovere, laissait prévoir une réaction violente du roi de Naples. Pour ne point se trouver isolé, Innocent VIII se rapprocha de Venise. Le 28 février 1485 il levait les censures ecclésiastiques de Sixte IV. La Sérénissime manifesta son contentement en envoyant une ambassade d'obédience à laquelle le pape répondit en mandant à Venise Tommaso Catanei, évêque de Cervia. L'évêque devait demander à la République de mettre son condottière Roberto San Severino au service du Saint-Siège.

Un conflit avec Naples paraissait désormais inévitable. Les finances napolitaines étaient totalement obérées par le poids des guerres menées sans discontinuité depuis de longues années. Ferrante avait été contraint de vendre ou d'engager ses biens personnels, ses bijoux et même les livres de sa bibliothèque auprès des banquiers florentins. Il imposa au clergé des contributions forcées et il en vint même à vendre des évêchés à des sujets indignes.

L'APPEL AU PAPE DES BARONS NAPOLITAINS

Réduit à chercher partout des ressources, Ferrante imagina de faire rendre gorge aux barons du royaume qui puisaient dans les caisses de l'Etat à la faveur des charges qu'ils exerçaient. Il provoqua ainsi la haine des principaux d'entre eux : Antonello San Severino, prince de Salerne et amiral, Pietro Guevara, comte d'Ariano, marquis del Vasto et grand sénéchal, et Pirro del Balzo, prince d'Altamura et grand connétable. La conjuration qui se forma contre Ferrante s'étendit à des seigneurs féodaux de tous ordres, comme les Orsini ou le comte de Montorio, Pietro Camponeschi, qui gouvernait la cité des Abruzzes, l'Aquila. Mais elle comprenait aussi des proches de Ferrante, un nouveau riche, Francesco Coppola, comte de Sarno, associé du roi dans des affaires commerciales, ainsi que le propre secrétaire royal, Antonello Petrucci, et son fils.

L'opposition ne s'était pas encore déclarée lorsque le roi, le jour des saints Pierre et Paul, fit acte d'hommage à Rome. Son ambassadeur présenta la haquenée blanche offerte traditionnellement au Saint-Siège en signe d'hommage féodal. Mais il ne remit pas le tribut qui devait l'accompagner. Il s'excusa en invoquant les dépenses considérables qu'il avait engagées contre les Turcs. Loin de se laisser fléchir, Innocent VIII se fâcha. Il refusa la monture et renvoya l'ambassadeur. Son hostilité envers Ferrante ne demandait qu'une occasion pour éclater. Celle-ci n'allait pas tarder à survenir.

En possession de bon nombre d'indices, le duc de Calabre avait décidé de ne pas attendre le soulèvement des grands seigneurs et de prendre l'offensive contre eux. Le comte de Montorio était l'un des plus dangereux conjurés. A l'Aquila, loin de Naples, il était quasiment indépendant. En juin, sous un faux prétexte, le duc l'attira à Chieti et le fit prisonnier.

Dès qu'ils apprirent la nouvelle, les habitants de l'Aquila prirent les armes. Ils mirent à mort le commissaire du roi de Naples et plusieurs citoyens accusés de collaboration avec les Napolitains. Ils arborèrent le drapeau du Saint-Siège. Ils envoyèrent une ambassade au pape pour lui livrer leur ville. Ils lui demandèrent d'assurer leur défense contre le roi-tyran. Innocent VIII reçut avec empressement cette requête en même temps d'ailleurs qu'un appel des barons napolitains. Solidaires de Montorio, ils s'adressaient à lui comme à leur suzerain.

Au nom du roi Ferrante, son fils, le cardinal Jean d'Aragon, vint supplier le pape de ne point s'engager au côté des rebelles. Mais, victime de la peste qui rôdait à Rome depuis le début de l'été, il dut bientôt interrompre ses pourparlers et s'aliter avant d'expirer, le 17 octobre. Il avait trouvé dans le Sacré-Collège un adversaire résolu en la personne de Julien della Rovere. Celui-ci, ennemi farouche du roi de Naples, avait fait convoquer ses collègues par le pape dès le 4 octobre, et il arracha leur assentiment à une déclaration de guerre contre Ferrante. Une bulle du 14 octobre, affichée dix jours plus tard sur les portes de Saint-Pierre, annonça la décision du pape à la Chrétienté.

LA « GUERRE DE L'AQUILA »

A Rome et à Naples, chacun des camps se préparait à l'affrontement. Ferrante battit le rappel de ses alliés. Il pouvait compter sur les Orsini à l'intérieur de l'Etat pontifical. Mais il avait surtout besoin de l'aide effective des Etats liés à Naples par l'accord défensif de la récente ligue.

La position de Florence était délicate. La République venait de faire sa paix avec Rome après le dur affrontement qui l'avait ébranlée. Elle ne souhaitait pas encourir de nouveau les effets déplorables des censures pontificales. De plus, elle comptait sur la médiation en cours d'Innocent VIII pour récupérer Sarzana. Le pape fit exposer ses arguments à Laurent par son oncle, l'archevêque Rinaldo Orsini. Mais Florence n'avait pas intérêt à reconnaître l'extension du pouvoir pontifical dans les Abruzzes et à favoriser la constitution d'un Etat nouveau, du genre de celui d'Imola, qui irait sans nul doute aux della Rovere. Laurent donna donc l'ordre au comte de Pitigliano de marcher immédiatement sur Rome avec les quelques troupes disponibles à Florence. Il fit délivrer en même temps aux Orsini les sommes nécessaires à leur prise d'armes.

Ludovic le More était plus réticent. Il craignait que le pape ne fît appel à René de Lorraine : le Milanais serait alors envahi. D'autre part, le péril vénitien demeurait très préoccupant et Gênes, dont le pape était originaire, le soutiendrait totalement. Aussi Milan n'offrit à Naples qu'une participation symbolique à sa défense : cent cavaliers.

Le roi Ferrante fut plus heureux auprès de son gendre Mathias Corvin, roi de Hongrie, qui lui promit une aide militaire — elle devait arriver assez tard à Naples, au printemps de 1486, sous la forme d'un corps expéditionnaire de mille cavaliers et de sept cents fantassins. Mais le roi de Hongrie présentait l'avantage de servir d'épouvantail contre Venise, désormais alliée du Saint-Siège.

Le gouvernement de Venise avait accepté de mettre son condottière Roberto San Severino à la disposition de Rome. Impatient d'en bénéficier, Innocent VIII le fit venir le 10 novembre à Rome, avant même le gros de ses troupes. Il le mit en rapport avec les chefs des familles féodales Savelli et Colonna, qui avaient déjà mobilisé leurs propres troupes. Le 30, Roberto était proclamé gonfalonier de l'Eglise. Le pape envoya un premier contingent pour aider les révoltés de l'Aquila. Mais l'affrontement devait se produire dans la campagne romaine, le duc de Calabre ayant fait sa jonction avec ses alliés, les Orsini et les soldats florentins, à Vicovaro. Rome était presque bloquée lorsque les troupes de San Severino y firent leur entrée le 24 décembre. Immédiatement elles commencèrent l'action : avant la fin décembre elles prirent d'assaut le pont de la voie Nomentane qu'occupait le duc de Calabre ; en janvier 1486 la ville de Mentana fut enlevée aux Orsini ; le cardinal Orsini, effrayé, ouvrit les portes de Monte Rotondo ; enfin, se sentant abandonné, Alphonse de Calabre s'enfuit et ses troupes firent en hâte retraite sur Vicovaro, à la grande indignation des Florentins. La diplomatie pontificale marquait des points en dénonçant le roi de Naples à l'empereur, aux rois catholiques d'Espagne, Ferdinand et Isabelle, et à la plupart des princes chrétiens. Le cardinal Balue, ambassadeur de Charles VIII à Rome, et le cardinal della Rovere avaient persuadé Innocent VIII qu'il fallait appeler la France au secours. Le 23 mars, Giuliano della Rovere s'embarqua à Ostie et se rendit à Gênes, où il négocia activement avec l'ambassadeur du duc de Lorraine en même temps qu'il faisait armer une flotte pour le Saint-Siège. Mais, alors que Rome marquait un peu partout des avantages, Alphonse de Calabre, après ce que l'on avait qualifié de fuite et qui n'était qu'un repli stratégique, reprit l'offensive et infligea un échec à Roberto San Severino, près de Montorio. Les agents florentins, pour leur part, provoquèrent, au même moment, des soulèvements contre les

253

représentants du pape à Pérouse, Citta di Castello, Viterbe, Assise, Foligno, Montefolco, Spolète, Todi et Orvieto. L'anarchie se répandait dans tout l'Etat pontifical. Le pape avait appelé à la défense de Rome tous les bannis et condamnés, en leur remettant d'office leurs peines. La plupart en profitèrent pour s'installer dans des places où ils s'arrogèrent tout le pouvoir.

Au mois d'avril 1486, un chef de bandes, Boccolino Gozzoni, s'empara d'Osimo. On annonçait que Mathias Corvin envoyait des troupes pour occuper Ancône. Des vaisseaux turcs croisaient le long des côtes adriatiques. Le trésor pontifical, trop sollicité pour le paiement des frais de guerre, était vide. Après une apparence de succès, les affaires du pape allaient fort mal.

Certes le 31 mai, les ambassadeurs du roi de France et du duc René de Lorraine étaient venus à Rome pour proposer une action commune contre Naples. Mais les représentants du roi Ferdinand d'Aragon prenaient le contrepied de leurs propositions. Soutenus par les cardinaux Borgia et Savelli, ils travaillaient à un arrangement avec le roi de Naples. Sur ces entrefaites, l'Aquila changea de camp et se souleva contre la souveraineté du Saint-Siège. Alphonse de Calabre parvint aux portes de Rome.

LA PAIX DE 1486 ENTRE ROME ET NAPLES. LA VENGEANCE DE FERRANTE CONTRE SES BARONS

Innocent VIII était acculé à la paix. Il la signa le 11 août 1486, sous la garantie des rois catholiques d'Espagne, de Milan et de Florence. Ferrante reconnaissait la suzeraineté du pape. Il paierait le tribut en s'acquittant des annuités en retard. Il accorderait l'amnistie aux barons qui feraient leur soumission. L'Aquila serait libre d'opter entre Rome et Naples. Le pape se réconcilierait avec les Orsini, qui lui demanderaient pardon. Il aurait toute liberté de concéder les évêchés et les bénéfices dans le royaume de Naples.

La paix à peine signée, le condottière San Severino prit la fuite, poursuivi par le duc de Calabre et les Florentins, et se réfugia à Ravenne. Le Saint-Siège était dépourvu de toute force de résistance. Ferrante en tira la conclusion rapide. Dès le mois de septembre, il déchira la traité qui venait d'être conclu. Il chassa de l'Aquila les troupes du pape, mit à mort son gouverneur et imposa durement sa souveraineté. A Naples il tira une vengeance terrible de ses barons.

Le surlendemain de la signature de la paix, Francesco Coppola, Antonello Petrucci, les comtes de Carinola, de Policastro et de Borelo, ainsi que le conseiller Giovanni Pou, avaient été invités par Ferrante au château Neuf de Naples en compagnie de leurs femmes et de leurs enfants. A peine venaient-ils d'entrer dans la grande salle qu'ils furent faits prisonniers. Pendant qu'ils croupissaient dans les plus sombres cachots de la forteresse, on instruisit leur procès pour trahison. Mais sans en attendre l'issue, le roi saisit tous leurs biens, les mit en vente et en tira 300 000 ducats. Carinola et Policastro furent exécutés en novembre 1486. Sarno et Petrucci en mai 1487. Les autres comparses qui n'avaient pas été arrêtés à Naples, les princes d'Altamura et de Bisagno, le duc de Melfi, les comtes de Lauria et de Melito, furent assassinés par des hommes de main lancés à leur poursuite ou jetés à la mer. Avec tout l'argent qu'il tira des confiscations de leurs biens, le roi put payer les meilleurs condottières du temps, Virginio Orsini, Prospero et Fabrizio Colonna et Gian Francesco Trivulzio.

RAPPROCHEMENT D'INNOCENT VIII ET DE LAURENT : MARIAGE DE MADDALENA ET DE FRANCESCHETTO CIBO, REPRISE DE SARZANA ; PROMOTION CARDINALICE DE JEAN DE MÉDICIS

Le renforcement sanglant de son allié napolitain profitait à Laurent de Médicis. Le pape, effrayé de

l'attitude violente de Ferrante, se mit à chercher éperdu-
ment des alliés. Il renoua formellement avec Venise,
avec qui il signa une ligue en février 1487. Mais la
Sérénissime, alors en plein conflit avec Sigismond,
archiduc d'Autriche et comte de Tyrol, ne pouvait guère
lui être utile contre Naples et Milan. Alors le pontife se
rapprocha étroitement de Florence.

En mars 1487, fut décidé le mariage de Franceschetto
Cibo, le fils quadragénaire d'Innocent VIII, avec Maddalena, la troisième fille de Laurent et de Clarice Orsini.
Les deux parties échangèrent, en signe d'accord et
d'amitié, leurs bons offices dans deux affaires pendan-
tes. Laurent proposa sa médiation entre le pape, dont les
condottières étaient impuissants, et Boccolino Gozzoni,
qui usurpait le gouvernement d'Osimo dans la Marche et
menaçait de remettre la place à Bajazet II. Contre
7 000 ducats, Gozzoni se retira à Florence et, de là, à
Milan, où Ludovic le More le fit bientôt exécuter comme
aventurier dangereux.

En contrepartie, Innocent VIII intervint dans l'affaire
de Sarzana auprès des Génois et de la banque San
Giorgio. Sa démarche fut malheureuse. Elle fut accueillie comme une provocation par Gênes qui envoya
3 000 fantassins assiéger le fort de Sarzanello, proche de
Sarzana, qui appartenait aux Florentins. Un effort
militaire sans précédent, doublé de missions diplomatiques auprès de Naples, Venise et Milan — qui n'envoyèrent que des encouragements —, aboutit enfin à la
victoire de Florence : en avril 1487 les Génois furent
battus par une grande armée placée sous le contrôle
de Jacopo Guicciardini et Piero Vettori. Mais Sarzana
tarda à capituler : elle ne le fit que le 22 juin, entre
les mains de Laurent lui-même, qui s'était rendu au
camp.

L'appui du pape avait été purement théorique. En
fait, jamais la faiblesse d'Innocent VIII n'avait été plus
grande sur le plan international. L'agressivité du roi de
Naples avait atteint un point extrême : en juillet 1487,

quand le nonce Vicentino lui demanda de s'expliquer sur ses violations du traité, il partit pour la chasse sans lui donner audience. Le pape se pressa de conclure le mariage Médicis : Clarice et sa fille Maddalena vinrent en novembre à Rome. Le pape fit don à sa future bru d'un joyau de 8 000 ducats et à son fils d'un autre bijou de 2 000 ducats. Le 20 janvier 1488 eut lieu la signature du contrat. Laurent attendait mieux encore d'Innocent VIII : le chapeau de cardinal pour son second fils, Jean. En juin 1487, il avait trouvé au Sacré-Collège des défenseurs zélés, notamment les cardinaux Sforza et Borgia. Mais le pontife recula autant qu'il le put la concesssion, compte tenu de la jeunesse du candidat. Le promotion cardinalice, décidée en février 1489, ne fut officiellement annoncée que le 10 mars. Elle était faite *in petto*. Elle devait être différée pendant trois ans : la consigne, imposée sous peine d'excommunication, ne fut pas appliquée par Laurent, qui, tout joyeux, communiqua la nouvelle le jour même, à toutes les puissances amies. Il ne lui convenait pas de se taire alors que, disait-il, il avait bien dépensé 200 000 florins pour gagner le pape et les cardinaux.

Ainsi Laurent avait réalisé l'un de ses rêves : accéder au rang de prince, en s'associant aux Cibo : une famille, certes, d'assez modeste origine, mais qui régnait sur le trône le plus prestigieux du monde. La nomination cardinalice de Jean, comme l'écrit Machiavel, était « une échelle pour faire monter au ciel les Médicis ».

ÉVÉNEMENTS FAMILIAUX : MARIAGE DE PIERRE DE MÉDICIS ; MORT DE CLARICE ORSINI

Pour consolider la position princière que sa famille occupait à Rome, Laurent avait décidé de renouer les liens qui l'attachaient aux Orsini. Alfonsina, petite cousine de Clarice, avait été unie en 1487 à Pierre de

Médicis, âgé de seize ans. Le mariage avait eu lieu par procuration au mois de mars à Naples, où résidait Alfonsina, dont le frère était condottière du roi Ferrante. Profitant du séjour de Maddalena et sa mère à Rome, Laurent y envoya en mai 1488 son fils Pierre, en compagnie de Politien, pour consommer le mariage : Alfonsina avait regagné le berceau de sa famille après la mort de son père au service de Naples. Laurent ne put se déplacer pour assister aux cérémonies : son état de santé était déplorable. Les liens matrimoniaux dûment scellés, Pierre et sa jeune femme de seize ans, Clarice et Maddalena, revinrent à Florence. Laurent avait demandé et obtenu du pape que Franceschetto n'accompagnât point Maddalena. Celle-ci n'était pas trop jeune pour consommer le mariage : elle avait seize ans. Mais sa mère voulait la garder à ses côtés dans l'état de faiblesse où elle était réduite et qui semblait lui laisser peu de temps à vivre.

Le fils du pape entendait profiter de son alliance avec les Médicis pour obtenir un établissement personnel important. Mais, au printemps, Laurent ne lui avait pas encore versé la dot de Maddalena. Franceschetto lui demanda de l'aider au moins à se constituer un Etat seigneurial qui aurait eu Piombino, Citta di Castello ou encore Sienne comme capitale : Innocent VIII n'appuya pas la demande de son fils, au désespoir de celui-ci.

Peu à peu, autour de Laurent, la famille s'élargit par les mariages. L'an 1488, en plus des unions de Pierre et de Maddalena, voit se sceller celle de Lucrezia qui épouse, à dix-huit ans, Jacopo Salviati, et celle de Luisa, qui, âgée de onze ans, est solennellement fiancée avec son cousin Jean, fils de Pierfrancesco de Médicis. Au foyer de Laurent et de Clarice il ne reste plus à fiancer que les plus jeunes, Contessina et Julien, qui ont, respectivement, l'une dix et l'autre neuf ans. Tout se passe comme si le ménage avait hâte de donner à chacun des enfants une situation personnelle prospère permet-

tant de faire face aux aléas de la vie et en même temps de
resserrer la solidarité des Médicis avec de grandes et
nobles familles. Or le malheur ne tarde pas à frapper : la
mort emporte successivement Bianca, la sœur de Laurent, épouse de Guglielmo Pazzi, puis la petite Luisa,
que l'on vient de fiancer. Pierre et Alfonsina, sa jeune
femme, qui devaient fêter à Florence leur récent
mariage, sont contraints de s'arrêter à la villa de Careggi
où l'on organise en leur honneur un grand banquet avec
la participation des notables de la ville et des ambassadeurs auprès de la République florentine.

Peu après, Franceschetto Cibo, entouré de la fleur de
la noblesse romaine, vient retrouver son épouse à
Florence. Il est logé dans le palais confisqué à Jacopo
Pazzi. Le peuple l'acclame en criant « Cibo et *Palle !* »
L'accueil s'accompagne de fêtes superbes : c'est la
première fois que l'on célèbre de nouveau — dans la
joie — la Saint-Jean, depuis la conjuration des Pazzi.
Cette fête sera la dernière dont Clarice, la femme de
Laurent, entendra les échos. La tuberculose la mine
inexorablement. Le 29 juillet, au cours de la nuit, elle
s'éteint pieusement, entourée de ses enfants mais en
l'absence de son mari qu'une crise aiguë de goutte avait
forcé à se rendre peu auparavant aux eaux de Filetta :
c'est Pierre, le fils aîné, qui conduit le deuil.

LAURENT PROTECTEUR DES PRINCIPAUTÉS DE ROMAGNE

Le gendre de Laurent n'avait pas assisté aux obsèques
de Clarice. Son père, le pape, l'avait envoyé en mission à
Pérouse pour arbitrer le différend entre les familles
Baglioni et Oddi. Il n'avait pas réussi à se constituer une
principauté, bien qu'il eût été à deux doigts d'y réussir
au mois d'avril : des conjurés de Forli avaient mis à
mort, le 14 de ce mois, le comte Girolamo Riario.
Certains supposèrent que Laurent et Innocent VIII
avaient fort bien pu armer le bras des meurtriers pour

rendre vacant l'Etat d'Imola en faveur de Franceschetto. Mais Catherine Sforza, la veuve de Girolamo, s'emparant de la citadelle qui commandait la ville, reprit le dessus sur les conjurés et proclama héritier son fils Ottaviano : Laurent tira la leçon de cet acte courageux. N'essayant plus de la ruiner, il s'allia à la veuve héroïque en lui offrant la main de Jean de Médicis, qui venait de perdre sa jeune fiancée Luisa : il bâtissait à son insu la grandeur future de sa maison car, du couple qu'il venait de former, sortira beaucoup plus tard la dynastie des grands-ducs de Toscane.

L'échec relatif que Laurent avait reçu à Forli fut bientôt compensé par un succès qu'il remporta à Faenza. Galeotto Manfredi, qui possédait la place, cherchait à la vendre à Venise, ce qui aurait été très dangereux pour Florence car son territoire serait devenu limitrophe de celui de la Sérénissime. Fort opportunément, le 31 mai 1488, Galeotto fut assassiné par sa femme Francesca, mue par la jalousie et par les encouragements de son père Giovanni Bentivoglio de Bologne, intéressé par l'annexion de Faenza. Le peuple de Faenza, qui souhaitait garder son indépendance, se souleva au nom du jeune Astorre Manfredi et se mit sous la protection de Florence. Laurent n'attendait que cet appel : il y répondit en envoyant des soldats et s'empara, chemin faisant, de la forteresse de Piancaldoli que le comte Girolamo Riario avait enlevée naguère à Florence. Placées en position de force, les troupes florentines vinrent à bout du château de Faenza le 9 juin. Laurent, qui avait fait prisonnier Bentivoglio, lui rendit la liberté, mais il écarta du petit Astorre sa mère meurtrière et le plaça sous la tutelle florentine.

Ainsi l'été de 1488 vit Laurent régler le problème des principautés de Romagne au mieux des intérêts de Florence. Les seigneurs d'Imola et de Faenza passaient, pratiquement, sous son protectorat. Enfin était constituée une barrière de petits Etats formant une sorte de glacis protecteur devant les frontières florentines. Certes, l'appétit rapace des grands voisins de la République n'était pas éteint, mais Milan et Venise étaient absorbés, l'un et l'autre, par des problèmes pressants. Ludovic le More devait compter avec la rivalité inquiétante de son neveu le duc Gian Galeazzo, soutenu par sa femme Isabelle d'Aragon et par son beau-père le duc Alphonse de Calabre. Quant à Venise, qui continuait la lutte contre les Turcs, elle était immobilisée par un second front ouvert contre la Maison d'Autriche. Des guerres successives occupèrent les troupes vénitiennes contre Sigismond puis contre Maximilien, élu roi des Romains en 1486 et qui bientôt réunit dans ses mains toutes les possessions autrichiennes, notamment le Tyrol, d'où il fit peser sur le domaine vénitien une menace continuelle.

Alors qu'Innocent VIII et Ferrante de Naples continuaient de se heurter à propos du tribut et du massacre des barons, Laurent de Médicis, magnanime et désintéressé en apparence, semblait le médiateur-né, le prince de la paix dans l'Italie déchirée par les passions et les haines.

Suivant la voix populaire, il était l'axe de la balance indiquant la position idéale où devait se tenir chaque puissance pour préserver l'équilibre du pays.

CHAPITRE II
Jonglerie financière et maîtrise politique

COMPLOT DE BALDOVINETTI ET FRESCOBALDI. IMPOPULA-
RITÉ DES PRESSIONS FISCALES

A l'intérieur de Florence, l'échec des Pazzi donne à
Laurent de Médicis le moyen de contrôler le gouvernement par l'intermédiaire du Conseil des Soixante-Dix,
dont les délibérations sont régulièrement approuvées
par les anciens Conseils et appliquées par la Seigneurie.

En juin 1481, l'échec d'un nouveau complot lui
permet de se faire reconnaître indirectement la dignité
d'un véritable chef d'Etat. L'affaire semble avoir été de
peu d'importance. Elle était fondée sur la rancœur de
deux notables qui s'estimaient injustement tenus à
l'écart des charges officielles. Le premier, Marotto
Baldovinetti, était connu pour avoir entretenu des
rapports avec Girolamo Riario. Le second, Battista
Frescobaldi, ancien représentant de Florence en Turquie, avait fait capturer Bernardo Bandini, l'un des
meurtriers de Julien de Médicis. Il l'avait livré à Laurent
mais n'en avait retiré aucun avantage particulier.
Furieux de cette ingratitude, il imagina de recommencer
contre Laurent l'attentat manqué des Pazzi. Les deux
hommes furent condamnés dès qu'on eut vent de leurs
desseins. Ils furent pendus le 6 juin aux fenêtres du

Bargello, en compagnie d'un de leurs amis. Cette exécution sommaire parut à beaucoup imméritée, car le complot n'avait eu aucun début de réalisation, mais la Seigneurie et le Conseil des Soixante-Dix voulaient faire un exemple. Il fut clair désormais que quiconque offenserait Laurent serait poursuivi pour crime de lèse-majesté.

Cette sévérité était peut-être motivée par le mécontentement qui grandissait à la suite de mesures fiscales impopulaires : elles avaient été imposées pour parer aux nécessités de la guerre contre Naples et la papauté. Sur la base de l'appréciation des fortunes, l'impôt était progressif. En mai 1480, il était de 5 % pour la catégorie la moins riche, comprenant les citoyens qui avaient de 1 à 50 florins de revenu, et de 16,33 % pour les riches qui bénéficiaient de revenus de 1 200 florins et plus. En janvier 1481, la taxe des plus fortunés fut portée à 22 %. On appela cet impôt *decima scalata,* c'est-à-dire « décime échelonnée » : il devait rapporter à l'Etat le dixième de tous les revenus de Florence, c'est-à-dire au moins 25 000 florins. Un impôt par tête, dit « capitation », frappa également de façon progressive les citoyens en fonction de leur taxe sur le revenu : celui qui était taxé à 7 % payait 1 florin 4 sous 4/5 de capitation ; celui qui était taxé à 22 % devait payer 4 florins 4 sous 4/5 de capitation. On levait un nombre variable de décimes par an.

Au printemps de 1482, alors que s'engageait la guerre de Ferrare, la fiscalité atteignit son poids le plus lourd.

Le 5 mars 1482, il fut décidé que le montant des recettes fiscales devrait atteindre 150 000 florins par an, ce qui correspondait à six fois le montant d'une *decima scalata.* Or, en juin, l'entrée en campagne des condottières qui combattaient pour Florence imposa un surcroît de charges. Un nouvel impôt fut créé. On le nomma le *dispiacente sgravato,* autrement dit l' « impôt déplaisant dégrevé », car les contribuables pouvaient faire valoir des droits à dégrèvement jusqu'au quart de leur cote.

Des décharges supérieures étaient possibles, mais les répartiteurs ne pouvaient les décider qu'après avoir pris l'autorisation de la Seigneurie et des Collèges.

« Décime » et « Déplaisant » alternèrent régulièrement de septembre 1482 à novembre 1488. On perçut ainsi 44 *dispiacenti* et 33 demi-*decime scalate*. Les citoyens payaient comptant ou utilisaient les intérêts des sommes qu'ils avaient placées auprès du *Monte*, la caisse publique. Mais le *Monte* retenait parfois l'ensemble des intérêts, ou la moitié, le tiers ou le quart, pour amortir la dette de l'Etat, et il fallait alors payer comptant, ce qui fut le cas pour les vingt-six tranches d'impôts levées de 1485 à 1487.

RÉPERCUSSIONS FINANCIÈRES DE LA CONJURATION DES PAZZI : DIFFICULTÉS DES FILIALES DE LA BANQUE MÉDICIS À ROME, LYON ET FLORENCE

La pression fiscale qui ruinait les particuliers était également néfaste pour les entreprises, obligées de pratiquer la rigueur la plus grande dans la conduite de leurs affaires : la banque Médicis y était tenue plus que toute autre après la liquidation de ses filiales de Bruges et Venise, survenue en 1480. La conjuration des Pazzi entraîna le séquestre des biens des filiales de Rome et de Naples.

A Rome, la saisie s'accompagna de la répudiation des dettes de la Chambre apostolique envers la banque et de l'interdiction de négocier dans la ville. Giovanni Tornabuoni fut expulsé. Sixte IV transféra l'exploitation et la commercialisation de l'alun, naguère confiées aux Pazzi, à de grands marchands génois, les Cigala, Centurione et Doria, qui, de 1478 à 1480, se substituèrent aux Florentins.

Privé des facilités de change habituelles, Laurent fut obligé de solliciter, en juillet 1478, du chancelier milanais Simonetta, une énorme avance de 30 à

40 000 ducats. De mai à septembre 1478, il emprunta à
ses petits-cousins Giovanni et Lorenzo, les fils mineurs
de Pierfrancesco de Médicis, dont il était le tuteur,
l'équivalent d'une fortune : 53 643 florins. En 1485, les
jeunes gens devenus majeurs exigèrent de rentrer dans
leur argent. Incapable de s'acquitter, Laurent dut leur
céder la villa de Cafaggiolo et d'autres propriétés dans le
Mugello, sans cependant parvenir à les satisfaire. Il
retint une bonne partie des sommes qu'il avait prélevées
en prétendant qu'elle représentait la participation de
Giovanni et Lorenzo au tiers des pertes subies par la
compagnie Médicis sur la place de Londres, ainsi que
leur contribution à diverses dépenses somptuaires qui
avaient pourtant été engagées à l'insu de leur père
Pierfrancesco.

Il était essentiel de réorganiser les circuits commerciaux et bancaires dès que les circonstances s'y prête-
raient. A Rome, en décembre 1481, au moment même
où le pape se réconciliait avec Florence, Giovanni
Tornabuoni établit un compromis avec la Chambre
apostolique. Pour racheter sa dette envers les Médicis,
celle-ci leur offrit des stocks d'alun. Mieux aurait valu
obtenir de l'argent car il fut très difficile d'écouler le
minéral : les Génois contrôlaient l'ensemble du trafic de
l'alun pontifical, et les filiales Médicis à Bruges et
Londres, où l'on pouvait vendre de l'alun, avaient été
dissoutes. Un peu plus tard, il est vrai, vers 1485, la
firme réussit à reprendre pied dans le fructueux trafic du
minéral, mais très momentanément : le temps des profits commerciaux était révolu. Restait l'activité bancaire.
Le retour en faveur de Giovanni Tornabuoni auprès du
pape rendit confiance à la clientèle habituelle des
déposants. En 1483, le mouvement des fonds procura
des recettes convenables et aucune perte ne fut enregis-
trée. L'équilibre se maintint au moins jusqu'en 1487.
Cette année-là, Giovanni Tornabuoni conclut avec son
neveu Laurent le Magnifique un nouveau contrat d'association. On liquida l'ancienne société, on partagea

18 783 ducats, dont les trois quarts allèrent à Laurent et un quart à son oncle. Une nouvelle société bancaire fut constituée. Ses profits devaient être partagés dans la même proportion que l'avait été le capital de l'ancienne société. Elle devait assurer le contrôle de la filiale. Il était précisé que Giovanni Tornabuoni reprenait 3 000 ducats du capital qu'il avait investi dans la filiale de Lyon alors en très mauvaise passe et qu'il se retirait de la banque de Florence, la *Tavola*. Il préparait en quelque sorte sa retraite des affaires. Peu après il quitta Rome pour Florence, laissant la direction de la banque à son neveu Onofrio. La situation de l'établissement était obérée par les prêts considérables que Giovanni avait été contraint de consentir au pape Innocent VIII, à son fils Franceschetto ainsi qu'aux Orsini, afin de favoriser la politique familiale de Laurent.

Associé majoritaire de Laurent et directeur général de la banque Médicis, Francesco Sassetti n'avait été qu'indirectement concerné par les vicissitudes subies par la filiale de Rome. Il devait par contre subir lourdement le contrecoup de la mauvaise gestion de la banque Médicis de Lyon. Il y était l'associé de Laurent. La filiale avait pour directeur Lionetto Rossi, époux de Maria, la sœur naturelle de Laurent. Après la mort de sa femme en 1479, Lionetto, qui ne pouvait plus jouer de sa parenté pour s'assurer l'indulgence de Laurent, aurait dû choisir la voie de la prudence dans la conduite de ses affaires. Bien au contraire, il engagea la firme dans des opérations hasardeuses qui portèrent Laurent et Sassetti à envoyer à deux reprises à Lyon un enquêteur, Lorenzo Spinelli, agent des Médicis à Montpellier. Il apparut lors des contrôles que le capital de la filiale avait été immobilisé en grande partie dans des marchandises précieuses, des joyaux et de riches tapisseries qu'il était impossible de vendre rapidement pour redresser la balance commerciale. Lyon tirait sur la banque de Rome de telles sommes que Giovanni Tornabuoni dut à plusieurs reprises renoncer à honorer ses lettres de change. Enfin les droits dus à Rome par les ecclésiastiques français pour leurs bulles de nomination étaient retenus si longtemps à Lyon que cette place était constamment en défaut de paiement au regard de la Chambre apostolique romaine. Les compensations effectuées traditionnellement aux foires de Lyon entre les banquiers internationaux étaient également compromises du fait de la filiale Médicis.

Il était évident que Lionetto Rossi avait par ses agissements rendu sa banque insolvable. Laurent convoqua son beau-frère à Florence et, d'accord avec Sassetti, le fit arrêter et détenir prisonnier aux *Stinche,* en 1485, et de nouveau, après un court instant de remise en liberté, en 1487 : Lionetto devait à ses anciens associés 30 000 florins, qu'il fut tout à fait incapable de leur rembourser. Un nouvel enquêteur, Agostino Biliotti, révéla que le déficit de la filiale atteignait la somme astronomique de 50 000 écus. Pour sauver la banque de Lyon de la faillite, il fut nécessaire de dissoudre l'ancienne compagnie qui la gérait et d'établir une nouvelle société comprenant Laurent, Francesco Sassetti et Giovanni Tornabuoni, qui dut sans doute quelque peu y être forcé par son neveu Laurent. Lorenzo Spinelli fut nommé directeur. Mais il ne réussit pas à renflouer l'affaire. Le vieux Sassetti, malade et rhumatisant, fut obligé de se rendre lui-même en mai 1488 à Lyon pour contrôler l'entreprise : il s'aperçut que le nouveau directeur n'avait guère fait mieux que l'ancien. Il s'était attribué une part colossale de rémunération (3 000 écus). Il avait enlevé joyaux et objets précieux de la banque. Il s'était prêté à lui-même des fonds, plutôt pour équilibrer ses comptes que pour en profiter pour lui-même. Sassetti dut passer dix-sept mois en France pour essayer de faire rentrer les sommes prêtées à la noblesse et au haut clergé. La récupération de ces créances permit de remettre la filiale à flot. Mais la banque Médicis subissait le sort commun des autres banques italiennes installées à Lyon. Le gouvernement de Charles VIII en mars 1484 leur avait interdit de transférer des espèces en Italie et d'importer soieries et marchandises de luxe dans le royaume. La filiale continua cependant de jouer un grand rôle dans les relations entre Florence et la cour de France : elle s'occupa ainsi de négocier pour le jeune Jean de Médicis la collation par le roi Louis XI de l'abbaye de Fontdouce. Mais le moment de sa splendeur était définitivement révolu. La mort de Sassetti en mars 1490 et l'entrée comme partenaire de son fils, Cosimo, prétentieux et inefficace, précipitèrent la dégradation de la situation.

Parmi les autres filiales Médicis, la banque installée à Florence même, la *Tavola,* ou table de change, effectuait un ensemble très varié d'opérations. Ses transactions commerciales étaient actives, notamment avec l'Espagne et l'Orient, d'où étaient importés l'or et l'argent, ainsi que des matières précieuses comme la soie grège. Mais une bonne partie des profits de la *Tavola* venait du trafic des titres d'emprunt sur le *Monte,* la caisse publique de Florence : la banque achetait à bas prix ces titres, elle en percevait les intérêts et les revendait à profit. Le change qu'elle pratiquait de place à place était également fructueux.

A l'époque de la conjuration des Pazzi la responsabilité de cette filiale était confiée à Francesco Nori : celui-ci avait dirigé la banque de Lyon avant d'être expulsé de France par suite de mésentente avec Louis XI. Quand il fut tué, le 26 avril 1478, à Santa Maria del Fiore, en couvrant la fuite de Laurent, Lodovico Masi, son adjoint, prit sa place. La compagnie qui gérait la *Tavola* avait, comme associés majoritaires Laurent et Francesco Sassetti en 1482, puis, en 1484, Giovanni Tornabuoni et Agostino Biliotti. Peu à peu, le mouvement des affaires se ralentit sur la place de Florence.

En 1487, les grands associés, submergés par leurs propres difficultés, se retirèrent, et Laurent resta seul avec un associé mineur, Giambattista Bracci. Celui-ci, en 1494, après la chute politique des Médicis, devait être le liquidataire de la *Tavola,* qui fut séquestrée par la République avec tous les autres biens des Médicis. Mais à ce moment-là la banque de Florence avait cessé, comme toutes les autres banques florentines, de représenter une puissance financière : *l'Art du change,* autrefois florissant, était pratiquement réduit à néant.

SITUATION DES AFFAIRES A NAPLES, MILAN ET PISE

Sur les diverses places d'Italie, la période qui suivit la conjuration des Pazzi se solda également par un mouvement d'affaires assez négatif. A Naples, le roi Ferrante avait promulgué le 14 juin 1478 le séquestre de toutes les propriétés des Médicis. Ses officiers s'étaient emparés des marchandises entreposées à Trani et à Ostuni dans les Pouilles. Ils avaient occupé le bâtiment de la banque à Naples et saisi le registre de caisse. La restitution effectuée après la paix en mars 1479 ne permit pas la reprise des affaires : aucun compromis satisfaisant ne put être établi avec la Cour et les mauvaises dettes ne rentrèrent pas. Giovanni Tornabuoni, à Rome, se désespérait en constatant que la filiale de Naples devait en 1481 10000 ducats à celle de Rome et que lui-même avait engagé, sans espoir de récupération, 7000 ducats dans les affaires de cette filiale. En 1483, un examen sévère des comptes montra que les pertes des Médicis à Naples montaient à 30000 ducats. Francesco Nasi fut chargé de liquider la société. Il s'y employa si bien qu'il parvint à créer une société nouvelle dont il était principal actionnaire avec Laurent et qui, en 1490, avec un capital plus modeste de 9500 ducats, réussit à faire des bénéfices.

A Milan, la liquidation effectuée en 1478 fut confiée à Accerrito Portinari, le directeur, qui s'efforça de faire rentrer les plus importantes des créances et qui constitua ensuite sa propre société. C'est à lui que Laurent eut recours le 1er janvier 1481 lorsqu'il se trouva de nouveau devant un manque subit d'argent : Accerrito lui prêta 2 000 ducats. En compensation il eut l'usage pendant cinq ans du palais milanais de la banque Médicis. En 1486, à l'expiration de ce terme, Laurent donna commission à Folco Portinari de vendre le palais à Ludovic le More. L'affaire fut conclue pour 4 000 ducats. Le mobilier et les tapisseries n'étaient pas compris dans le prix.

La seule place italienne dans laquelle les affaires de Laurent prirent un certain essor fut Pise où, en 1486, il constitua avec Ilarione Martelli une société qui eut une durée limitée. En 1489, modifiée sous la forme d'une compagnie avec Giovanni Cambi, cette société prit le contrôle d'une association, la *magona* de Pietrasanta, près de Carrare, qui se vouait essentiellement à l'importation du minerai de fer de l'île d'Elbe, propriété des seigneurs de Piombino. Une fois traité par des maîtres de forges de la région de Pistoia ou d'Arezzo, le fer était vendu par la firme à Rome, Naples ou Palerme.

Les profits de cette activité étaient minces en comparaison de ceux qui avaient été précédemment tirés de l'exploitation et du commerce de l'alun. Dans le domaine industriel, le seul poste sur lequel des bénéfices substantiels pouvaient encore être espérés était le tissage de la soie : la manufacture que possédait la firme à Florence, quand elle fut reprise à la chute des Médicis en 1494 par Lorenzo, le fils de Giovanni Tornabuoni, avait adjoint à son capital de 7 500 florins plus de 11 000 florins, qui représentaient ses profits.

PROJETS DE RÉORGANISATION DES STRUCTURES DE LA BANQUE ; LES INSTITUTIONS PUBLIQUES AU SECOURS DES MÉDICIS

La complexité de ses affaires et la mauvaise conjoncture générale avaient amené Laurent vers 1482, après la liquidation des importantes filiales de Bruges et Venise, à envisager une refonte complète des structures de la

firme. Deux compagnies nouvelles auraient été constituées. La première, sous la direction de Francesco
Sassetti, aurait contrôlé la *Tavola* de Florence et les
filiales de Lyon et Pise. A la seconde, dirigée par
Giovanni Tornabuoni, auraient été rattachées les filiales
de Rome et de Naples. Le capital des deux compagnies
aurait été au minimum de 48 000 ducats, dont Laurent
aurait fourni 18 000, Sassetti et Tornabuoni chacun
15 000. On envisageait d'associer des partenaires minori-
taires pour 20 000 ducats. Le secteur de la soie devait
devenir prioritaire avec l'extension de l'atelier de Florence et la création d'une fabrique à Lyon sous la
direction de Francesco del Tovaglia.

Le motif essentiel de cette réorganisation était le
renforcement du contrôle du siège central sur toutes les
filiales, mais la réalisation n'en fut jamais entreprise,
sans doute à cause de la résistance des filiales, soucieuses
de garder leur autonomie. Le projet n'en fut pas moins
repris en 1486, cette fois sous forme d'une seule compagnie centrale avec Laurent, Sassetti et Tornabuoni
comme partenaires majoritaires, représentés chacun
dans les filiales locales. Mais cette restructuration
dépendait de Sassetti, qui n'en eut pas la volonté. Rien
n'avait été fait lorsqu'il mourut le 31 mars 1490.

En attendant ces réformes de structures il fallait bien
trouver les moyens de faire face aux difficultés financières qui ne cessaient de s'abattre sur la firme. Les
emprunts pouvaient certes donner un peu de « lar-
gesse », mais ils ne suffisaient pas. Tout autour des
Médicis, les autres grandes entreprises financières de
Florence faisaient faillite : elles étaient 62 en 1422, 33
seulement en 1470 et moins d'une demi-douzaine en
1494. Les banques étaient victimes d'une dépression
contre laquelle on ne connaissait pas de remède.

Les Médicis purent tenir bon plus longtemps que les
autres parce qu'ils pouvaient se faire aider par l'Etat. En
janvier 1495 la commune, qui venait de les chasser,
exigea de leurs représentants le remboursement de

74 948 florins, que Francesco della Tosa, garde de la caisse publique, avait remis à plusieurs reprises à Laurent ou à ses agents. On ne sait pas l'emploi que le Magnifique avait fait de cette très importante somme : peut-être s'en était-il servi pour rémunérer des services rendus à l'Etat ? Mais le fait que Lorenzo Tornabuoni et Giambattista Bracci, alors partenaire de la banque Médicis, aient été déclarés solidaires du remboursement, a fait supposer qu'il s'agissait plutôt de deniers publics utilisés dans les affaires privées de Laurent. Naturellement, il était possible à la banque Médicis de prélever au passage des commissions sur des marchés publics : la rumeur populaire se répandit ainsi que Laurent aurait perçu un pourcentage de 8 % sur les soldes payées aux condottières par la banque Bartolini, où il était intéressé. Cependant, de son vivant, nul ne se hasarda à formuler trop haut cette accusation ou d'autres du même genre.

NOUVELLES MESURES DE CONTRÔLE POLITIQUE

Depuis juillet 1481 le contrôle des finances était assuré par le Conseil des Cent, mais ce conseil était étroitement soumis au nouveau Conseil des Soixante-Dix, entièrement formé de personnes dévouées à Laurent. Une loi promulguée le 17 septembre 1484 consacra cet état de fait. Son application fut de nouveau prolongée en 1489 et en 1493. Elle confirma aux Soixante-Dix les pleins pouvoirs pour décider, année par année, du mode d'élection des membres du Conseil des Cent. Jusqu'alors la demi-session annuelle des Soixante-Dix, soit trente-cinq personnes, choisissait tous les deux mois les membres de la Seigneurie. Pour éviter des divergences de vues au sein d'un groupe somme toute encore assez nombreux, il fut décidé que le Conseil des Cent désignerait cinq personnes parmi les trente-cinq membres de la demi-session pour servir d'accoupleurs spécialement

chargés de désigner la Seigneurie. Le contrôle récipro-
que exercé par les deux Conseils avait pour but de faire
échouer les manœuvres de personnalités qui auraient
disposé, dans l'un ou l'autre des Conseils, d'un groupe
de partisans.

En ce qui concernait les autres charges de l'Etat,
notamment les fonctions de l'administration du territoire, qui demeuraient électives, un nouveau « scrutin », organisé par la loi du 17 septembre 1484, partagea
également entre les Soixante-Dix et les Cent le contrôle
de l'opération : les premiers en collaboration avec la
Seigneurie en charge nommèrent la commission des
231 citoyens chargés de recueillir les candidatures ; les
seconds désignèrent les 10 accoupleurs chargés de
constituer les listes correspondant à chacune des fonctions.

Le scrutin de 1484, bien connu par une relation de
Piero Guicciardini, permet de se rendre compte de la
manière dont Laurent participait aux actes politiques
essentiels de la vie de l'Etat. Les membres électifs de la
commission du scrutin devaient être choisis à raison d'un
chiffre maximum de deux membres par famille. Mais la
Seigneurie avait le droit d'augmenter le nombre des
représentants pour certaines familles de notables : en
conséquence on trouva parmi les membres élus 5 Médicis et 4 Ridolfi. Parmi ces Médicis se trouvait le jeune
cousin de Laurent, Lorenzo, fils de Pierfrancesco : il fut
récusé, sous le prétexte qu'il était inscrit sur la liste des
débiteurs du fisc. Peut-être faut-il voir là le résultat
d'une pression de Laurent sur la Seigneurie : Lorenzo
était sur le point d'engager contre son cousin une action
énergique pour obtenir le remboursement de l'argent
qui lui avait été extorqué depuis 1478. Il est vrai que,
peu après, Laurent le Magnifique, qui avait été nommé
l'un des dix accoupleurs du scrutin, le fit inscrire sur la
liste des candidats aptes à exercer les charges majeures
de l'administration du territoire, c'est-à-dire celles de
Capitaine et de Podestat de Pise. Le Magnifique voulait

bien favoriser son cousin à condition que ce fût loin de
Florence.

Les 8 000 noms inscrits lors du scrutin de 1484 pour la
qualification à la Seigneurie et à ses Collèges se répartis-
saient ainsi : 6 400 citoyens appartenaient aux Arts
majeurs et 1 600 aux Arts mineurs. Parmi les premiers,
environ 4 250 étaient membres de familles de notables :
les *popolani antichi nobili.* A côté des célèbres Bardi et
Strozzi, considérés comme d'authentiques *popolani,* ce
groupe rassemblait les vestiges des anciennes familles de
magnats, tels les Albizzi et les Peruzzi, et les membres
de véritables dynasties politiques, tels les Guicciardini,
les Corsini et les Soderini. Outre ces notables, un
important groupe de personnes était formé d'une bourgeoisie d' « hommes nouveaux » prenant progressivement le relais des anciennes familles, telle la famille
Serristori. Cette classe, dite *Gente nuova,* fournit plus de
la moitié de tous les candidats qualifiés pour les trois
charges majeures de l'Etat. Les dix accoupleurs de
scrutin, se ralliant à l'opinion de Laurent le Magnifique,
préférèrent donner des chances à ces hommes, dont ils
escomptaient une grande docilité, plutôt qu'aux anciennes familles de magnats. Cependant Laurent insista **pour**
que fussent favorisées les plus anciennes familles de
popolani, tels les Strozzi, qui s'étaient ralliés à lui.

Ainsi le choix des candidats s'effectuait de façon assez
souple, en tenant compte des capacités de chacun mais
aussi de la popularité du groupe auquel il appartenait.
En effet, les « hommes nouveaux » rassemblaient sur
leur nom les suffrages de leurs collègues en affaires
appartenant aux anciennes familles aussi bien que ceux
des citoyens issus des catégories sociales les plus humbles, dont ils étaient eux-mêmes sortis, et qui espéraient
par leur intermédiaire se faire entendre, prêts à constituer pour eux une clientèle.

LE RÔLE PERSONNEL DE LAURENT. SA PARTICIPATION AUX
COMMISSIONS DES FINANCES, DE LA POLICE ET DE LA GUERRE

Laurent ne se contentait pas d'agir indirectement au
sein des rouages complexes du système politique florentin. A l'occasion il payait de sa personne, réunissait dans
son palais les membres des Conseils, consultait la
Seigneurie, appuyait par ses lettres et ses ambassadeurs
personnels l'action de l'Etat. L'historien Francesco
Guicciardini le nomme *tiranno piacevole,* tyran aimable.
De 1478 jusqu'à sa mort, en 1492, il gouverne en accord
avec ses partisans, ce qui implique à la fois une entente
fondée sur la concertation et une adaptation très souple
aux circonstances imprévues de la conjoncture.

Parmi les atouts qui lui permirent d'atteindre la
maîtrise politique, il faut retenir son désintéressement
quant aux titres traditionnels de l'Etat florentin. Au
contraire de son père, il ne se fit jamais nommer membre de la Seigneurie : c'était une façon habile de rester au-dessus des prieurs et du gonfalonier. Par contre il
suivit de près les affaires financières comme membre de
la commission des Douze Procurateurs de 1484 à 1489,
et de celle des cinq officiers du *Monte* entre 1487 et 1490.

A deux reprises, en 1481-1482 et en 1490-1491, le
désordre monétaire nécessita la création d'une balie
spéciale, dite des Dix-Sept Réformateurs. La plupart des
historiens modernes qui se sont inspirés de Guicciardini,
depuis Reumont et Perrens, ont vu dans cette institution
temporaire un nouveau comité destiné à coiffer et à
neutraliser le Conseil des Soixante-Dix. L'historien
anglais Nicolai Rubinstein a fait justice de cette thèse :
les Dix-Sept avaient une charge précise et limitée dans le
temps. Leur mission était l'assainissement financier de
l'Etat. Pour y parvenir ils furent chargés en 1490
d'opérer une réforme monétaire dont l'impopularité
retomba sur Laurent, qui faisait partie de la commission.

Ils décidèrent de décrier les monnaies d'argent anciennes sous prétexte qu'elles étaient rognées et noires. Une nouvelle monnaie blanche fut frappée : elle comprenait deux onces d'argent par livre et valait un quart de plus que l'ancienne. Les gabelles, aux portes de la ville et dans le territoire, devaient être payées avec ces espèces. L'ancienne monnaie ne devait être reçue dans les caisses publiques qu'aux quatre cinquièmes de sa valeur. Par contre l'Etat continuerait de s'en servir au cours du marché pour payer ses propres dettes.

La réforme servit ainsi à équilibrer pour un temps le budget : les revenus de l'Etat s'étaient accrus d'un cinquième. Mais la mesure provoqua une augmentation brutale des prix et éveilla dans le peuple un très vif mécontentement. Déjà les citoyens se plaignaient de la manipulation des emprunts publics, de la cessation de paiement des intérêts et de la diminution des dots versées par l'Etat. Les Huit de garde, commission de la police, eurent fort à faire pour prévenir çà et là des émeutes populaires : l'une de celles-ci eut lieu en janvier 1489. Elle est racontée par Guidoni, l'ambassadeur d'Hercule d'Este. Un jeune homme est traîné en justice pour avoir tué un serviteur des Huit. Le peuple prend son parti, l'aide à s'échapper et le protège. Mais les Huit se rendent sur la place, la font évacuer et se saisissent par la force du jeune meurtrier. Des notables interviennent auprès de Laurent pour qu'il lui soit pardonné. Parmi eux se trouvent les cousins de Laurent, Lorenzo et Giovanni. Le Magnifique leur donne de bonnes paroles mais il fait hâter le procès du jeune homme, une sentence de mort est prononcée et immédiatement exécutée par pendaison à une fenêtre du Bargello. Quatre personnes du peuple qui avaient encouragé l'accusé à fuir sont arrêtées : on inflige à chacune quatre coups du supplice de la corde et le bannissement pour quatre ans. L'anecdote est caractéristique : Laurent n'avait point besoin, pour maintenir durement l'ordre, d'être membre de la commission de la police. Sa volonté se confondait avec celle des Huit de garde. Lorsqu'il s'était agi de réprimer la conjuration des Pazzi et de punir tous les comparses, ses concitoyens l'avaient élu membre des Huit de garde, mais il avait démissionné de la commission au bout de dix-huit jours pour bien montrer que les conjurés étaient punis pour une faute contre l'Etat et non du fait de sa vengeance personnelle.

S'il ne fit que passer dans la commission de police, Laurent resta cependant membre de la commission de la guerre, les Dix de Balie, pendant tout le temps des hostilités qui suivirent la conjuration des Pazzi.

INTERVENTION DE LAURENT DANS LES CONSEILS DE L'ÉTAT.
PUNITION DE NERI CAMBI

La participation du Magnifique aux Conseils de l'Etat fut, par contre, régulière. En 1466 il avait été nommé membre du Conseil des Cent, par un décret spécial, comme remplaçant de son père. En 1484, quand il eut atteint l'âge requis de trente-cinq ans, il y siégea à titre personnel. De même, de 1481 à 1489 il fut membre des Soixante-Dix et de ce fait assuma la fonction d'accoupleur pour le choix des membres de la Seigneurie. Enfin son rôle d'accoupleur lors du scrutin de 1484 lui permit, nous l'avons vu, de jouer un rôle important dans la sélection des hommes de confiance qui devaient fournir ultérieurement les cadres de l'Etat. Mais il ne se contentait pas de nommer les responsables : il savait aussi intervenir pour les rappeler à l'ordre quand cela était nécessaire.

Les chroniqueurs Giovanni Cambi et Alamano Rinuccini rapportent à ce sujet un épisode mouvementé de la vie publique florentine. C'était en 1489, à l'occasion du tirage au sort des membres de l'administration territoriale. La Seigneurie devait en effectuer la sélection de pair avec les Collèges. Or, le moment venu, le quorum n'était pas atteint dans le Collège des gonfaloniers. Les prieurs envoyèrent chercher les absents. On les trouva tous, sauf un : Piero Borghini, un sexagénaire qui était à la chasse dans une campagne lointaine. Il n'arriva que tard dans la soirée, en bottes et chaperon noir. Le lendemain matin, la Seigneurie, suivant la proposition du gonfalonier de justice, Neri Cambi, décida à l'unanimité de frapper d'incapacité civile, pendant trois ans, Piero Borghini et trois autres gonfaloniers récalcitrants.

Laurent le Magnifique était à Pise. Il fut outré de ce procédé et fit intimer l'ordre à la Seigneurie — par l'intermédiaire de son chancelier — de revenir sur sa décision. Les prieurs refusèrent. Alors Laurent utilisa contre Neri Cambi la peine du talion : il le fit condamner lui-même à l'incapacité civile pour trois ans par le Conseil des Soixante-Dix, en accord avec la commission de l'ordre intérieur, les Huit de pratique. Les quatre membres du Collège des gonfaloniers furent rétablis dans leur fonction.

Cette action passa aux yeux de tous pour méritoire. L'opinion publique était unanime contre Neri Cambi, qui d'après Rinuccini, était « hypocrite et pervers, provocateur, souillé de tous les vices, même de celui de sodomie, connu pour ses nombreuses vilenies, âneries et méchancetés ». En fait Laurent avait très habilement joué en favorisant ceux qui passaient pour persécutés, mais qui, en fait, faisaient partie de la même catégorie de privilégiés que Cambi : la seule différence était le rôle qu'ils jouaient auprès de masses populaires, dont ils étaient en quelque sorte les représentants auprès de la Seigneurie. Toucher à eux était comme toucher au peuple. Laurent n'avait aucun intérêt à mécontenter celui-ci pour une querelle de procédure. En leur donnant satisfaction, il se procurait au contraire une popularité facile.

Au reste, Laurent continuait de vivre en simple citoyen. Il cédait le pas et le haut du pavé à toute personne âgée. Il invitait son fils Pierre à se tenir modestement au second rang à Milan et à Rome, sachant bien qu'on le prierait de venir à la place d'honneur. Il était toujours prêt à rendre visite dans leur auberge aux envoyés des autres puissances italiennes et aux condottières de passage, bien qu'il fût, le temps passant, lourdement malmené par la goutte et les rhumatismes. Quand il ne pouvait assister à une assemblée, il y envoyait un représentant particulier, tel Pier Filippo Pandolfini, dont il appréciait fort les conseils et la société, ou encore Piero de Bibbiena, son chancelier.

Mais toujours il se faisait rendre compte et il savait avec ses intimes prendre du recul pour décider des meilleures solutions à adopter. Dans son existence, à l'emploi du temps de plus en plus chargé, il savait se réserver des instants de calme, de rêverie et de contemplation. L'homme de goût, le collectionneur, l'amateur d'art et le poète demeuraient toujours présents sous le diplomate, le financier et l'homme politique. Officiellement Laurent était membre des deux commissions qui s'occupaient au sein du gouvernement de la vie intellectuelle et artistique. Il fit partie des *Ufficiali dello Studio* de 1472 à 1484, comme nous l'avons vu : il s'intéressa activement à la réorganisation des études par la création de l'université de Pise. La seconde commission, dite de « l'Œuvre du Palais » (*gli Operai del Palagio*), le compta parmi ses membres de 1479 à sa mort : elle s'occupait de rénover le décor du vieux palais de la Seigneurie. Elle mit Laurent en rapport avec les plus grands artistes du temps et, à leur contact, comme à celui des maîtres qui régnaient sur les belles-lettres, il allait connaître quelques-unes des joies les plus profondes que puisse ressentir l'être humain.

CHAPITRE III
La part du rêve

LA DÉCORATION DE LA CHAPELLE SIXTINE : LE TRIOMPHE
DES MAÎTRES FLORENTINS

La réconciliation de Rome avec Florence eut pour conséquence la réalisation d'une œuvre d'art au retentissement immense.

Le pape Sixte IV avait commencé en 1475 la reconstruction de la grande chapelle du Vatican, très anciennement annexée à l'ensemble des bâtiments résidentiels, au flanc de la basilique Saint-Pierre. C'était là que se tenaient consistoires et conclaves, messes pontificales et proclamations solennelles. Aménagée au premier étage du palais et communiquant directement avec les appartements du Souverain Pontife, la Chapelle Sixtine était conçue à la fois comme une salle du trône et comme un sanctuaire où se définissaient le dogme et les règles de la discipline.

L'architecture très sobre de ce vaisseau, d'une quarantaine de mètres de long sur treize de large et vingt de haut, exaltait la majesté du maître des lieux. Mais la fonction auguste du vicaire de Dieu ne pouvait se contenter d'une affirmation de puissance temporelle : elle exigeait que fût proclamée l'autorité sur laquelle se fondait ce pouvoir intermédiaire entre le Ciel et la

Terre. Le programme décoratif devait consister en une double série parallèle de fresques représentant la vie du Christ et celle de Moïse, qui la préfigurait dans l'Ancien Testament.

Le pape avait choisi comme maître d'œuvre de la décoration un Ombrien de trente-deux ans, Pietro Vannucci, né dans les Etats de l'Eglise, pres de Pérouse, dont il tirait son surnom : le Pérugin. Mais l'ampleur du travail nécessitait la participation de nombreux artistes. Nulle autre ville que Florence ne pouvait en fournir qui fussent aptes à mener à bien le chantier. Lorsque cessèrent les hostilités, la Seigneurie et Laurent consentirent à laisser trois de leurs compatriotes rejoindre le Pérugin, qui avait travaillé avec eux dans l'atelier de Verrocchio.

Cosimo Rosselli, un artiste chevronné de quarante-deux ans, terminait une fresque dans le cloître de l'Annunziata. Domenico Bigordi, surnommé Ghirlandaio, et Sandro Filipepi, qui portait le sobriquet de Botticelli, tous deux âgés d'une trentaine d'années, venaient pour leur part d'exécuter avec maîtrise les belles fresques du couvent d'Ognissanti. Le choix de ces maîtres florentins s'imposait. Comme ils étaient en mesure d'intervenir immédiatement avec leurs équipes, ils reçurent commande du pape par contrat du 27 octobre 1481. Ils s'engagèrent, conjointement avec le Pérugin, à livrer dix fresques au terme de six mois. La première remise de quatre fresques eut lieu en janvier 1482 : elles furent estimées chacune à 250 ducats. Au total douze fresques furent réalisées dans la nef et trois au-dessus du maître-autel : Pérugin était l'auteur de ces dernières, *La Nativité, L'Assomption, La Découverte de Moïse,* effacées plus tard pour faire place au *Jugement dernier* de Michel-Ange.

Le chantier bourdonnant des peintres, travaillant sans relâche côte à côte, progressait rapidement. Chacun était entouré d'une équipe de grand talent. Ainsi, au côté du Pérugin, s'employait le jeune Pintoricchio, et, auprès de Rosselli, un adolescent, Piero di Cosimo. Lorsqu'éclata la guerre de Ferrare, la poursuite de l'œuvre se trouva compromise : le pape ayant pris le parti de Venise contre Florence et ses alliés, les ressortissants florentins furent de nouveau mal vus à Rome. Le Magnifique rappela ses ambassadeurs : ils partirent le 14 mai 1482. Ce même mois, Ghirlandaio revint à Florence où il se maria, puis il rentra à Rome : il voulait finir son ouvrage et repartir au plus vite. Les autres peintres florentins, qui ne se sentaient pas à l'aise, se retirèrent à Florence durant l'automne, contraignant le pape à faire appel à d'autres peintres, notamment à Luca Signorelli, originaire de Cortone, aidé de Bartolomeo della Gatta. Les peintures enfin terminées, Sixte IV procéda à la consécration de la chapelle le 15 août 1483. Les louanges de l'admirable décoration des fresques de la Sixtine coururent de bouche à oreille.

Des centaines de personnages peuplaient les scènes. Les physionomies, les attitudes, les démarches même reflétaient directement la réalité : les modèles étaient là, tout proches, croqués sur le vif à la cour pontificale, dans les ambassades qui s'y succédaient, dans les banques, les boutiques, les casernements qui entouraient le Vatican. On s'émerveillait de reconnaître les traits de Girolamo Riario, porteur de son bâton de commandement, dans la fresque de Botticelli, *La Tentation du Christ,* ou encore ceux de Giovanni Tornabuoni, le directeur de la filiale des Médicis, de son jeune fils Lorenzo ainsi que du fameux humaniste Jean Argiropoulos dans *La Vocation de Pierre et André,* par Ghirlandaio. Plus tard, cet aspect réaliste des fresques de la Sixtine invita à y chercher des allusions aux événements contemporains : le désastre des Egyptiens lors du passage de la mer Rouge fut interprété comme un appel de la victoire de Campomorto ; la punition de Corah, foudroyé par Dieu, comme une allusion à l'excommunication de l'archevêque Zamometič ; la tradition des clés à saint Pierre comme une figuration de la paix avec Naples. Ces interprétations étaient totalement erronées. Les peintures avaient été commandées bien avant ces événements. Elles développaient un message que les exégètes catholiques lisaient dans l'Ancien et le Nouveau Testament : celui de la primauté du siège romain et du pouvoir que Dieu lui avait remis d'assurer le salut éternel des hommes.

La réussite romaine avait consacré le génie du Pérugin, de Ghirlandaio et de Botticelli : tous les trois, après leur retraite de Rome, reçurent, le 5 octobre 1482, en commande officielle, la décoration de la salle des Lys au palais de la Seigneurie.

GHIRLANDAIO À LA CHAPELLE SASSETTI DE SANTA TRINITA

Les notables florentins avaient beaucoup apprécié dans les fresques du Vatican les portraits des familiers de la Cour pontificale : ils voulurent se procurer pour eux-mêmes pareille gloire sur les murs des chapelles de leur ville.

Giovanni Tornabuoni avait, il est vrai, déjà employé Ghirlandaio à Rome avant la conjuration des Pazzi : il lui avait fait exécuter des fresques à Santa Maria sopra Minerva, là où avait été inhumée son épouse, Francesca di Luca Pitti, morte en 1477. Francesco Sassetti, le compère et le rival en affaires de Tornabuoni, ne voulut pas demeurer en reste. Il venait d'achever sa somptueuse villa de Montughi. Il songea à se doter d'une chapelle funéraire digne de sa fortune. Ses tractations avec les religieux de Santa Maria Novella ayant échoué, il se rabattit sur l'église Santa Trinita, proche de son palais urbain. Une chapelle lui fut accordée au nord du chœur. Il y fit édifier face à face, de part et d'autre de l'autel, deux niches, sous des arcades richement sculptées de guirlandes stylisées et de motifs romains. Son sarcophage de porphyre et celui de son épouse Nera Corsi, réalisés par Giuliano da San Gallo, y prirent place. Tout autour des tombeaux, il fit surgir, sous le pinceau de Ghirlandaio, ses propres symboles, le centaure et la fronde, ainsi que des scènes en grisailles imitées de reliefs antiques, et sur les voûtes les figures des Sibylles. Mais c'est à la décoration du chevet que fut réservé le soin le plus grand. Ghirlandaio peignit pour l'autel un tableau de la Nativité. Il représentait le moment où les bergers — en qui l'on devinait les hommes d'affaires de la famille Sassetti — s'agenouillaient avec leurs présents près de l'Enfant Jésus couché au pied d'un sarcophage. Joseph scrutait l'horizon où l'on voyait se dérouler sur une route en pente la chevauchée des Rois Mages — discrète allusion à la famille de Médicis. Ce tableau unissait donc, comme il était de tradition, l'évocation religieuse et l'allusion au monde contemporain. Une démarche bien plus résolue fut adoptée dans les grandes fresques qui surmontaient l'autel. Des registres superposés figuraient des épisodes de l'histoire de saint François, patron de Sassetti. On y voyait représenté un miracle qui avait eu lieu à proximité de l'église Santa Trinita, sur la place où s'élevaient les palais Sassetti, Spini et Gianfigliazzi. Un enfant de la famille Spini, tombé par la fenêtre et laissé pour mort sur le pavé, avait été ressuscité par l'intercession de saint François. La scène montre l'enfant se relevant sur son lit alors que dans le ciel saint François le bénit. La foule richement vêtue qui assiste au miracle dans ce décor typiquement florentin est peuplée d'insignes citoyens contemporains de Sassetti. D'après Vasari, il faut y reconnaître Maso degli Albizzi et ses deux gracieuses filles, Albiera et Giovanna, épouse de Lorenzo Tornabuoni. Y figurent encore Agnolo Acciaiuoli et Palla Strozzi.

La fresque supérieure, sous prétexte de montrer la confirmation de la règle de saint François par Honorius III en 1223, mettait merveilleusement en valeur Sassetti et ses fils, mais aussi Laurent le Magnifique et ses enfants, Pierre, Jean et Julien, qu'on voyait monter

un escalier, menés par leur maître, Politien, et suivis de
Matteo Franco et Luigi Pulci. Laurent assistait à la scène
entre un vieillard, parfois identifié avec Antonio Pucci,
et son directeur général Sassetti, qui avait auprès de lui
son fils le plus jeune, Teodoro. Calme et majestueux
dans son long manteau pourpre, le visage presque
souriant, Laurent attire tous les regards, plus que le
consistoire pontifical situé au plan central. Au fond de la
scène on aperçoit la place de la Seigneurie avec sa loggia
et le palais lui-même, devant lequel discourent de petits
groupes de Florentins. L'ambiance pacifique et harmonieuse de la scène est vraiment celle d'une cour souve-
raine. Le pape sur son trône et saint François agenouillé
parmi les cardinaux sont là presque comme des comparses, comme s'ils participaient à l'une des cérémonies
officielles de la Seigneurie dont le décorum attirait
l'attention, pendant qu'à l'écart autour de Laurent se
traitaient véritablement les affaires.

Ainsi, grâce à Sassetti et à Ghirlandaio, l'église Santa
Trinita devenait un lieu où une sorte d'hommage public
était rendu à Laurent le Magnifique dans sa puissance
politique et financière. Il faut noter que la chapelle
majeure de la même église était également emplie de
fresques, aujourd'hui détruites, où Laurent figurait
entouré des principaux notables florentins. Elles avaient
été commandées à Alesso Baldovinetti, maître de
Ghirlandaio, par Bongianni Gianfigliazzi, plusieurs fois
chargé par Laurent de missions importantes et dont le
palais s'élevait tout près de l'église. Le commanditaire y
figurait avec sa famille au côté du Magnifique et en
compagnie de Luigi Guicciardini, de Luca Pitti et d'un
grand nombre d'autres célébrités florentines, notamment Filippo Strozzi.

Santa Trinita était une sorte de panthéon des familles
proches des Médicis. Non loin de la chapelle Sassetti
sera inhumée en 1501, dans la chapelle Ardinghelli,
Lucrezia Donati, l'égérie de Laurent. Mais Santa Maria
Novella, la grande église du couvent où descendait le

pape quand il venait à Florence, était plus prisée par les notables que le petit sanctuaire urbain.

LES COMPOSITIONS DE GHIRLANDAIO À SANTA MARIA NOVELLA

Lorsque Ghirlandaio eut terminé la chapelle Sassetti, le 15 décembre 1485, il aborda, en vertu d'un contrat passé le 1er septembre avec Giovanni Tornabuoni, la décoration du chœur de Santa Maria Novella. Le chantier le retint de 1486 à 1490 : le chœur fut consacré le 22 décembre 1490. Il constituait un magnifique monument consacré à la gloire des Médicis, auxquels Tornabuoni était étroitement lié par sa sœur Lucrezia, la mère de Laurent.

La chapelle Tornabuoni, située dans le chœur, avait un caractère funéraire, comme celle de Sassetti. Elle était destinée à garder le souvenir de Tornabuoni et de son épouse Francesca Pitti, représentés agenouillés de part et d'autre de l'autel. Mais tout autour d'eux, sur le mur de droite dans les épisodes de l'histoire de saint Jean-Baptiste — patron de Tornabuoni et de Florence —, et, sur le mur de gauche, dans ceux de l'histoire de la Vierge, fourmillaient les personnages familiers de l'entourage de Laurent. On y a, bien entendu, cherché le Magnifique lui-même, sans le reconnaître formellement.

Les identifications les plus sûres concernent les personnages de *L'Apparition de l'ange à Zaccharie* : parmi les vingt et un spectateurs, on reconnaît Giovanni Tornabuoni, entouré de sa famille, dans le groupe qui est à la gauche de l'ange, puis des membres des familles Médicis, Sassetti, Tornaquinci, et, enfin, dans le fameux groupe du premier plan à gauche, Cristoforo Landino, Marsile Ficin, Ange Politien et Gentile Becchi, humanistes et amis intimes de Laurent.

Les scènes de *La Nativité de saint Jean* et de *La*

Nativité de la Vierge abondent en personnages féminins. Marie, nouveau-né attendant son bain, est saluée par Ludovica, la fille de Giovanni Tornabuoni, une jolie jeune fille de quatorze ou quinze ans richement parée, suivie d'un groupe de quatre dames patriciennes, parmi lesquelles on a proposé de reconnaître au second rang Ginevra Benci, à qui Laurent dédiera deux sonnets religieux, ou peut-être Clarice Orsini, sa femme.

Dans *La Nativité de saint Jean* figure peut-être, parmi les visiteuses de l'accouchée, Lucrezia Tornabuoni, la mère de Laurent, la tête couverte d'un voile blanc.

Dans la scène de *La Visitation* on reconnaît Giovanna degli Albizzi, épouse de Lorenzo Tornabuoni. Celui-ci, le fils préféré de Giovanni Tornabuoni et son continuateur, participe au premier plan, à gauche, à la scène de *Joachim chassé du temple,* à côté d'un personnage énigmatique en qui certains proposent de voir Laurent le Magnifique. Face aux deux personnages, Domenico Ghirlandaio s'est représenté en compagnie de son frère David, de leur père Tommaso (parfois identifié comme leur maître Alesso Baldovinetti) et de leur aide, qui devint leur beau-frère, Bastiano Mainardi. En entrant eux-mêmes dans la fresque, ils apposaient leur signature. Ils l'avaient mérité après ce travail immense, qui devait leur rapporter 1400 grands écus d'or, à condition que le commanditaire pût y retrouver, disait le contrat, « l'exaltation de sa propre famille et de sa maison ». Ce contrat avait été bien rempli et on imagine la satisfaction de Tornabuoni et de son neveu Laurent le Magnifique lorsqu'ils purent lire l'inscription latine surmontant l'arcade de droite du Temple de Jérusalem dans *l'Apparition de l'ange* : « L'an 1490, alors que la ville, belle entre les belles, illustre par ses richesses, ses victoires, ses arts et ses monuments, jouissait doucement de l'abondance, de la santé et de la paix ».

MOSAÏQUES ET ENLUMINURES

Florence donnait bien cette impression lorsque l'on parcourait ses églises resplendissantes d'or et de couleurs tendres. Au-dessus des fresques brillaient les mosaïques. Laurent le Magnifique en était amateur. Il n'y épargnait pas l'argent, si l'on en juge par son dialogue, rapporté par Vasari, avec un artiste assez extravagant, Graffione, à propos de la décoration intérieure du dôme de Santa Maria del Fiore en 1490.

« Je veux le faire décorer de mosaïque et de stuc, dit Laurent. — Mais vous n'avez pas de maîtres en cet art », répondit Graffione. Laurent répliqua : « Nous avons tant d'argent que nous en ferons. » Et Graffione de conclure : « Eh! Laurent! L'argent ne fait pas les maîtres, mais les maîtres font de l'argent! » Or l'argent ne manquait pas : les clôtures successives des comptes des filiales étrangères procuraient des rapatriements considérables de numéraire. Plutôt que de réinvestir dans des affaires à l'avenir douteux, on préférait en profiter immédiatement et l'employer dans des dépenses somptuaires. Les travaux artistiques étant, somme toute, assez modestement rétribués, le pactole devenu disponible alimentait les chantiers qui s'ouvraient un peu partout. Laurent le Magnifique avait apprécié la restauration des mosaïques du Baptistère Saint-Jean, commencée vers le milieu du siècle et poursuivie longtemps par Alesso Baldovinetti, qui restaura également les mosaïques de San Miniato al Monte.

Florence, grâce à ces chantiers, se situa à l'avant-garde de la technique de la mosaïque, avant Venise. Le Magnifique souhaitait que sa ville conservât le primat d'un art que Ghirlandaio jugeait être « la vraie peinture pour l'éternité ». Les maîtres peintres se muaient aisément en maîtres mosaïstes : les deux frères Ghirlandaio travaillèrent au Dôme en appliquant l'enseignement de leur maître, Alesso Baldovinetti. Ils couronnèrent la porte de la cathédrale, donnant vers la via dei Servi, d'une *Annonciation*. Ils ornèrent de mosaïque les voûtains de la chapelle San Zanobi et le pourtour du chœur. Leur équipe comprenait les deux frères, Gherardo et Monte del Fora, venus à la mosaïque par le travail de la miniature. Depuis 1470 ils dirigeaient un atelier d'enluminure qui produisit d'admirables livres liturgiques pour les couvents et la cathédrale de Florence, mais aussi des textes antiques restitués par les humanistes. Ces œuvres originales de l'Antiquité se trouvaient dans les diverses bibliothèques florentines, et, en particulier, dans celle de Laurent : ainsi le *Didyme* et les *Psaumes de David*, illustrés pour le compte de Mathias Corvin, roi de Hongrie, et retenus par le Magnifique en remboursement partiel des dettes du souverain. Outre les frères del Fora, Attavante Attavanti et Giovanni Boccardi sont des enlumineurs prestigieux.

L'influence des miniatures sur le développement du goût artistique fut considérable. Par la contemplation quotidienne dans les heures de méditation et de prière elles nourrissaient le rêve. Les médaillons à personnages, les putti, les feuillages et les fruits stylisés, brillants d'or et de couleurs vives, conditionnaient dès l'enfance la vision du monde. Le premier livre de mathématique du petit Julien, le fils de Laurent, était soigneusement décoré de charmants dessins représentant des marchands avec leurs ballots. Laurent lisait ses *Heures* dans un livre orné de miniatures fleuries par Francesco d'Antonio. Il consultait les traductions grecques de Ficin dans des manuscrits parés des effigies mêlées de personnages antiques et de contemporains. Quant il fit imprimer à Florence les *Œuvres* d'Homère, il donna son exemplaire à enluminer : son portrait, vêtu de rouge éclatant, y figure, réalisé semble-t-il par Ghirlandaio.

Ce goût passa à ses enfants. Le cardinal Jean, devenu le pape Léon X, continua à commander des miniatures : il fit notamment exécuter par Giovanni Boccardi le portrait de son père pour décorer la couverture d'un

manuscrit qui se trouve aujourd'hui à la Bibliothèque
nationale de Paris. Dans les marges foisonne l'emblématique traditionnelle du Magnifique : boules réduites à
six, plumes d'autruche avec la devise « *Semper* », feuillage vert du laurier, bâtons écotés et symboles plus
rares : la ruche laborieuse du négociant et du politique,
le bouquet de fleurs du poète et l'oiseau curieux — un
petit perroquet — de l'homme avisé, avec sa devise
française : « Nul ne le set (pour " sait ") qui ne l'essaie. » La richesse de ce langage imagé explique l'emploi
des miniaturistes dans les équipes de mosaïstes, pareillement appelés à jouer sur des espaces restreints avec des
couleurs rutilantes et de menus symboles décoratifs. Les
deux frères del Fora, dans leur chantier du Dôme,
collaboraient pour poser les mosaïques avec Sandro
Botticelli, lui-même maître-peintre des allégories fleuries.

LA SYMBOLIQUE DE BOTTICELLI

En 1482, Botticelli a derrière lui des années de métier.
Il a été favorisé de commandes par les familles notables
et les couvents. Son amitié avec Laurent, de quatre ans
son cadet, et avec les jeunes cousins de celui-ci, Lorenzo
et Giovanni, fils de Pierfrancesco de Médicis, lui apporte
une notoriété d'artiste officiel.

Botticelli sait en effet mêler habilement aux scènes
sacrées les personnages contemporains. Mais il sait aussi
se dégager de ce contexte trop concret pour atteindre
dans nombre de ses tableaux de piété la pure évocation
religieuse : les *Vierges à l'Enfant* se situent hors du
temps et de l'espace, au sein même du paradis.

Pour accentuer cette impression d'intemporalité, le
peintre néglige volontairement les règles de la perspective théorique. Les formes élégantes des acteurs qu'il
met en scène dans ses « triomphes sacrés » sont de plus
en plus dépourvues de volume et de masse. L'action
principale figure au second plan derrière des scènes

secondaires. Nulle part ce parti n'apparaît mieux que
dans les compositions à sujets mythologiques auxquelles
l'hermétisme des attitudes et des décors imprime une
étrange atmosphère d'initiation ésotérique.

Les grandes peintures de Botticelli appartenant à ce
cycle ont longtemps été considérées comme des allégories porteuses de messages. On imagina au xixe siècle
qu'elles étaient des manifestes de rupture avec l'époque
précédente marquée par l'obscurantisme et par la dictature d'une orthodoxie chrétienne bornée. C'est en cette
qualité qu'elles devinrent célèbres comme des manifes-
tations modèles de la Renaissance. Nous savons aujour-
d'hui que le langage de l'ancien paganisme, adopté avec
enthousiasme à la suite de la redécouverte de l'Antiquité
par les humanistes, succéda tout naturellement — ou
plutôt se mêla — au langage allégorique de ce que l'on
appela, bien plus tard, le Moyen Age.

Le sens de ce symbolisme a nourri les discussions de
générations d'exégètes et les hypothèses n'ont pas fini de
fleurir, à la manière des multiples corolles qui parsèment
le doux gazon du *Printemps.* Les dernières études
semblent admettre que les quatre compositions païennes
les plus célèbres de Botticelli : *Mars et Vénus, Le
Printemps, Pallas et le Centaure* et *La naissance de
Vénus,* se rapportent à des mariages célébrés dans des
familles notables proches de Laurent de Médicis.

La peinture de *Mars et Vénus* était peut-être destinée
à un panneau de lit nuptial. Elle est issue de l'art des
cassoni, ces grands coffres où l'on enfermait, comme
dans une armoire précieuse, les luxueuses toilettes de la
mariée. Peut-être a-t-elle été réalisée à l'occasion d'un
mariage dans la famille Vespucci. Elle reflète un enseignement néoplatonicien : Mars rend les hommes plus
forts, mais Vénus les domine. Les jeux des petits amours
qui· se moquent du guerrier nu se retrouvent dans un
poème antique de Lucien.

Le Printemps et *Pallas* ont été peints pour Lorenzo, le
petit cousin de Laurent, vers 1482. Longtemps on a cru

que la première de ces compositions avait été réalisée vers 1478 pour la villa de Castello, où Vasari l'avait observée au XVIᵉ siècle. L'étude la plus récente propose une hypothèse quelque peu différente. On sait que Laurent le Magnifique devint en 1476, à la mort de leur père Pierfrancesco, tuteur de ses petits-cousins, Lorenzo, né en 1463, et Giovanni, né en 1467. La participation financière de ceux-ci à la firme des Médicis était considérable : on partagea le capital par moitié. Les jeunes Médicis eurent dans leur part la villa de Trebbio dans le Mugello. Entre 1476 et 1478 ils achetèrent une seconde villa, Castello, plus proche de Florence, où ils résidaient habituellement dans leur palais urbain situé dans la Via Larga, près du grand palais Médicis. Nous avons vu qu'ils furent contraints d'avancer au Magnifique en 1478 la somme considérable de 53 643 florins et qu'ils obtinrent en remboursement la villa de Cafaggiolo et divers autres propriétés en Toscane. Mais Laurent ne se borna pas à cette importante compensation. En 1482 il arrangea pour Lorenzo un très riche mariage avec Semiramide, la fille de Jacopo Appiani, seigneur de Pombino. Celui-ci avait dans son domaine l'île d'Elbe et ses mines de fer : la firme Médicis avait déployé sa stratégie commerciale dans cette direction. Le jeune Lorenzo recevait ainsi indirectement une nouvelle satisfaction de son cousin, qui, d'ailleurs, chercha à le favoriser de bien d'autres façons, notamment en l'envoyant en 1483 comme ambassadeur en France pour féliciter Charles VIII de son accession au trône.

Le Printemps et *Pallas* auraient été réalisés à l'occasion du mariage avec Semiramide en 1482 pour décorer, face à face, la même pièce du palais urbain de Lorenzo, sans doute l'antichambre nuptiale. Ce n'est que plus tard qu'ils auraient été transportés à Castello. La scène du *Printemps* montre le jardin de Vénus. Sous des orangers chargés de fruits, où volète Cupidon, le premier personnage à gauche, Mercure, élégant jeune homme à demi nu, montre le ciel. Les trois Grâces dansent avec légèreté. Au centre, Vénus elle-même est debout au second plan, chastement drapée. Elle semble ordonner la fête, de sa main levée. A la droite de la composition, derrière Flore richement vêtue d'une robe fleurie, une nymphe, Chloris, des fleurs à la bouche, est poursuivie et saisie par Zéphir, qui descend en volant parmi les arbustes, les joues gonflées. Cette scène est une interprétation littérale d'un passage des *Fastes* d'Ovide. Les sources antiques ont sans doute fourni d'autres idées : ainsi, dans *L'Ane d'or* d'Apulée, Mercure préside au jugement de Pâris par Vénus. La présence des trois Grâces est plus énigmatique. Elles pourraient représenter les vertus conjugales : *Castitas, Pulchritudo, Amor*. La leçon finale serait inspirée de Ficin : Vénus est le signe planétaire des êtres aimables et courtois. Certains critiques, sur cette considération, ont interprété *Le Printemps* comme une figuration de l'horoscope des époux.

L'interprétation du tableau *Pallas et le Centaure* a donné lieu, elle aussi, à beaucoup d'hypothèses. La plus fréquemment répandue a été pendant longtemps celle d'une allégorie politique magnifiant la victoire de Laurent sur les Pazzi. Elle est aujourd'hui totalement rejetée. Saisissant par les cheveux le centaure, symbole des appétits et besoins animaux, la déesse de la sagesse, dont la robe est semée d'anneaux précieux, l'un des emblèmes des Médicis, montre que la chasteté et les passions nobles doivent triompher de la débauche. Une allégorie semblable figurait sur l'étendard peint par Botticelli en 1475 pour la joute de Julien de Médicis. Cette composition, si on l'interprète ainsi, avait donc sa place dans l'antichambre de l'appartement nuptial du jeune Lorenzo.

La Naissance de Vénus met en scène des personnages qui figurent déjà dans le *Printemps*. Zéphyr, enlaçant la nymphe Chloris, vole vers la grande coquille marine qui sert de navire à Vénus. La déesse est nue mais dissimule chastement sa poitrine et son sexe. A droite, sur le rivage où va aborder Vénus, une nymphe, vêtue d'une robe fleurie, comme la Flore du *Printemps,* tend un voile précieux à la déesse. On l'a identifiée parfois comme l'une des *Heures* de la mythologie.

Les *Stances* de Politien auraient pu inspirer la composition. Mais on peut aussi y voir la reconstitution d'une peinture antique d'Apelle, Vénus Anadyomène, dont Botticelli aurait reçu commande, de même qu'il reçut celle de restituer un autre chef-d'œuvre du peintre antique, *La Calomnie,* où figure une belle jeune femme, nue comme Vénus, en butte aux persécutions des méchants.

La Naissance de Vénus, comme *Le Printemps,* place la destinée humaine sous le symbole de Vénus : l'humanité naît à la civilisation, elle naît de rien et aborde au rivage de la Nature qui l'accueille et la vêt.

Considérée comme plus tardive que *Le Printemps,* cette composition, peut-être exécutée vers 1483, semble elle aussi avoir été réalisée à l'occasion d'un mariage.

Vers cette époque se préparait l'union du cousin germain de Laurent le Magnifique, Lorenzo Tornabuoni, avec Giovanna degli Albizzi. Non loin de Careggi, les Tornabuoni possédaient une villa à laquelle succéda à l'époque contemporaine la villa Lemmi. Botticelli lui donna une somptueuse décoration, déposée aujourd'hui au musée du Louvre. Dans la loggia, on voyait Giovanna accueillie par Vénus et ses nymphes — d'aucuns les ont interprétées comme les Vertus cardinales —, et, d'autre part, Lorenzo Tornabuoni conduit par une divinité vers un cercle de sept dames, qui auraient représenté les Arts libéraux. La leçon, là encore, était marquée par la doctrine ficinienne : l'accès à la vie supérieure se faisait sous le signe de Vénus mais en passant par l'intermédiaire des échelles du savoir.

Laurent le Magnifique ne se contentait pas d'admirer les compositions de Botticelli dans les demeures de ses parents et amis. Il employa lui-même le peintre dans un important chantier qu'il ouvrit vers 1484, dans sa villa de

Spedaletto. Cette maison, comme celle des Tornabuoni, était une demeure de détente à la campagne et servait à Laurent pour ses cures. La loggia, lieu de repos, reçut une décoration à laquelle collaborèrent, outre Botticelli, Ghirlandaio, Pérugin et Filippino Lippi. Les compositions ont totalement disparu. Elles représentaient des divinités antiques : ainsi Ghirlandaio avait peint, d'après Vasari, Vulcain et ses aides forgeant les foudres de Jupiter.

FILIPPINO LIPPI ET LE GOÛT DU FANTASTIQUE

La présence du jeune Lippi à Spedaletto révélait la faveur que lui portait Laurent. Filippino avait vingt-sept ans. Il était le fils du grand Filippo Lippi, peintre favori des Médicis, et de Lucrezia Buti, une nonne de Prato. Orphelin à onze ans, il avait été élevé par le collaborateur de son père, fra Diamante, et avait eu très tôt les pinceaux en main, notamment à Spolète et à Prato. Puis, en 1472, à quinze ans, il était devenu l'élève, le familier et l'ami très cher de Sandro Botticelli. Le Magnifique avait reporté sur le jeune homme sa propre amitié envers Botticelli : en 1488 il chargea Filippino de faire exécuter, à ses frais, une somptueuse tombe pour son père Filippo dans la cathédrale de Spolète. Peu avant de travailler à Spedaletto, Filippino avait reçu la charge de compléter les fresques de la chapelle Brancacci au Carmine : il s'en était acquitté, suivant la mode du temps, en les remplissant de personnages florentins. Dans la *Résurrection par saint Pierre du fils de Théophile,* c'est un groupe impressionnant de personnages morts qu'il peignit presque tous d'après leurs masques funèbres. On reconnaît notamment Luigi Pulci, Piero Guicciardini, Nicolo et Tommaso Soderini. Par contre, dans *Saint Pierre et saint Paul devant le proconsul,* ce sont d'intéressantes figures de contemporains que l'on distingue : ainsi le profil élégant d'Antonio del Pollaiolo, la tête ronde de Botticelli et, tout près, fixant le public, le beau visage brun du jeune Filippino.

A la suite de ces fresques, le peintre reçut une commande de la Seigneurie : le grand tableau de la Madone pour la Salle du conseil. La commission des Œuvres du Palais le lui confia le 27 septembre 1485, laissant le Magnifique fixer le prix à un montant très élevé.

La recommandation de Laurent servit peut-être à Filippino pour lui faire obtenir la décoration de la chapelle du cardinal Caraffa à Santa Maria sopra Minerva, à Rome, où il retrouva un autre protégé du Magnifique, Antonio del Pollaiolo, chargé d'élever la tombe de Sixte IV. Mais c'est peut-être à Florence que Filippino devait donner sa composition la plus intéressante dans la chapelle Strozzi : commandée en 1487, elle fut exécutée à partir de 1489 et achevée bien après. Cet ensemble monumental mêle symboles païens et chrétiens. Anges, nymphes, muses et sphinges entourent les patriarches et la Vierge. L'évocation de saint Philippe et de saint Jean l'Evangéliste se résout en scènes étranges. L'empereur Domitien juge saint Jean au pied d'une colonne où est greffée une tête de faune dorée qui supporte l'étendard de Rome. Drusiana est ressuscitée à Ephèse devant deux temples bizarres, près de l'autel de Diane, orné de masques de faunes et de prisonniers et surmonté de la devise : *Orgia*.

Enfin *Le Miracle de saint Philippe devant l'autel de Mars* est un triomphe de l'art fantastique. Le portique semi-circulaire entourant la statue de l'idole, avec ses panoplies, ses victoires ailées, ses caryatides et ses télamons, s'anime d'une vie magique. Le décor n'est plus ni pierre, ni ivoire, ni métaux, mais grouillement de puissances ténébreuses et maléfiques qui dardent vers l'Apôtre la force de leurs influx menaçants. Mais le geste victorieux de Philippe vers le monstre hideux qui rampe à ses pieds rompt le cauchemar.

Laurent appréciait chez Filippino la grande fécondité

de son imagination et sa faculté d'imiter en les adaptant les exemples anciens. A des dates diverses, le peintre donna des *Allégories* chargées de messages étranges.

Dans l'*Allégorie de l'Amour,* une licorne plonge sa corne dans une source empoisonnée. *Le Centaure blessé* s'effondre devant la grotte où gîte sa famille. L'*Allégorie de la Musique,* élégante et légère, montre la muse Erato attachant avec un bandeau précieux, aidée de deux amours, le cygne de la poésie ; sur un autel de mousse une tête de cerf montée en lyre fixe la scène de ses yeux vivants ; au loin brille la mer, immense et claire, tandis qu'au premier plan, sur un étang profond à l'abri de sombres frondaisons, voguent trois jeunes cygnes. On a vu dans cette peinture l'illustration d'une églogue de Laurent le Magnifique, *Apollon et Pan* :

Nell'acque all'ombra delle sacre fronde
canton candidi cigni dolcemente :
l'acqua riceve il canto, e poi risponde.

Sur l'onde à l'ombre des rameaux sacrés
chantent tout doucement les cygnes blancs.
L'eau qui reçoit leur chant leur en renvoie l'écho.

Un échange permanent s'établit entre la peinture et la poésie. Elles puisent aux mêmes sources d'inspiration, la Nature et la Philosophie, revêtues de symboles païens. Des correspondances multiples se nouent avec les autres arts. Toute la production artistique et littéraire est marquée du signe de l'ésotérisme et de la hiérarchie des valeurs inspirée par l'enseignement de Ficin.

ANDREA DEL VERROCCHIO

En matière de sculpture, Andrea del Verrochio continue d'être l'interprète favori des émotions intimes de Laurent. Il a sculpté le beau buste de Julien, en jeune guerrier antique souriant, qui conserve le souvenir de l'aimable victime de la conjuration des Pazzi. Il modèle en terre cuite l'intéressant portrait de Laurent en grande tenue de notable florentin, chaperon en tête. Cette sculpture assez austère constitue une sorte de portrait officiel dont s'inspireront de nombreux artistes. Au xvie siècle, le peintre Bronzino en tirera une admirable effigie.

La Dame au bouquet, achevée vers 1480, n'a pas été identifiée avec assurance. On a supposé parfois qu'il s'agissait de Lucrezia Donati. L'œuvre met exceptionnellement en valeur les mains délicates de cette belle jeune femme qui tient un bouquet serré sur sa poitrine. Or le thème de mains tenant des fleurs est traité avec prédilection dans les sonnets de Laurent :

> *Candide, belle et délicate main...* (Sonnet VI.)

> *Belles et fraîches violettes pourprées*
> *Que cette très blanche main cueillit.* (Sonnet VII.)

Parmi les autres œuvres confiés à Verrocchio on comptait un monument funéraire édifié à Rome, à Santa Maria sopra Minerva, dans la chapelle décorée par Ghirlandaio en l'honneur de Francesca Pitti, femme de Giovanni Tornabuoni, morte en couches en 1477. Laurent était très tendrement lié à sa tante par alliance et avait dû inviter Verrocchio à exécuter ce tombeau.

Laurent mettait à contribution les artistes pour leur faire exécuter des œuvres destinées aux princes étrangers : ce fut le cas pour Verrocchio à qui, suivant Vasari, il fit faire des bas-reliefs représentant des têtes antiques, dont il fit don à Mathias Corvin, roi de Hongrie. Il permit en outre au sculpteur de se rendre à Venise pour y modeler la statue du Colleoni, le grand condottière de la Sérénissime. Verrocchio mourut en 1488 avant d'avoir mené à bien sa tâche, mais la statue équestre, une fois achevée par des continuateurs, proclama et proclame encore dans la ville de la lagune la grandeur du sculpteur de Laurent.

GIULIANO ET BENDETTO DA MAIANO

Les frères Giuliano et Benedetto da Maiano qui apportèrent l'un et l'autre leur contribution à l'épanouissement de l'art médicéen, furent comme Verocchio envoyés par Laurent en missions artistiques à l'étranger, surtout à Rome, Milan, Naples et Venise. Ils étaient issus de la famille modeste d'un tailleur de pierre et sculpteur sur bois. Ils avaient d'abord été employés par les Pazzi dans leur chapelle de Santa Croce — où ils posèrent la porte monumentale en bois —, dans leur palais urbain et leur villa de Montughi. Après la conjuration, ils passèrent sans difficulté dans la clientèle Médicis. Le 1er avril 1479, Giuliano fut nommé maître d'œuvre du Dôme de Florence, sans doute sur la recommandation de Laurent. Il construisit à Naples, en s'inspirant de Vitruve et d'Alberti, la villa de Poggio Reale pour Alphonse d'Aragon, duc de Calabre. Benedetto, son frère, était avant tout sculpteur. En 1480, il collabora à ce titre avec Giuliano pour ériger une porte monumentale dans le palais de la Seigneurie, conduisant de la salle de l'Audience à la salle des Lys : il la décora des statues de la Justice et de saint Jean Enfant. En 1490, Laurent le chargea de sculpter les bustes de Giotto et du musicien Antonio Squarcialupi qu'il voulait dresser en hommage à ces grands hommes dans la cathédrale de Florence. Un peu plus tard, Benedetto exécuta la tombe et le buste funéraire de Filippo Strozzi à Santa Maria Novella. Il collabora avec Giuliano da San Gallo à la construction du grand palais urbain des Strozzi. C'est sans doute de cette époque que date le curieux buste de Laurent, conservé au musée de Prague. Cette œuvre peu connue est l'un des portraits les plus vivants de Laurent : dans la laideur du visage au grand nez écrasé et à la mâchoire lourde, un demi-sourire, présent dans la bouche et les yeux, fait passer une attachante impression d'intelligence et de douceur.

LE GRAND ŒUVRE DE SAN GALLO

Le monde des architectes abondait en maîtres foisonnant d'idées, qui étaient de véritables missionnaires de la résurrection des formes antiques, à la suite du grand Alberti. Certains avaient été envoyés dans des cours étrangères en ambassadeurs de l'art florentin : ainsi Luca Fancelli à Mantoue. L'artiste le plus prisé de Laurent fut Giuliano Giamberti dit San Gallo. De six ans plus âgé que Laurent, il avait, étant jeune, travaillé à Rome aux chantiers de Saint-Pierre et du palais Saint-Marc sous Paul II, et également à Florence au palais Médicis, où il avait sculpté des stalles avec son père Francesco Giamberti. Les travaux de fortification et les sièges imposés à l'armée florentine pendant la guerre des Pazzi l'avaient fait employer comme architecte militaire avec son maître Francione et un autre architecte, Francesco d'Angelo, dit La Cecca. Ses grandes commandes datent de 1485 : à Florence, Francesco Sassetti lui fait exécuter son propre sarcophage et celui de sa femme, à l'église de Santa Trinita.

A cette commande prestigieuse, viennent s'ajouter deux autres qui consacrent le talent de Giuliano : la citadelle d'Ostie, dont il est chargé par Julien della Rovere, le futur pape Jules II, et l'église Santa Maria delle Carceri à Prato, dont la fabrique le choisit sur l'avis de Laurent de Médicis. Mais le Magnifique continue d'employer l'architecte en qualité de spécialiste militaire. Il lui confie en 1486 la reconstruction des défenses de Poggio Imperiale, près de Poggibonsi : ce chantier durera jusqu'en 1490, année où Giuliano l'interrompra pour aller à Rome prendre la surintendance des travaux de la basilique Saint-Pierre. Entre-temps, il est chargé de diriger le siège de Sarzana, puis, la place tombée, de la doter de fortifications. Sa célébrité est telle qu'il est envoyé en 1488 par Laurent à Naples présenter au roi Ferrante une maquette de palais qui doit rivaliser avec la récente villa de Poggio Reale. Le contentement du roi fut si grand qu'il offrit à l'architecte une coupe remplie de monnaies d'or, deux chevaux, de nombreux autres cadeaux et de surplus 100 écus d'or. Ferrante remercia aussi Laurent, en lui faisant don de statues antiques : un buste de l'empereur Adrien, une effigie féminine et un Cupidon qui prirent place dans les jardins du Magnifique.

Cette époque d'intense activité menée avec la collaboration de son frère Antonio voit l'architecte œuvrer à Florence au cloître et au couvent de Castello — devenu depuis Santa Maria Maddalena des Pazzi — et surtout au couvent des Augustins, près de la porte San Gallo, où résidait le prédicateur préféré de Laurent, frère Mariano de Genazzano. L'édifice, non encore terminé à la mort de Laurent, fut détruit pendant le siège de Florence de 1529 ; seuls les dessins conservés aux Offices en gardent le souvenir. L'ensemble constituait un monument exceptionnel. La grande et belle église, le cloître, la bibliothèque, les trois dortoirs, l'infirmerie, le noviciat, le chapitre et l'auberge des hôtes, avec un second cloître et un grand jardin fermé de murs, coûtèrent 16 900 florins. Cette réussite confirma à Giuliano Giamberti le surnom de San Gallo, qu'il portait déjà comme originaire de ce quartier et qu'il arbora désormais par volonté expresse de Laurent en mémoire de son chef-d'œuvre. Désormais, il figura, en compagnie, il est vrai, de son rival Giuliano da Maiano, dans les commissions des grands experts, pour examiner les projets de la façade de l'église Santo Spirito et de la cathédrale. Il fut chargé de la construction de demeures patriciennes : le palais de Giuliano Gondi, enrichi par le commerce avec le roi de Naples, et le palais de Bartolomeo Scala, chancelier de la République — dont l'élégante cour est justement célèbre ; enfin, il participa, avec Benedetto de Maiano, principal architecte, aux travaux du palais Strozzi.

LA VILLA MODÈLE DE POGGIO A CAJANO

Giuliano da San Gallo édifia pour Laurent une villa modèle. Les divers partages des propriétés familiales avec ses cousins avaient obligé le Magnifique à se choisir un nouveau lieu de retraite campagnarde, après que se furent apaisés les troubles nés de la conjuration des Pazzi. Il acheta en 1479 la propriété assez modeste de Poggio a Cajano. Depuis 1476, il y avait fait, en invité, de fréquents séjours, et avait pu en apprécier les commodités. C'était un domaine proche de Florence — il n'en est éloigné que de dix-sept kilomètres —, facile d'accès par la route de Pistoia, aisé à défendre, car situé sur une colline au-dessus de cette route. Une maison assez modeste s'élevait là. Elle avait été construite sur les ruines d'un ancien château fort par la famille Cancellieri qui l'avait vendue en 1420 à Palla Strozzi pour 7 390 florins d'or. La propriété était ensuite passée aux Rucellai. Laurent en goûta les attraits et la leur acheta. Le Magnifique voulut faire de ce lieu un havre de repos et de détente où il pourrait se distraire, dans la poésie et le rêve, des tracas financiers et politiques. Sur ses indications, San Gallo y travailla de 1485 à 1489. Le plan reflète les conceptions de la villa patricienne à l'antique exprimées par le grand théoricien Alberti. Il affecte la forme d'un grand H : deux corps de bâtiment rectangulaires de deux étages unis au centre par un grand salon ; cette pièce monumentale, dont le plafond monte d'un jet à l'étage supérieur, remplace la cour traditionnelle. Un portique en arcades supporte l'ensemble du bâtiment, constituant son rez-de-chaussée. Sur la façade principale deux escaliers droits montaient vers l'entrée : ils ont été remplacés au XVIIIe siècle par une double rampe en fer à cheval. L'accès principal se fait par un petit temple ionique, appareillé en *pietra serena,* tranchant par son matériau gris-bleu sur le crépi blanc du reste de l'édifice. Ces dispositions très harmonieuses devaient être proposées au roi Ferrante pour le grand palais qu'il souhaitait construire à Naples. Le fronton du petit temple d'entrée est orné du blason aux boules des Médicis, encadré des élégantes volutes de quatre rubans flottants. Au-dessous une remarquable frise surmonte les quatre colonnes et les deux pilastres aux chapiteaux ioniques. Cette frise est composée de sujets antiques. Elle a été réalisée, sans doute par Andrea Sansovino, en majolique claire — faïence blanche sur fond bleu — comme les bandeaux de l'église voisine de Santa Maria delle Carceri à Prato. Cinq compartiments sont délimités par des dieux termes. Au centre une scène guerrière montre Janus ouvrant le temple de Mars. De part et d'autre on distingue l'allégorie de la Nuit et du Jour avec l'envol du char du Soleil ; puis les saisons avec les scènes d'un calendrier rustique ; enfin les travaux et les plaisirs des hommes, symbolisés par des courses de quadriges. Quand on entre dans la loggia on devine les restes d'une grande fresque de Filippino Lippi : *le sacrifice de Laocoon.* Passé le seuil, un ample vestibule accueille le visiteur. Un escalier suspendu réalisé par San Gallo conduit au grand appartement qui occupe l'étage. Le lieu le plus prestigieux de la villa est le salon géant situé au centre : il est aujourd'hui décoré de magnifiques fresques du XVIe siècle. San Gallo l'avait couvert d'une grande voûte en plein cintre ornée de caissons dorés.

Ce véritable château situé en pleine nature est soigneusement protégé. Quatre tours cantonnent les murs qui entourent le terre-plein sur lequel s'élève la demeure. Cette enceinte est elle-même incluse dans une seconde clôture plus vaste qui englobe une grande ferme, également construite par San Gallo : située non loin de la villa, elle comporte une grande cour fortifiée et entourée d'un fossé. L'édifice regroupait étables à vaches, écuries et tous les bâtiments nécessaires à une exploitation agricole intensive. En effet, Laurent menait à Poggio une existence de gentilhomme fermier. Il veillait avec un soin passionné sur ses chevaux. En 1488 il acheta à Naples vingt juments et, peu de temps avant sa mort, il fit venir des étalons d'Egypte et de la côte barbaresque. Son cheval favori, Morello, lui était tellement attaché qu'il tombait malade lorsque Laurent ne le nourrissait pas de sa main.

Le Magnifique avait importé de Sicile une race spéciale de faisans dorés et de Calabre une variété de superbes cochons. Ses vaches étaient fameuses dans toute l'Italie : avec leur lait on fabriquait un fromage supérieur à celui de Lombardie. Les mûriers du domaine permettaient de nourrir une grande quantité de vers à soie.

Un immense parc de chasse et un très grand jardin complétaient la propriété. Le jardin était formé de plates-bandes et de carrés d'arbustes fruitiers. Un petit jardin d'agrément, indépendant, lui-même ceint de murs, appelé le « jardin secret », offrait à peu de distance, à main droite de l'entrée, ses berceaux réguliers, ses parterres de fleurs et de plantes rares et, au centre, un octogone de verdure propre au délassement. Sur l'arrière de la villa le grand jardin descendait jusqu'à l'Ombrone : au pied de la colline, une petite île, qu'on appelait Ambra, avait donné son nom à la villa. Lors d'un hiver particulièrement rigoureux, les hautes eaux de la rivière l'emportèrent. Ce fut l'occasion pour Politien et son ami Laurent de composer des vers pour pleurer la perte de ce cadre familier d'harmonie et de bonheur.

Le poème de Politien, en latin, fut écrit en 1485, celui de Laurent, en italien, peut-être un peu plus tard. L'un et l'autre transposèrent l'événement dans le monde des dieux et déesses. Ils donnèrent à leur compositions la forme littéraire d'une *Selva* (forêt), variation sur un thème que l'on perd et que l'on retrouve au fil du poème, comme lorsque l'on cherche son chemin dans une forêt.

LE POÈME D'AMBRA

Politien avait fait d'Ambra une nymphe fille de l'Ombrone, amoureuse de Laurent. Plus classique dans son inspiration, Laurent imagina, quant à lui, que la nymphe était importunée par l'amour d'Ombrone et se changeait, pour lui échapper, en rocher, le rocher même sur lequel s'élevait la villa de Poggio a Cajano. Ses sources littéraires étaient multiples : les *Métamorphoses* d'Ovide, les *Selve* de Stace, le *Ninfale fiesolano* de Boccace et le *Driadeo d'amore* de Luigi Pulci, avec des réminiscences de Virgile, de Dante et de Pétrarque.

La « Description de l'hiver » — tel est le titre que portent plusieurs des manuscrits — occupe les vingt-deux premières strophes de huit vers, et la légende de la nymphe les vingt-six suivantes. Le tableau, extrêmement vivant, de la mauvaise saison en Toscane résonne d'accents semblables à ceux d'une chanson de Dante.

> *La saison s'est enfuie après avoir changé*
> *les fleurs en fruits bientôt mûrs et récoltés.*
> *La feuille ne tient plus au rameau...*

> *Le sapin reste vert sur les montagnes blanches*
> *et le poids de la neige fait se plier ses branches.*
> *Le cyprès dissimule quelque oiseau en secret...*

> *L'olivier, au soleil, sur une douce pente,*
> *suivant le jeu du vent, paraît vert ou d'argent.*

Le poème évoque ensuite le vol des oiseaux migrateurs, les terreurs et les plaisirs de longues nuits d'hiver, le manège des grues et de l'aigle rapace, les mésaventures des poissons :

L'eau vive murmurant se fige en un cristal
de glace et se confie au calme du repos.
Le poisson pris dans l'eau solide et transparente
semble un moustique d'or immobile dans l'ambre.

La première métamorphose s'annonce : la montagne qui domine la vallée devient un géant colossal dont la tête se perd dans les nuages, cependant que les bois et les rochers paraissent être ses poils et sa barbe raidis par le gel. Ses yeux et son nez sont une source gelée par le froid.

Mais le vent du Sud arrive. Il fait fondre neige et glace :

Et les ruisseaux contents vont vers les eaux amies
en sortant du profond de leurs grottes antiques...

Leur sein gonflé déjà grossit avec orgueil.
Leur colère amassée pendant de nombreux jours
s'enfle et monte à l'assaut de leurs rives timides.

Les eaux dévalent les pentes au plus vite et vont rejoindre leur émissaire commun.

Quand, gonflé et grossi, il doit se resserrer
entre les hautes pentes d'une vallée profonde,
Ses eaux hurlent d'effort, mauvaises et troublées
et mêlées à la terre, se colorent de jaune.

Le torrent charrie et empile des rochers dans l'étroit passage. Il y fait tournoyer ses flots écumants qui mugissent horriblement comme les solfatares des inquiétants lagons de Volterra. Les paysans affolés abandonnent leurs maisons. Une paysanne emporte son bébé au berceau. Son pauvre mobilier s'en va à la dérive. Les bœufs et les porcs s'échappent des étables et se sauvent à la nage. Les brebis sont noyées. Malgré le spectacle de sa ruine, le malheureux juché sur son toit est trop content d'avoir pu sauver sa vie. Seuls les poissons, libérés de leur étroite demeure, sont heureux. Ils explorent les prairies submergées, naguère inaccessibles. C'est dans ce paysage tourmenté que prend place l'épisode légendaire.

Alors, comme une petite île,
Ombrone, amant superbe, étreint Ambra,
Ambra, non moins chère à Lauro...

Lauro, c'est Laurent travesti en berger des montagnes qui décrit en spectateur la poursuite de la nymphe. Le désir du torrent Ombrone est évoqué avec vigueur.

Dès que le corps de la vierge entre
Dans l'eau brune et glacée, il s'émeut.

Dissimulé par des branchages, Ombrone s'approche de la nymphe. Il est sur le point de l'étreindre. Mais elle lui échappe comme le poisson au filet du pêcheur. Ombrone se désole :

O Nymphe, je suis fleuve et voilà que je brûle.

Ambra ne se laisse pas convaincre. Elle fuit parmi les épines et les pierres coupantes qui la déchirent. La passion d'Ombrone atteint son paroxysme : il est sueur et glace à la fois. La nymphe approche de l'endroit où l'Ombrone va mêler ses eaux à l'Arno. Le torrent invoque le fleuve qui grossit à son tour et forme un lac pour arrêter Ambra. La nymphe, prise entre deux périls, invoque Diane, qui, pour la sauver, la transforme en rocher. Ombrone se lamentera éternellement en baignant de ses eaux les formes pétrifiées.
Et Laurent de conclure :

J'ai appris comment plaire
A la femme qu'on aime et gagner son amour.

Autant on la chérit, autant elle vous méprise.
O Borée, vent glacé, qui figes toutes choses,
fais durcir et geler le courant de mes flots
pour que, devenu pierre, il entoure la nymphe.
Que jamais le soleil aux clairs rayons dorés
ne retransforme en eau ses rigides cristaux.

LES « FORÊTS D'AMOUR »

Dans la retraite de Poggio a Cajano, Laurent, quadragénaire surmené, fatigué physiquement, reprend goût à la vie. Il surmonte au contact de la nature le poids des déboires et des maux qui le transforment peu à peu, comme son père et son grand-père, en homme souffreteux, se déplaçant difficilement, parfois terrassé par la goutte. De plus en plus souvent il se réfugie dans le rêve poétique.

L'amour continue de l'inspirer. Certes, les jeunes femmes qui l'enflammaient autrefois n'ont plus auprès de lui la même faveur. Il se laisse, semble-t-il, de plus en plus subjuguer par des amours presque ancillaires, on le devine aux confidences voilées de familiers comme Politien. La mort de Clarice, sa femme, n'aurait fait qu'accentuer ce goût. Heureusement, l'envol de sa muse transcende la réalité : ainsi, dans les *Selve d'amore* (forêts d'amour), œuvres très voisines d'*Ambra*, fourmillant de références aux poètes antiques, à Dante, à Pétrarque, à Ficin et à Platon. Le premier de ces poèmes en trente-deux strophes magnifie la servitude volontaire envers l'être aimé par laquelle on atteint à la liberté.

L'altière beauté que chaque cœur désire
Je la vois seulement dans les traits de ma mie,
Elle seule je désire ardemment...

Je sens battre mon cœur dans le sein amoureux
de ma dame gentille. Il veut chanter

et pour louer cet instant béni
user de sa belle bouche...

La seconde *Selva d'Amore,* beaucoup plus longue —
cent quarante-deux strophes —, comporte de nombreux
épisodes : peinture de la jalousie, souvenir de la femme
aimée, description de l'espérance qui transporte
l'amant, enfin évocation de l'âge d'or qui régnait sur la
terre et fut brisé par Jupiter. Le roi des Dieux, pour se
venger du vol du feu divin livré par Prométhée aux
hommes, leur envoie Pandore, une très belle jeune
femme forgée par Vulcain, porteuse d'un vase dans
lequel sont renfermés tous les maux. Pandore épouse
Epiméthée, frère de Prométhée, et celui-ci ouvre le vase
d'où s'échappent tous les malheurs qui envahissent le
monde. De l'heureux âge d'or, il ne reste que le souvenir
et l'espoir que peut-être un jour il reviendra, dépourvu
de passion, de crainte et de peine. Le poète, par
l'imagination, y vit avec sa belle :

Dans le temps qui jamais n'atteindra l'âge mûr,
où notre doux amour restera éternel :
Point d'autre beauté pour elle, point d'autre feu
pour nous, mais les seules douceurs de ce temps
[et ce lieu.

Mais les deux amants sont séparés. Le premier
bienfait du dieu Amour sera de les unir de nouveau. Le
poème se poursuit donc par une prière à l'Amour, qui
exauce Laurent en faisant apparaître sa belle dans une
nouvelle aurore, parée du reflet de la beauté divine.

Et voilà mon soleil qui surplombe les monts
et dans son mouvement fait déplacer les ombres.
Je salue sa lumière, je goûte sa chaleur :
C'est l'éclat, la beauté, la chaleur de l'amour.

LES ÉGLOGUES

Deux églogues, emplies de réminiscences d'Ovide, de Théocrite et de Virgile, rédigées, semble-t-il, à la même époque, vers 1486, montrent avec quelle maîtrise Laurent maniait les images, les symboles et les légendes païennes. *Apollon et Pan* développe le thème de la lutte des deux poésies, céleste et naturelle ; *Corinto,* celui de l'amour d'un berger de ce nom avec la divinité marine Galatée. L'imitation de l'Antiquité n'empêche pas Laurent de s'exprimer avec des accents originaux, parfois avec drôlerie : ainsi dans l'épisode où le berger, que sa belle vient de quitter, va voir dans une source le reflet de sa propre personne, afin de se rendre compte par lui-même s'il est beau ou laid.

Si je ne suis pas blanc, c'est la faute au soleil,
*   [et ce n'est pas si mal :*
car je suis un berger assez fort et robuste !
Mais dis-moi : un homme qui ne serait pas brun,
*   [que vaudrait-il ?*
Si le poil envahit mes épaules et mon buste,
cela ne devrait pas te déplaire,
S'il est vrai que tu as, autant que de beauté,
*   [de l'esprit et du goût.*

Et le jeune gaillard énumère ses prouesses : il a renversé un taureau, mis à mort une ourse, remporté le premier prix de tir à l'arc. Il possède du bien au soleil : troupeaux de vaches et brebis. Il a du bon lait et des fraises et du miel dont il fait la meilleure ambroisie. Il a aussi des roses qui naissent dans son jardin. Il sait qu'elles sont sujettes à mourir vivement. Et de conclure :

Cueille la rose, ô Nymphe, maintenant qu'il est temps.

Sous le costume antique, c'est encore une fois la sève populaire la plus authentique qui reparaît dans les vers de Laurent. La nature est maîtresse de sagesse et, en cela, l'enseignement de Ficin demeure présent avec sa doctrine de l'union hiérarchisée des énergies, des plus basses aux plus hautes, du cosmos à l'âme. Les familiers de Laurent partagent ces théories. Le plus influent, l'ami intime, Politien, les fait entrer lui aussi dans ses poésies latines, gracieuses et érudites : le soir, après le repas, dans les palais et les villas, il rêve avec son ami et déclame ses propres *Selve,* dont la seconde, dédiée à Lorenzo Tornabuoni, se termine par la louange de la villa de Poggio a Cajano.

La quatrième *Selva,* appelée la *Nutricia,* exalte Laurent, « merveille de la Seigneurie et du Peuple », « pacificateur d'Italie », en même temps que l'égal des plus grands poètes. Politien termine cette œuvre à Fiesole, le 8 septembre 1486, dans la petite maison que lui a donnée son ami sur l'agréable versant de Fonte Lucente, non loin de la villa Médicis, restée l'un des gîtes favori de Laurent.

LE RENOUVELLEMENT DE LA « BRIGADE » : PIC DE LA MIRANDOLE. PLAISIRS DE L'ESTHÈTE ET DU COLLECTIONNEUR

A l'entourage familier vint s'adjoindre en 1484 un jeune homme de très noble famille, le comte Jean Pic de la Mirandole, âgé de vingt et un ans, extrêmement doué pour la philosophie et la poésie, qui devint bientôt l'ami intime de Politien et du poète Girolamo Benivieni. Elève des meilleurs humanistes, il était imprégné des théories d'Aristote et ne tarda pas à critiquer la théologie platonicienne de Ficin à qui cependant le liait une vive amitié. En effet, au lieu de lui nuire, son attitude, étayée de raisons fondées sur de nombreux exemples, inspirait une admiration unanime.

Invité en 1485 à l'université de Paris, puis installé à Pérouse à la suite d'une étrange aventure amoureuse au cours de laquelle il avait été poursuivi pour séduction et enlèvement, il s'était consacré à l'étude de la kabbale. Vers la fin de 1486 il rédigea 900 thèses ou propositions philosophiques qu'il s'offrit à défendre à Rome dans un débat public. Innocent VIII fit préalablement examiner les propositions : sept furent jugées hétérodoxes et six douteuses. Pic les défendit. Outré, le pape condamna alors en bloc les 900 thèses. Le jeune philosophe s'enfuit en France où les envoyés du pape le rattrapèrent, le firent arrêter en 1488 et incarcérer à Vincennes. Libéré sur l'intervention de plusieurs princes italiens, il fut autorisé par le pape à s'installer à Florence : Laurent le Magnifique l'avait pris sous sa protection personnelle et le logea dans sa villa de Fiesole.

Le séjour fiésolan de Pic, Politien et Ficin relance alors le prestige du cercle érudit et philosophe de Florence. L'Académie platonicienne est dépassée. Déjà, d'ailleurs, une nouvelle orientation spirituelle, empreinte d'austérité, monte de la ville vers les collines : les prêches du moine Savonarole annoncent un bouleversement de la conscience florentine. Résolument convaincu de l'unité profonde des doctrines philosophiques, Pic verse la quintessence de ses convictions dans l'*Heptaplus,* traité sur l'organisation du monde qu'il dédie à Laurent. Dans un autre traité, *De ente et uno,* en 1491, il tente une concordance entre Aristote et Platon. La dignité et la liberté humaine sont au centre de son œuvre et pour les exalter il ne ménage pas ses efforts, allant jusqu'à rédiger une longue attaque, publiée après sa mort, contre les doctrines astrologiques qui l'avaient attiré un moment. Une œuvre aussi courageuse qu'abondante, qui devait lui valoir un acquittement à Rome en 1493, un an avant sa mort prématurée, n'avait été possible que grâce à la protection de Laurent. Une fois encore, le Magnifique témoignait par son attitude personnelle qu'aucune des préoccupations intellectuelles, morales et religieuses de son époque ne lui demeurait étrangère. La brigade, en ces années fécondes, comprend la plupart des personnalités littéraires de Florence : l'érudit Cristoforo Landino, Ugolino Vieri, poète et compagnon de chasse de Laurent sur les rives de l'Ombrone, Alessandro Braccesi, secrétaire du Magnifique et poète amoureux, Matteo Franco et Bernardo Bellincioni, poètes facétieux. L'ouverture sur le monde se traduit par l'enrichissement constant des bibliothèques placées sous le patronage des Médicis, à San Marco, à San Lorenzo et à l'abbaye de Fiesole.

Laurent se tourne résolument vers l'imprimerie, ce qui désole le vieux Vespasiano da Bisticci, grand réalisateur de copies de manuscrits antiques. Pourtant le nouvel art produit des merveilles, parfois imprimées sur parchemin, et enluminées. La quête des manuscrits antiques se poursuit à travers le monde par l'intermédiaire des filiales Médicis. Laurent fait copier les textes qu'il ne peut se procurer : ainsi, après avoir, en 1485, demandé à Hercule d'Este de lui prêter l'*Histoire Romaine* de Dion, il envoie en 1488 un Grec à Ferrare pour copier le manuscrit. Hercule d'Este lui fait cadeau de la traduction italienne de l'œuvre. Les livres manuscrits continuent d'être des objets de collection.

Amateur éclairé de statues antiques découvertes dans les fouilles, de monnaies et médailles et de vases précieux, Laurent continue de plus belle sa collection. Il favorise les tailleurs de camées florentins, Pietro Razzanti et Giovanni di Lorenzo, qui réalise son portrait.

Le nombre des médailles s'accroît des portraits des papes, des princes italiens, des artistes et des hommes de lettres contemporains, mais aussi des effigies de ses parents et amis. Le médailler devient un album de famille, plus intime que les grandes fresques triomphalistes. La lumière s'accroche aux reliefs et vivifie les formes. De la même façon, elle caresse les vases, les aiguières et les coupes de cornaline et de pierres précieuses. Elle fait chanter les ors et les couleurs chatoyantes des tapisseries flamandes qui parent les murs. Appréciant l'art des Pays-Bas, le Magnifique possédait une centaine de ces grandes tentures à Florence et à la campagne.

Laurent aime à se tenir dans son cabinet où les gemmes s'animent d'une vie mystérieuse, faisant resurgir, avec les souvenirs, les peines et les plaisirs. Comme la poésie, l'art est pour lui une incantation, qui apporte consolation et jouissance. Pour le maître de Florence, adulé et haï, tourmenté par les affaires du monde, perpétuellement inquiet du lendemain et de l'au-delà, la culture n'est ni un luxe ni un vain décor : elle donne à la vie l'indispensable support du rêve.

CHAPITRE IV

Le chant du cygne

A quarante ans Laurent peut enfin porter sur le monde un regard serein. Tout autour de Florence les passions et les haines grondent. Mais la Toscane est tranquille. Sarzana enfin reconquise garde la frontière du Nord contre les visées menaçantes de Ludovic le More qui, depuis l'été 1488, occupe l'ancienne République de Gênes. Forli et Faenza sont placées sous le protectorat florentin. Le pape Innocent VIII semble lui-même soumis aux volontés du Magnifique. On dit couramment qu'il voit toutes choses avec les yeux de Laurent. Il est vrai que celui-ci paie fort cher les complaisances du pontife.

Le directeur de la filiale de Rome, Giovanni Tornabuoni, avant de céder la place à son neveu Onofrio, a consenti des prêts imprudents au fils du pape, aux Orsini, aux principaux prélats pour assurer le prestige de sa maison. A Florence, le directeur général Francesco Sassetti est mort le 31 mars 1490, sans avoir rétabli l'équilibre financier de l'entreprise. Giovambattista Bracci, qui le remplace, ancien directeur de la Table de change est un homme peu fortuné, dénué de prestige. Sa nomination provoque des remous violents au sein de la banque de Lyon qui est avec Rome la seule filiale importante à subsister. Les fils de Sassetti s'y heurtent au directeur local, Lorenzo Spinelli : on envisage la liquidation de l'établissement.

Laurent veut ignorer ce malaise. En lui, désormais, le prince sans couronne estompe le banquier. Le Trésor public finance son action : il supplée aux difficultés rencontrées dans le négoce. L'antique compagnie Médicis s'efface devant l'entreprise d'Etat qui est désormais le but de Laurent : les notables, ses pairs, l'ont tacitement investi de la direction des affaires de Florence. Il se réserve personnellement l'activité la plus noble, la conduite des relations extérieures. Sa tâche consiste à préserver l'Etat des agressions étrangères en inspirant le respect aux autres. La reconnaissance de la puissance florentine est l'une des conditions essentielles qui doivent permettre d'établir la paix en Italie, cette paix dont les marchands de Florence ont besoin pour rétablir leur prospérité économique. Par la diplomatie Laurent espère parvenir à constituer une nouvelle ligue italienne, regroupant les puissances de la péninsule suivant une formule plusieurs fois expérimentée depuis la paix de Lodi. L'incitation peut être fournie, comme autrefois, par la nécessité de faire front à l'ennemi commun, le Turc.

LE CONTEXTE DE LA CROISADE : ZIZIM, OTAGE DES CHRÉTIENS ; LA PAIX ENTRE ROME ET NAPLES

Le fils de Mahomet II, Bajazet, a repris depuis 1484 l'offensive contre les chrétiens dans la Méditerranée et les Balkans. Le pape Innocent VIII a appelé les princes européens à la croisade en mai 1487. L'hostilité qui persiste entre Rome et Naples constitue un obstacle insurmontable au lancement de la guerre sainte : le roi Ferrante, avec l'appui de son gendre Mathias Corvin, roi de Hongrie, repousse tout accommodement avec la papauté. La situation s'envenime au début de 1489, à l'occasion d'une curieuse péripétie internatioale que l'on pourrait appeler le jeu de l'otage.

Le sultan Bajazet avait un frère très ambitieux, Djem, fils de Mahomet II et d'une princesse chrétienne serbe, cousine de Mathias Corvin. Le prince, après une révolte avortée, demanda asile en 1482 au grand-maître de l'ordre de Saint-Jean-de-Jérusalem, Pierre d'Aubusson. Celui-ci l'accueillit à Rhodes, poste avancé de la Chrétienté face à l'empire turc. Il lui promit qu'il ne le livrerait pas à son frère. Mais Djem était libre de préparer sa revanche. Le sultan Bajazet, pour se garantir, proposa au grand-maître une pension annuelle de 45 000 ducats, un fleuve d'or, contre la promesse qu'il maintiendrait son hôte sous bonne garde.

Pierre d'Aubusson envoya le prince dans son lointain prieuré de Bourganeuf, au cœur de la Marche limousine : celui que les Limousins appelèrent le Grand Turc Zizim y vécut plusieurs années tranquille.

Mais de nombreux souverains guignaient cette proie alléchante : on se rendait compte que jamais Bajazet n'attaquerait un pays en possession de la personne de son rival et qui pourrait à tout moment le lâcher sur la Macédoine. Le doge de Venise, le roi de Naples et son gendre le roi de Hongrie, le duc René II de Lorraine et le roi de France qui revendiquaient l'héritage des royaumes de Naples et de Jérusalem, ainsi que le pape Innocent VIII essayèrent à qui mieux-mieux de se faire livrer Zizim en proposant au grand-maître des sommes considérables avancées par les banquiers. L'offre la plus importante, 600 000 ducats, fut faite par le chef islamique de l'Egypte, le soudan du Caire. Ce prince, dont l'autorité s'étendait à toute l'Afrique du Nord, à la Palestine et à la Syrie, était l'ennemi de Bajazet. A ce titre, il entretenait d'assez bons rapports avec les chrétiens. Florence, métropole commerciale et bancaire, était en excellents termes avec lui. En 1487, il avait envoyé une ambassade à la Seigneurie et avait fait cadeau d'animaux exotiques à Laurent de Médicis : un lion et une girafe, celle-ci vite devenue l'animal favori des Florentins.

Ce fut pourtant Innocent VIII qui, après avoir gagné les bonnes grâces du roi de France, réussit à se faire livrer Zizim par Pierre d'Aubusson contre un chapeau de cardinal et la réunion des biens assez considérables de l'Ordre militaire du Saint-Sépulcre à ceux de l'Ordre de Saint-Jean-de-Jérusalem. Il fut entendu que le pape toucherait directement du sultan la pension fixée à 40 000 ducats.

Débarqué à Civitavecchia le 6 mars 1489, Zizim fut reçu en grande pompe au Vatican le 17 mars, après avoir traversé Rome où l'on s'extasia sur sa personne. Le peintre Mantegna fit à son maître François de Gonzague, marquis de Mantoue, une description horrifique du prince qu'il présenta comme un ivrogne cruel. « Il a la démarche d'un éléphant et, dans ses mouvements, la grâce d'un tonneau vénitien... » C'était une plaisanterie. En réalité, Zizim, âgé d'une trentaine d'années, était un homme de belle stature, au visage bronzé, avec un nez d'aigle, et des yeux bleus légèrement divergents : un prince de grande allure. On espérait secrètement que, rétabli dans ses droits à Constantinople, il favoriserait les chrétiens et peut-être même se convertirait.

Zizim fut confortablement installé au Vatican. Le pape fit connaître aux divers feudataires du sultan de Constantinople, notamment au soudan d'Egypte, qu'il hébergeait le descendant légitime de Mahomet : il pensait ainsi provoquer des défections à l'intérieur de l'Empire turc, qui succomberait plus facilement aux attaques des croisés.

Bajazet, qui avait essayé à diverses reprises de faire empoisonner son frère, fut contraint de payer sa colossale pension au pape. Celui-ci obtenait ainsi le moyen financier de lever une armée contre l'Islam. Il convoqua à Rome les représentants de toutes les puissances chrétiennes : du 25 mars au 30 juillet 1490, on mit au point le plan de campagne contre les Turcs. Trois armées internationales se porteraient par terre et par mer vers l'Orient : elles devaient compter quinze mille cavaliers et quatre-vingt mille fantassins. Mais, pour que la campagne réussît, il fallait réduire à l'obéissance les princes chrétiens rebelles à Rome, le roi de Naples et son gendre Mathias Corvin. Celui-ci, dont les qualités de guerrier étaient éminentes, fut pressenti pour être le général en chef de la croisade : mais une brusque attaque d'apoplexie le terrassa le 6 avril 1490, à l'âge de quarante-sept ans. Quant à Ferrante de Naples, il continuait de refuser avec insistance de payer le tribut qu'il devait au pape. Innocent VIII l'excommunia le 11 septembre 1489 et déclara solennellement qu'il reprenait le royaume de Naples dont il était suzerain. Le roi de France, chez qui s'étaient retirés, avec le prince de Salerne, les grands barons fugitifs, s'offrit à diriger l'opération punitive contre Ferrante, dont il espérait bien se faire donner le royaume. C'est alors que Laurent de Médicis s'entremit avec succès entre Rome et Naples. Grâce à la diplomatie florentine, les deux parties se mirent d'accord en 1491. Le pape proclama les clauses de l'entente le 27 janvier 1492 : évocation à Rome du procès des barons napolitains ; paiement par Ferrante de 30 000 ducats pour les arriérés du tribut et promesse de s'en acquitter dorénavant par l'entretien annuel de deux mille cavaliers et de cinq galères, c'est-à-dire que Naples apportait désormais sa contribution active à la future croisade. La paix devait être scellée par le mariage du petit-fils de Ferrante, Louis d'Aragon, avec la petite-fille du pape, Battistina, fille de Teodorina Cibo et de Gherardo Usodimare. Ainsi la dynastie aragonaise de Naples devenait cousine des Médicis par l'intermédiaire des enfants du pape.

Rien n'empêchait plus le déferlement des alliés chrétiens sur les terres du sultan Bajazet. Affolé, celui-ci essaya de retarder cette issue en livrant au pape une insigne relique de la Passion du Christ, la Sainte Lance avec laquelle le soldat romain Longin avait percé le côté du Sauveur sur la croix. A l'autre extrémité de l'Europe, le 2 janvier 1492, Grenade, dernière principauté islamique d'Espagne, capitula devant les rois catholiques, Isabelle et Ferdinand. Un peu plus tard, le navigateur Christophe Colomb devait apporter à la Castille un monde nouveau à évangéliser.

LA « REPRÉSENTATION SACRÉE DES SAINTS JEAN ET PAUL » : UN TESTAMENT MORAL ET POLITIQUE

Avant même que fussent parvenues à Florence toutes ces nouvelles bénéfiques, une sorte d'exaltation mystique avait parcouru la cité : elle avait été savamment orchestrée par Laurent au moment où il s'efforçait de réconcilier le pape et le roi de Naples. Il s'agissait de faire comprendre aux Florentins quels étaient alors les enjeux internationaux. L'enseignement eut pour support une pièce de théâtre dans la tradition des mystères médiévaux : la « représentation sacrée des saints Jean et Paul ».

Le peuple était habitué à de tels spectacles. Les grandes fêtes florentines, comme la Saint-Jean, étaient agrémentées de mystères montés par des compagnies d'artisans ou des confréries de jeunes gens sur des thèmes tirés de l'Histoire sainte ou de la Légende dorée des saints. La pièce fut écrite par Laurent vers 1490. La représentation en fut donnée plusieurs fois sur la place de la Seigneurie, avec la participation des enfants du Magnifique, notamment le 17 février 1491 à l'occasion de l'élection de Julien, son fils le plus jeune, comme dignitaire de la compagnie théâtrale de Saint-Jean-l'Evangéliste.

Les deux saints Jean et Paul avaient été martyrisés en 362 à Nicomédie. Leurs reliques, rapportées très tôt d'Asie Mineure, furent déposées dans leur maison du Cœlius à Rome : le pape Innocent Ier (401-417) la transforma en église. En choisissant l'histoire de ces martyrs, Laurent manifestait une délicate attention à l'égard d'Innocent VIII, qui avait relevé le nom de son lointain prédécesseur. D'autre part les deux saints figuraient au canon de la messe avant les deux protecteurs de la maison de Médicis, Côme et Damien ; leur fête était fixée au 26 juin entre la saint Jean-Baptiste et la fête des saints Pierre et Paul : en commémorant ces martyrs Laurent donnait l'impression de célébrer deux saints protecteurs de Florence et de sa maison.

Le texte, long de 1 168 vers, était réparti entre trente-deux rôles. De nombreux figurants, courtisans, soldats, cavaliers, astrologues y intervenaient. L'action était riche de symboles et d'allusions aux événements contemporains.

Au début du drame la fille de l'empereur Constantin, Constanza, atteinte de la lèpre, se rend sur la tombe de sainte Agnès. Un miracle se produit : elle est guérie. Elle va crier son allégresse à la Cour de son père :

> *Voici ta fille, ô père, qui souffrait de la lèpre.*
> *Elle revient à toi, nette et belle de corps,*
> *avec une santé véritable et parfaite,*
> *car son corps est guéri et son esprit aussi.*
> *Je suis bien trop heureuse et le bonheur m'emplit,*
> *ô mon père si doux, lorsque je vois ta joie,*
> *car un divin miracle a chassé d'un seul coup*
> *de moi-même la lèpre et de toi la douleur.*

La guérison de la princesse symbolise la conversion de l'âme pécheresse. Constanza fait le vœu d'entrer en religion. Mais le païen Gallicano, qui vient de remporter pour Constantin une victoire en Perse, demande sa main. La princesse, par une inspiration divine, remet la célébration de ses noces au retour d'une expédition que doit mener le général contre les Daces rebelles.

L'empereur donne pour compagnons à son général Jean et Paul, deux officiers, ses favoris. Or Gallicano est battu par l'ennemi et ses compagnons, qui sont chrétiens, en tirent la leçon. Jean lui demande de se convertir.

> *Dieu t'inflige peut-être une telle journée*
> *pour te faire sentir quelle est ta destinée.*
> *De lui-même, mortel et plein de corruption,*
> *L'homme atteint le péché et la désolation.*
> *Fais un retour sur toi et proclame ta foi*
> *en Dieu, de qui dépend tout le bien de ce monde.*

Paul renchérit :

> *Dieu t'a ravi l'honneur en combat rapproché*
> *pour montrer à ta gloire et à ta vanité*
> *qu'il donne la victoire et aussi la reprend.*

Gallicano se convertit. Un ange descend du ciel et l'assure que Dieu le soutiendra dans le siège de la ville ennemie :

> *Brandis toujours la Croix comme ton étendard.*

Le général voit aussitôt apparaître miraculeusement une légion de soldats qui sont des esprits célestes envoyés par Dieu. Il se met tout naturellement à leur tête sans être autrement troublé. Il emploie à leur égard le langage énergique du condottière :

> *Que l'armée obéisse à mon commandement.*
> *Le premier à monter au sommet du rempart*
> *aura mille ducats en prime de ma part,*
> *le deuxième cinq cents et le troisième cent.*
> *Je doublerai la solde à tout le régiment !*

L'assaut est, bien entendu, victorieux. Magnanime, Gallicano fait grâce de la vie au roi ennemi et à ses fils. Il va trouver Constantin pour lui annoncer sa victoire. Il lui dit qu'il renonce à épouser sa fille : il se retirera au désert pour passer le restant de sa vie à prier Dieu.

Peu après, l'empereur Constantin abandonne le pouvoir à ses trois fils en leur donnant une leçon de morale politique. Son testament semble être celui de Laurent :

> *Que celui d'entre vous qui en héritera*
> *sache que le pouvoir lègue avec les soucis*
> *une fatigue extrême du corps et de l'esprit.*
> *L'empire n'est pas si doux qu'au-dehors on le croit.*
> *Quiconque essayera de vouloir gouverner*
> *au bien universel devra d'abord penser.*
> *Il convient de choisir la vie la plus honnête*
> *qui sera pour le peuple une règle parfaite...*
> *faire balance égale à chacun en justice,*
> *chasser au loin de soi luxure et avarice,*
> *être doux et affable, empli d'aimable verve :*
> *un seigneur doit toujours servir ceux qui le servent.*

L'aîné des fils, le jeune Constantin, succède à son père avec l'accord de ses frères Constant et Constance. Mis dans l'obligation de lutter contre les rebelles, il implore dans un sacrifice le dieu Mars, mais il succombe bientôt ainsi que ses frères. Son successeur est Julien, le neveu du grand Constantin. Il accuse la foi chrétienne d'être responsable de la défaite. Il rétablit le culte des dieux païens et ramène la statue de la Victoire dans la Curie. Pour se procurer de l'argent il confisque les biens des chrétiens et les persécute.

> *Le Christ en vérité dit à chacun des siens :*
> *« Il te faut renoncer à ce que tu possèdes. »*

Les officiers Jean et Paul refusent de sacrifier à Jupiter. L'empereur ordonne leur martyre. Puis, il part en guerre contre les Parthes après avoir proclamé avec noblesse les devoirs qui s'attachent à la fonction impériale.

Jamais un vrai seigneur n'abandonne sa tâche
pour chercher le profit ou suivre ses plaisirs...
S'il a des revenus, c'est pour les distribuer,
agissant par raison et générosité.
Il protège son peuple contre toute souffrance
causée par l'ennemi. Il tient son armée prête.
Si le grain coûte cher, c'est à lui de nourrir
les hommes qui sans lui périraient de la faim.
Seigneurie et richesse, attributs de l'empire
tout est au peuple seul, rien ne lui appartient,
et, bien qu'il soit de tous le maître et le seigneur,
il ne possède rien et n'a pas d'usufruit.
Son rôle est d'apporter aux autres des services :
il en tire l'honneur pour toute récompense,
l'honneur auprès de quoi tout sentiment est vil,
et qui est d'un grand prix au noble cœur gentil.

C'est le sens de l'honneur qui pousse Julien à tirer vengeance des Parthes pour les injures qu'ils ont infligées à Rome et aux Romains qu'ils ont exterminés. Avant de partir, il consulte les astrologues qui lui conseillent de se méfier du mal qui lui viendra d'un homme mort. C'est l'occasion pour Julien de jouer l'esprit fort :

Roi et sage ont sur eux des étoiles semblables.
Je me mets au-dehors de cette vaine loi.
Je crois que le moment de l'heure favorable
résulte uniquement pour l'homme de son choix.

C'est mettre imprudemment le sort au défi. L'Apostat comptait, dans son expédition, non seulement battre les Parthes, mais également punir le chef des chrétiens, le moine saint Basile de Césarée. Celui-ci supplie Dieu et la Vierge de prendre la défense de l'Eglise. La Vierge apparaît et fait sortir du tombeau un soldat chrétien martyrisé un siècle auparavant en Egypte où de nom-

breuses églises des anciennes communautés lui avaient
été dédiées sous le titre de « Père des Epées ». Il
s'appelle saint Mercure.

Aux Florentins, familiers du Panthéon romain, Mercure rappelait la divinité païenne de ce nom : le passeur
de l'âme des morts, reliant couramment la terre et l'au-
delà. Mais une autre image encore se superposait à celle
du martyr. Celle du grand maître légendaire de l'ésotérisme, Hermès Trismégiste, appelé encore Mercure
Trois Fois Grand, ou Mercure des Egyptiens. Ce personnage avait, disait-on, vécu en Egypte, vingt siècles avant
Jésus-Christ : il y avait fondé la plupart des sciences,
notamment les sciences occultes et l'alchimie. Il avait
révélé aux prêtres égyptiens les secrets du monde qui
avaient été transcrits dans les « livres hermétiques ».
Marsile Ficin tenait en grand honneur la philosophie
ésotérique mise sous le nom d'Hermès Trismégiste : il
avait traduit le *Pimander* (le Pasteur), traité de la
puissance et de la sagesse divine. En donnant à saint
Mercure, homonyme à la fois d'un dieu antique et du
maître de l'ésotérisme, la charge de venger la foi
outragée, Laurent suggérait à son auditoire que la
doctrine néo-platonicienne et le syncrétisme qu'elle
proposait n'étaient pas dangereuses pour le christianisme : bien au contraire, elles lui apportaient une
défense appréciable. A ce champion, si complexe,
qu'elle s'est choisie, la Vierge parle un langage de déesse
vengeresse.

Mercure, lève-toi ! Sors de ta tombe obscure !
Arme-toi de nouveau, relève ton épée
sans attendre l'appel du Jugement dernier.
J'ordonne que par toi soit vengée mon injure...
et l'offense aux chrétiens cruellement punie !
L'ordre te vient de Dieu par la Vierge Marie !
Tue ce maudit serpent, plein de méchant venin
qui suce sans répit le sang pur des chrétiens !

Malgré l'avertissement qui lui a été donné, Julien se met à la tête de l'armée dont son grand argentier lui vante l'ordonnance :

J'ai donné à tes gens de l'or en abondance...
Jamais tu n'as pu voir soldats mieux équipés,
bien armés, courageux et fort disciplinés.

L'empereur se réjouit :

O mes vaillants soldats, ô mon peuple si fort,
je serai avec vous à la vie à la mort.

Mais, dès lors que Dieu l'a décidé, rien ne peut arrêter la marche du destin. Le fantôme de saint Mercure traverse les rangs serrés des soldats. Il frappe l'empereur qui expire en s'écriant, conformément à la tradition :

Christ de Galilée, c'est toi qui m'as vaincu !

Cette pièce dut son succès au vif intérêt dramatique de son action et au pittoresque des scènes marquées par l'irruption du fantastique dans la vie quotidienne : les anges se transformant en soldats, la Vierge ressuscitant un mort, le fantôme d'un martyr terrassant l'ennemi des chrétiens. Les spectateurs étaient agréablement flattés par les mouvements des figurants, les décors exotiques et les nombreux passages chantés : l'accompagnement musical était d'Enrico Isaac, musicien allemand, maître de chapelle à San Giovanni.

La leçon moralisatrice plaisait au petit peuple : le bon chef d'Etat, qui agit pour le mieux en faveur de l'intérêt public, ne peut être sauvé que s'il a la Foi. Dans la conduite d'une entreprise légitime contre les ennemis, le meilleur gage de réussite et de survie est l'obéissance à la loi divine. La pièce se faisait ainsi l'écho de la doctrine de la papauté : suprématie du pouvoir spirituel sur le pouvoir temporel. En rappelant qu'il était nécessaire de lutter contre les ennemis de l'Empire, elle faisait d'autre part allusion à la grande affaire du moment, la croisade contre les Turcs. Les princes chrétiens ne réussiraient ce grand-œuvre que s'ils s'unissaient derrière le Souverain Pontife, gardien de la Foi.

LAURENT ET L'ASTROLOGIE

Tout n'était pas clair dans le message contenu dans la pièce de Laurent : ainsi la position à l'égard de l'astrologie. Certes, Julien l'Apostat (si on l'assimile un instant au Magnifique) repoussait la prédiction lui annonçant qu'il serait exécuté par un homme déjà mort, mais il en était puni : la prédiction se réalisait. Il y a là un fort intéressant éclairage sur la mentalité de Laurent et celle de son époque.

Le pape Innocent VIII, pour lutter contre la magie et les croyances ésotériques qui la nourrissaient, avait pris des mesures radicales. Par une bulle du 5 décembre 1484 il donna des directives énergiques aux Inquisiteurs chargés de poursuivre la répression de la sorcellerie en haute Allemagne et dans les pays rhénans où s'était déclarée une véritable épidémie d'adhésions au culte satanique : nombre de personnes des deux sexes y avaient, disait-on, formé des alliances charnelles avec les démons, causant de grands dommages aux hommes et aux animaux par leurs incantations et conjurations magiques. Le mal sévissait dans toute la Chrétienté.

D'autres problèmes aussi épineux pour Rome venaient s'y adjoindre. En Espagne, la reconquête catholique avait pour corollaire la conversion forcée des Juifs. Ceux-ci se vengeaient, quand ils le pouvaient, par des sacrilèges secrets — crucifix brisés, souillure d'hosties consacrées — et même par l'assassinat de leurs persécuteurs : ainsi celui de l'Inquisiteur Pierre Arbues, mortellement blessé en septembre 1485 dans la cathédrale de Saragosse.

On comprend dans ces conditions la rigueur de la

censure prononcée par la papauté contre les thèses de Pic de la Mirandole en 1486 : parmi les propositions publiées par l'ami de Laurent se trouvait l'affirmation que la magie et la kabbale juive plus qu'aucune autre science humaine, pouvaient démontrer avec certitude la divinité du Christ !

Pic tenta de désamorcer la condamnation romaine par une habile défense : il la rédigea sous forme d'une apologie dédiée à Laurent le Magnifique, qui l'avait encouragé à la préparer. Mais il ne réussit pas à convaincre les théologiens. L'inquisition romaine le décréta de prise de corps et le poursuivit jusqu'en France, où il s'était réfugié : cette mésaventure amena le retournement complet de son opinion et il devint l'un des pourfendeurs des croyances ésotériques.

Au moment où politiquement Laurent se rapprochait d'Innocent VIII après la condamnation de Pic de la Mirandole, il ne pouvait que se désolidariser de l'opinion de son ami qui venait d'être censurée.

Aussi trouve-t-on dans l'œuvre écrite à cette époque une dénonciation des pratiques fondées sur l'ésotérisme.

La seconde des *Selve d'Amore* est très explicite à ce sujet :

> *Vole la Nuit qui fuit toujours de par le monde*
> *Comme Aurore devant les rayons du soleil...*
>
> *Suivent la malheureuse en étrange cohorte*
> *songes, prédictions, effrontées tromperies,*
> *ceux qui lisent les mains, devins de toutes sortes,*
> *qui dévoilent le sort et font des prophéties*
> *de voix et par écrit, lisant dedans les cartes,*
> *qui disent, quand c'est fait, ce qui doit arriver ;*
> *et l'alchimie aussi et la science des astres,*
> *décrivant l'avenir suivant sa volonté.*

Cette condamnation était destinée aux théologiens humanistes qui fréquentaient les cercles éclairés de

Florence et l'Académie platonicienne. Dans la rue, Laurent ne craignait pas de s'exprimer autrement. Grand ordonnateur des fêtes florentines, il composa sur le thème de l'astrologie l'une de ses fameuses chansons de Carnaval, sans doute pour le Mardi gras de 1490.

Un char représentait les sept planètes de l'astrologie : Saturne, le Soleil, Mars, Jupiter, Mercure, la Lune et Vénus. Des personnages travestis représentaient les tendances des êtres nés sous ces divers signes : successivement, les mélancoliques, les bons vivants, les impatients, les hommes d'étude et de commandement, les menteurs, les travailleurs manuels, et enfin les hommes nés pour le plaisir et l'amour.

Le poème, chanté sur une mélodie d'Enrico Isaac, commençait par une profession de foi en l'astrologie :

De nos trônes du Ciel, c'est nous les sept planètes
qui pour vous enseigner descendons sur la terre.
De nous viennent les biens et les maux tout autant,
ce qui vous fait pleurer, ce qui vous rend contents.
Ce qui advient à l'homme, aux êtres animés,
aux plantes et aux pierres, nous le décidons tout.
Est promptement brisé qui lutte contre nous,
qui croit en nous par contre est doucement guidé.

Laurent enchaînait en proclamant que la fatalité astrale était conjurée par l'Amour. La planète Vénus avait vocation d'attirer à elle les enfants de tous les autres signes qui voulaient être heureux.

Vénus gracieuse, claire et belle
fait naître dans le cœur amour et gentillesse.
Qui s'est brûlé au feu de la douce planète
brûlera pour toujours à la beauté d'autrui.
Bêtes, oiseaux, poissons en éprouvent douceur.
Par elle de nouveau le monde peut renaître.

Debout, faisons cortège à l'astre bienfaisant,
Galante jeune dame et garçon élégant !
Vous êtes appelés par la belle déesse
de Chypre à dépenser vos jours dans l'allégresse,
sans hésiter longtemps quand l'occasion est là,
car, lorsqu'elle s'enfuit, elle ne revient pas...

Chacun doit s'amuser et chacun doit aimer.
Soit content qui le peut : l'honneur et les grands biens
pour qui ne sait jouir, ne servent plus à rien.

LES DERNIERS ÉCHOS DE LA JOIE : CHANTS DE CARNAVAL
ET CHANSONS A DANSER

Le même cortège de Carnaval célébrait le « triomphe » de Bacchus, illustré par un char qui présentait,
parmi les nymphes et les satyres, les amours de Bacchus
et d'Ariane. La chanson en est célèbre. Elle s'ouvre par
les vers les plus fameux de Laurent le Magnifique :

Quant'è bella giovinezza
che si fugge tuttavia !
chi vuol esser lieto, sia :
di doman non c'è certezza.

Comme elle est belle la jeunesse
qui s'envole si vite hélas !
Soyez heureux, n'attendez pas :
demain n'est que vaine promesse.

Les six strophes qui suivent commentent les tableaux
vivants qui accompagnaient le char du Dieu de
l'Ivresse : danses des satyres et des nymphes, procession
grotesque du vieil ivrogne Silène, histoire du roi Midas
qui, changeant tout en or, ne peut trouver à étancher sa
soif. Le couplet final appelait frénétiquement les jeunes
gens au plaisir.

Filles et garçons amoureux,
Vive Bacchus et vive Amour !
Qu'on chante et danse tour à tour !
Que vos cœurs brûlent de douceur !
Chassez les ennuis, la douleur :
ce qui doit être arrivera.
Soyez heureux, n'attendez pas :
demain n'est que vaine promesse.

Laurent avait, pour les fêtes des Carnavals précédents évoqué un thème voisin, celui de la beauté aux prises avec l'envie. Lors du Mardi gras de 1489 il fit chanter des jeunes filles face aux « cigales », c'est-à-dire aux vieilles femmes médisantes.

Nous sommes, vous voyez, Mesdames,
filles élégantes et gaies...
Mais que vaudra notre beauté
si elle se perd dans vos paroles ?
Vive l'amour, la courtoisie
Mort au jaloux et à l'envie !
Dites le mal que vous voudrez :
nous jouirons, vous parlerez.

Avec la « Chanson des Visages retournés », Laurent abordait la satire sociale : il proclamait que tout le monde marchait à l'envers. Les travestis qui chantaient le poème portaient un masque derrière la tête et semblaient ainsi se déplacer à reculons : ils incarnaient les traîtres, les hommes trop prudents pour être honnêtes et ceux qui prenaient plaisir à montrer aux autres la partie charnue de leur personne :

Ne vous émerveillez pas
si les dames en font autant !

Les sept autres chansons de Carnaval écrites par Laurent, chantées et mimées les années précédentes, étaient destinées à des corporations de métiers qui, par tradition, défilaient à travers la ville en cortège burlesque. Leurs paroles sont lestes et leurs sous-entendus encore plus. Les fabricants de pains d'épice, les pâtissiers qui vendent des gaufres ainsi que les boulangers vantent leur marchandise dont la forme et la consistance donnera, assurent-ils, toute satisfaction à leur clientèle féminine. Les parfumeurs proposent aux dames des odeurs subtiles qui, placées à bon escient, attirent les amants. Les fabricants de musc vantent les vertus aphrodisiaques du liquide nauséabond de la civette. Les villageoises ne sont pas en reste : elles offrent aux acheteuses légumes et fruits aux allures ambiguës, concombres boutonneux, longues cosses de fèves bien gonflées, dont elles soulignent lourdement la ressemblance avec les organes masculins ! Enfin les jardiniers indiquent plaisamment, avec des clins d'œil complices, comment placer un greffon :

Il faut l'introduire avec soin :
se hâter souvent gâte tout.
Qui prend son temps réussit bien :
il faut agir quand vient la sève.

Les fêtes populaires permettaient ainsi à Laurent de retrouver la veine drue de ses poèmes campagnards. Cependant, dans les fêtes mondaines, il continuait de s'inspirer des thèmes délicats et raffinés de l'amour courtois : il écrivait pour la bonne société des « chansons à danser ». Les vers étaient mis en musique par Antonio Squarcialupi. Certains motifs sont proches de ceux de la « chanson de Bacchus » :

Dame, qu'il est vain de croire
que jamais ne vient la vieillesse
et que la jeunesse
restera toujours immuable.
L'âge vole et s'enfuit.

La fleur de la vie s'étiole.
Le cœur aimable doit penser
que le temps ruine toutes choses...

Un autre poème reprend cette plainte :

Belle jeunesse jamais ne revient.
Le temps perdu jamais ne recommence...

O combien la jeunesse méprise le bonheur
Et pourtant que les fleurs sont belles au printemps !

LES HYMNES RELIGIEUX

Cette sorte de désespérance devant le temps qui passe, Laurent l'éprouve plus vivement que jamais, cloué qu'il est, la plupart du temps, par de douloureuses crises de goutte dans sa chaise d'infirme ou sa litière. Les soupirs de l'amour courtois et les jongleries de l'imagination ne suffisent pas à dissiper son angoisse. Il cherche la consolation dans la prière : ses méditations durant la Semaine sainte de 1491 donnent naissance à des hymnes, ou *laudi*. Pour inviter le peuple à les fredonner, il les fait accompagner par la même musique que les chants de Carnaval. Ainsi sa *louange à la Vierge*, très voisine par le rythme de la *Chanson de Bacchus*, se chantait accompagnée de la même mélodie que la chanson gaillarde des villageoises.

Comme elle est grande ta beauté
Vierge sainte que chacun prie.
Que chacun te loue ô Marie
et chante ta douce bonté !

Que chacun te loue, ô Marie,
Toi, Vierge, qui fis tant de bien,
Quand tu naquis, à la nature,
si humble que Dieu convint
de devenir ta créature...

Laurent devient pathétique dans sa lamentation du Vendredi saint.

O mauvais et coupable cœur,
source de mes pensées malignes,
que ne brises-tu ma poitrine,
que n'éclates-tu de douleur !

Pleure en fondant comme la cire,
mon cœur perverti et méchant,
parce que meurt le vrai Vivant,
Jésus ton maître, ton doux sire.

Sur le bois dur mets-toi gisant
avec Jésus crucifié.
Sois par la lance transpercé
qui perça Jésus dans son cœur.

Ces hymnes d'une grande beauté furent adoptés, comme le souhaitait Laurent, par la piété populaire. Hommes, femmes et enfants des milieux dévots avaient l'habitude de se réunir le samedi soir dans la cathédrale Santa Maria del Fiore pour célébrer un office de prières en l'honneur de la Vierge. Chaque quartier chantait tour à tour des *Laudes* — hymnes, cantiques et ballades sacrées — sous la conduite de son propre maître de chœur qu'on appelait *capitano degli Laudesi*. Les chants appartenaient à un fonds commun sans cesse accru. Parmi les auteurs, figuraient Feo Belcari et Lucrezia Tornabuoni, la mère de Laurent, mais aussi bon nombre de religieux qui utilisaient ce moyen pour entretenir la dévotion du peuple dans l'intervalle de leurs sermons.

LA VOGUE DES PRÉDICATEURS. SAVONAROLE

Le prédicateur à la mode était frère Mariano de Genazzano, qui appartenait à l'ordre des Ermites de

Saint-Augustin. C'était un humaniste, au langage élégant, qui mêlait dans ses homélies Cicéron et Virgile à la Bible et aux Pères de l'Eglise. Politien le décrit comme un homme modéré, ni trop sévère ni trop indulgent à l'égard des défauts de son époque. Certes, quand il montait en chaire il ne craignait pas de les censurer, mais en particulier il se montrait aimable et empli de bon sens : non seulement Politien, mais Pic de la Mirandole et Laurent lui-même aimaient sa compagnie. Ils venaient souvent lui rendre visite et s'entretenir avec lui dans la bibliothèque du beau et spacieux monastère qui venait d'être bâti par Francesco Giamberti près de la porte San Gallo. Laurent pouvait attendre de frère Mariano, dans les dures journées qu'il vivait, écartelé par sa souffrance physique, une consolation réelle. Le religieux partageait son sentiment que les croyances des générations humaines convergeaient et montraient que Dieu était bon et qu'il se manifestait dans le monde pour aider les hommes de bonne volonté.

C'est dans ces moments où Laurent cherchait à conjurer son angoisse que frère Girolamo Savonarola — Savonarole — commença véritablement de séduire les Florentins par la puissance de son verbe prophétique.

Etrange destinée que celle de Savonarole ! Né en 1453 à Ferrare, il avait été élevé dans l'entourage de la brillante Cour d'Este dont son grand-père était médecin. Le visage expressif mais laid, petit de stature, rouquin, la voix rauque, il n'avait rien pour réussir dans le siècle. Un déboire amoureux qu'il subit à dix-huit ans auprès d'une jeune fille de la famille Strozzi lui inspira une haine farouche de la chair et des mondanités. Il quitta le monde et prit l'habit dominicain à Bologne en avril 1475. Reportant sur lui-même son dégoût de la condition humaine, il se livrait constamment à des macérations, se nourrissait très peu et couchait sur une paillasse. En public et en particulier, il dénonçait les vices de ses contemporains. Après avoir séjourné dans divers couvents de son ordre, Savonarole fut nommé le 28 avril 1482 lecteur au couvent de San Marco de Florence par le chapitre de la province lombarde : Pic de la Mirandole y assistait. Il y entendit une discussion théologique où le dominicain ferrarais l'emporta sur son adversaire : Pic en retira pour Savonarole une grande estime et il en fit part à son ami Laurent de Médicis.

De 1482 à 1484, en dehors de l'enseignement qu'il dispensait aux novices de San Marco, le religieux ne fit guère de bruit à Florence : ses prêches de l'Avent et du Carême au monastère des Murate, à Or San Michele et à San Lorenzo, n'attiraient pas plus de vingt-cinq auditeurs alors qu'au même moment frère Mariano remplissait de fidèles la grande nef de la cathédrale. Or, en 1485, le dominicain eut une vision : Dieu lui annonça que le temps de la punition était venu, le chargea de répandre la terrible nouvelle, et en récompense lui promit le martyre. Après avoir longuement hésité, Savonarole osa, lors du premier jeudi de Carême de 1486, dévoiler cette révélation. Les temps de la fin du monde étaient arrivés : déjà, pour reprendre la parole de saint Luc, la hache du bûcheron s'appuyait au tronc qu'elle allait couper. L'inquiétant prêcheur fut éloigné par ses supérieurs à Bologne puis à Ferrare. Il y fortifia sa conviction que l'Apocalypse était proche. Il se sentait chargé de la mission d'extirper de Florence, mère de tous les vices, les perversions sataniques, mais sa parole ne retentissait plus dans les chaires de la ville où, au contraire, frère Mariano, prédicateur attitré de Laurent le Magnifique, faisait entendre ses propos d'une piété équilibrée et, somme toute, rassurante.

Pic de la Mirandole, protecteur du dominicain, était absent. Il avait fui en France la vindicte pontificale qui s'était abattue sur lui après la condamnation de ses thèses en Cour de Rome. Quand il rentra à Florence en 1488, il demanda à son ami Laurent de faire revenir Savonarole. Pic ressentait en effet le besoin d'avoir auprès de lui, comme caution, un religieux à l'orthodoxie irréprochable, partageant certaines des opinions qu'il conservait malgré la condamnation romaine. Dans ses précédentes œuvres destinées à l'enseignement des novices, Savonarole avait professé quelques vues inspirées du courant néo-platonicien : il acceptait une certaine tradition ésotérique. Il pouvait éviter à Pic de nouvelles poursuites au moment où la « chasse aux sorcières », sous l'impulsion de la bulle de 1484, prenait une ampleur sans précédent et était orchestrée par les dominicains : Jacques Sprenger, provincial de l'ordre et Inquisiteur général en Allemagne, et son collègue suisse, Henri Krämer, n'avaient-ils pas publié un manuel destiné à aider, à reconnaître et à conjurer les maléfices, le *Marteau des sorcières* ?

Laurent écrivit donc le 29 avril 1489 au général de l'ordre dominicain pour lui demander d'affecter de nouveau Savonarole au couvent de San Marco : il obtint gain de cause un an après. Les supérieurs du religieux hésitaient, car ils connaissaient bien désormais son caractère entier, totalement dépourvu de souplesse. Or, ces défauts mêmes fondèrent le succès de Savonarole. L'annonce de catastrophes imminentes captive irrésistiblement les foules. Le 1er août 1490, abandonnant le cloître devenu trop étroit pour accueillir ses auditeurs, Savonarole prit la parole dans l'église de San Marco : il commenta l'Apocalypse. Bientôt cette église même ne put contenir la marée montante des auditeurs : au Carême de 1491 Savonarole s'installa dans la chaire de la cathédrale. Il prit à partie Laurent, de manière quasi directe. Il l'accusa de ruiner l'Etat et de dilapider les biens des citoyens déposés dans les caisses publiques. Le Magnifique s'émut et lui envoya cinq notables : Domenico Bonsi, Guidantonio Vespucci, Paolo Antonio Soderini, Francesco Valori et Bernardo Rucellai. Ces hommes pondérés firent entendre au religieux que ses sermons pourraient le faire chasser du territoire florentin. La réponse de Savonarole fut dédaigneuse : « Je ne m'en soucie pas : qu'il le fasse ! Cependant, qu'il sache ceci : je suis étranger et lui le premier de la ville. Mais c'est à moi de rester et à lui de partir. » Cette parole fut aussitôt interprétée dans Florence comme la prédiction de la mort prochaine de Laurent. D'ailleurs Savonarole ne se priva pas de répéter son propos : dans la sacristie de San Marco il affirma en présence de plusieurs personnes qu'il fallait s'attendre à voir de grands changements s'effectuer en Italie et que la mort ne tarderait pas à frapper Laurent le Magnifique, le pape et le roi de Naples.

À bout de patience, le Magnifique demanda à frère Mariano de dénoncer en chaire les prétentions de Savonarole en matière de prophéties. Le jour de l'Ascension le religieux augustin commenta en effet dans son sermon un passage des Actes des Apôtres : « Il ne vous appartient pas de connaître le temps et l'heure que Dieu a placés en sa toute-puissance. » Devant une foule nombreuse, le prédicateur flétrit Savonarole, l'appelant vain et faux prophète, propagateur de scandales et de désordres. Mais la fougue même du sermon profita au dominicain, qui, reprenant ce commentaire dans sa propre chaire de San Marco, eut beau jeu de montrer que Noé, Jérémie, Daniel et plusieurs autres personnages de la Bible avaient été favorisés de révélations sur des événements précis. Pourquoi lui-même n'aurait-il pu recevoir l'annonce de la rénovation de l'Eglise et des faits qui la marqueraient ? Les auditeurs qui, par curiosité, avaient précédemment écouté le savant augustin furent convaincus par ce raisonnement très simple. Dès lors Savonarole commença, en prophète reconnu, d'exercer sur le public pieux de Florence une véritable dictature spirituelle.

Dans l'été 1491 son prestige avait tellement grandi auprès de ses confrères en religion qu'ils l'élirent prieur de San Marco. La tradition voulait que chaque nouveau responsable du couvent allât rendre une visite de courtoisie au chef de la famille Médicis qui en détenait le patronage. Savonarole s'y refusa. Laurent, qui voulait se montrer conciliant, assista à la messe dans l'église de San Marco. A la sortie il s'attarda dans le jardin puis dans les cloîtres : Savonarole n'y parut pas. Une anecdote raconte que Laurent avait apporté une somme importante en pièces d'or qu'il voulait remettre au prieur pour son couvent : Savonarole la refusa et la fit distribuer aux pauvres. Laurent pardonna l'insolence en remarquant qu'après tout le but du religieux, fort louable, était de contraindre les citoyens de Florence à s'amender.

L'ULTIME MALADIE DE LAURENT

Laurent était de plus en plus préoccupé par son salut. Au début de l'hiver 1491, une mauvaise fièvre s'empara de lui. On ne put la faire tomber. Laurent était perclus de douleurs. Il souffrait de maux d'estomac très violents et d'élancements dans tout le corps : veines, nerfs, muscles et articulations semblaient tendus à craquer. Son médecin habituel, Piero Leoni, ne savait quel nouveau remède inventer. Il reçut le renfort d'un collègue de grande notoriété, le médecin Lazaro de Pavie, envoyé par Ludovic le More. Mais l'un et l'autre se révélèrent incapables d'améliorer l'état du malade. Ils se bornèrent à veiller sur son régime et à ordonner des mesures d'hygiène élémentaire. Ils ne croyaient pas à une issue fatale proche.

Laurent avait auprès de lui sa fille aînée, Lucrezia Salviati, et sa sœur Nannina Rucellai, son fils aîné Pierre et la femme de celui-ci, Alfonsina Orsini, ainsi que deux jeunes garçons, son plus jeune fils Julien, âgé de treize ans, et son neveu Jules qui avait quatorze ans. Avertis de l'aggravation de l'état de leur ami, Politien et Pic de la Mirandole accoururent de Venise où ils séjournaient alors pour veiller à l'impression de leurs œuvres chez Alde Manuce.

Dans les premiers jours de 1492, Laurent dut aban-

donner quasiment toute activité. Il s'était astreint jusque-là à recevoir les ambassadeurs étrangers avec ponc-
tualité, mais sa faiblesse l'obligea à remettre pendant
une quinzaine de jours l'audience des envoyés de Milan.
Il éprouvait le besoin impérieux de s'entourer de tous
ceux qu'il aimait : son second fils, Jean, le jeune
cardinal, manquait au cercle intime auquel se restrei-
gnait maintenant la Cour du palais de la via Larga.
Laurent le fit appeler de Pise où cet adolescent de dix-
sept ans terminait ses études de droit canon.

ENTRÉE SOLENNELLE DU CARDINAL JEAN DE MÉDICIS A
FLORENCE

Le retour de Jean fut célébré comme une fête. Au
début mars, on organisa son entrée officielle à Florence
en qualité de prince de l'Eglise. Son frère Pierre alla à sa
rencontre hors des murs de la ville, monté sur un cheval
harnaché d'or et entouré de patriciens superbement
vêtus. Le jeune cardinal s'avança dans les rues en sa
compagnie. Il chevauchait une mule somptueusement
parée. Un cortège d'évêques et de prélats venus de toute
la Toscane formait sa suite. Malgré la forte pluie qui
s'abattit sur Florence, une foule nombreuse massée le
long du chemin acclama le cortège.

Le cardinal se rendit tout d'abord à l'Annunziata pour
un office d'actions de grâce, puis au palais de la
Seigneurie où l'accueillirent le gonfalonier et les prieurs,
et enfin au palais de la Via Larga. Le peuple l'accompagna jusqu'à la porte et l'applaudit en le quittant. Dans la
soirée, on alluma des feux de joie sur les places. Des
sonneries de cloches, des chants et de gaies cadences
improvisées retentissaient dans tous les quartiers de la
ville. Leurs harmonies apportaient à Laurent, couché
sur son lit de souffrance, une bien douce satisfaction : la
joie populaire flattait sa fierté paternelle.

Le lendemain, une messe solennelle eut lieu à la

cathédrale, puis une cavalcade de notables, d'ambassadeurs, de membres de la Seigneurie et des Conseils se
forma autour du jeune cardinal et alla rendre visite à
Laurent qui n'avait pu quitter sa chambre. Dans le palais
Médicis chacun présenta ses cadeaux, mais Jean ne
voulut recevoir que ceux de sa famille et de la Seigneurie. Il prit congé des Florentins : il devait maintenant se
rendre à Rome pour prendre rang dans le Collège des
cardinaux.

Laurent bénit son fils : il le confia à son ancien
précepteur, le vieil évêque d'Arezzo, Gentile Becchi. Il
chargea deux diplomates confirmés, qui lui étaient
dévoués, Francesco Valori et Pier Filippo Pandolfini, de
guider le jeune cardinal dans les arcanes de la politique.
Il avait le sentiment qu'il ne pourrait plus s'acquitter de
cette tâche et qu'il ne reverrait plus son fils et ses amis :
il le leur dit. Comme ils protestaient, il ajouta simplement : « L'esprit céleste qui a toujours veillé à la
défense de mon corps me commande de laisser là tous
ces soucis pour ne plus m'occuper que de la mort. »

Cependant, son amour paternel lui fit dicter à l'intention de son fils des règles de conduite et des principes de
bon sens qui pouvaient lui être utiles. Le texte de la
lettre a été conservé. Son ton est aimable et serein.
Laurent juge avec réalisme le monde et ses faiblesses. Il
ne songe plus désormais qu'à éviter à son fils de
succomber aux pièges du siècle.

« Messire Jean... Je vous rappelle de vous efforcer
d'être reconnaissant envers Messire Dieu, vous souve-
nant à toute heure que vous n'êtes devenu cardinal ni
par vos mérites, ni par vos efforts, mais par le seul effet
de la grâce de Dieu. Témoignez-lui votre reconnaissance
en menant une vie sainte, exemplaire, honnête... J'ai eu,
l'an dernier, une grande joie en apprenant que, sans que
personne vous en ait fait souvenir, vous vous étiez
confessé et vous aviez communié à plusieurs reprises...
Quand vous serez à Rome, sentine de tous les vices, je
sais combien il vous sera difficile de faire ce que je viens

de vous dire... Votre promotion au cardinalat a provoqué beaucoup d'envie et ceux qui n'ont pu empêcher que vous receviez cette dignité s'ingénieront subtilement à la diminuer en dénigrant votre manière de vivre et en tâchant de vous faire rouler dans la fosse où ils sont déjà tombés, certains de réussir à cause de votre jeune âge. Plus la vertu manque dans le Collège actuel des cardinaux, plus vous devez résister. »

Laurent indique à Jean la manière dont il devra se comporter envers Innocent VIII : ne pas l'importuner et toujours se ranger à son avis. Enfin, il lui donne des conseils concernant son hygiène et son emploi du temps.

« Ne vous nourrissez que de mets simples et faites beaucoup d'exercice, sans quoi vous risquez de contracter bientôt une infirmité qui ne guérira plus... Il faudra vous lever de bon matin parce que, outre que la santé s'en trouve bien, on a la possibilité d'expédier ainsi toutes les affaires du jour : dire les offices, étudier, accorder des audiences... Je vous recommande comme très nécessaire, particulièrement au début, de penser la veille à tout ce que vous aurez à faire le jour suivant, sauf imprévu... Gardez-vous en bonne santé. »

LA DERNIÈRE RETRAITE A CAREGGI. DES SIGNES DANS LE CIEL

Ayant ainsi accompli son devoir de père, le Magnifique se fit transporter le 21 mars 1492 à sa villa de Careggi. Il y fit venir son vieil ami Marsile Ficin. Dans ses douleurs de plus en plus aiguës, il éprouvait du réconfort à se remémorer les théories rassurantes de Platon et de ses disciples sur les fins dernières de l'homme et l'immortalité de l'âme, comme l'avait fait son grand-père Côme. Marsile Ficin raconta son séjour au fils de Laurent, le jeune cardinal Jean. Le philosophe avait aperçu dans son jardin des signes célestes troublants : des nuages en forme de combattants gigantesques et dans la nuit l'apparition d'un astre nouveau au-dessus de la villa de Laurent. Il crut voir aussi des feux errants qui de Fiésole se dirigeaient sur Careggi : il pensa aux esprits célestes dont parle Hésiode, qui viennent recueillir l'âme des mourants. En revoyant Laurent, il nota, sur son visage creusé par la souffrance, un autre signe inéluctable : « la splendeur de la divine bonté » brillait dans ses traits.

Une quinzaine de jours après son arrivée à Careggi, Laurent se sentit à bout de forces. Il demanda à sa sœur Nannina de lui indiquer clairement la gravité de son état.

« Mon frère, lui répondit-elle, vous avez vécu avec beaucoup de grandeur d'âme. Il vous faut maintenant quitter la vie avec courage et piété. Sachez que tout espoir est perdu. » Laurent était prêt à recevoir la terrible nouvelle : « Si c'est la volonté de Dieu, rien ne m'agréera plus que la mort. » Il envoya chercher son aumônier, se confessa et reçut les derniers sacrements, puis il fit venir son fils aîné, à qui il souhaitait confier ses dernières volontés. Pierre de Médicis avait vingt ans. D'un tempérament orgueilleux et entier il risquait de braquer contre lui l'humeur de certains citoyens restés récalcitrants à l'emprise des Médicis sur l'Etat. Laurent le raisonna :

« Les citoyens, mon cher Pierre, te reconnaîtront sans aucun doute comme mon successeur et je ne doute pas que tu n'obtiennes la même autorité qu'ils m'avaient accordée. Mais comme l'Etat est un corps pourvu de nombreuses têtes et qu'il est impossible de leur plaire à toutes, rappelle-toi toujours qu'il faudra choisir la conduite la plus honorable et le bien commun plutôt que les intérêts particuliers. »

Il remit à Pierre le soin de veiller sur son jeune frère Julien et son petit cousin Jules. Enfin il demanda que ses obsèques fussent célébrées dans la plus grande simplicité, comme l'avaient été celles de Côme.

Au terme de ce court entretien, la porte de la chambre fut ouverte aux familiers. Politien s'approcha. Laurent

lui prit les deux mains et les étreignit. Politien tourna la
tête pour cacher ses larmes. Laurent s'inquiéta de ne pas
voir Pic. Un courrier fut aussitôt mandé à Florence et,
dans la journée du 7 avril, le jeune protégé de Laurent
arriva à Careggi. Il ne venait pas seul : son ami
Savonarole s'était joint à lui en sa qualité de prieur de
San Marco. Pic s'entretint avec le Magnifique ; ils
parlèrent comme naguère des belles-lettres et de la
philosophie, comme si la mort n'était pas présente.
Laurent regrettait de n'avoir pu enrichir sa bibliothèque
de tous les livres qui intéressaient son ami.

Après cette entrevue au ton enjoué, l'austère Savonarole se fit introduire dans la chambre du mourant.
Politien était présent. Il entendit le religieux exhorter
Laurent à garder fermement la foi, à se repentir de ses
fautes et à regarder la mort avec courage. Puis Savonarole récita les prières des morts et, à la demande de
Laurent, lui donna sa bénédiction. Tel semble avoir été
le déroulement de l'entrevue ultime des deux fortes
personnalités de Florence, que tout opposait. Plus tard
Savonarole fit répandre une version de cette scène
totalement différente afin de frapper les imaginations.
Laurent se serait confessé au dominicain en s'accusant
de trois péchés majeurs : le sac de Volterra, la dilapida-
tion de la caisse servant à doter les jeunes filles, et enfin
la répression féroce de la conjuration des Pazzi. Savonarole aurait soumis son absolution à trois conditions : un
acte de foi absolu en Dieu, la restitution de tout le bien
mal acquis et enfin le rétablissement de la liberté à
Florence. Le mourant aurait accepté les deux premières
conditions, mais, à l'énoncé de la troisième, il aurait
tourné le dos au religieux qui serait sorti de la chambre
sans l'absoudre de ses péchés : ainsi Laurent serait mort,
torturé dans son âme, face à la perspective de la
damnation éternelle.

L'outrance de cette scène est évidente. L'historien le
plus autorisé de Savonarole, Roberto Ridolfi, a montré
qu'il s'agissait d'une invention postérieure des partisans

du dominicain. La mort prochaine de celui qui, sans titre, régnait sur Florence, n'impressionnait pas seulement ses proches, comme Marsile Ficin. Le petit peuple était dans l'attente des nouvelles qui venaient de Careggi. La tension des esprits était grande. Trois jours avant la mort de Laurent, pendant la messe à Santa Maria Novella, une femme se mit à crier :

« Hélas, citoyens, ne voyez-vous pas ce taureau enragé qui avec ses cornes de feu met cette église à bas ! »

Les phénomènes étranges étaient recueillis comme l'annonce de l'événement exceptionnel qu'on attendait : le décès du grand Médicis. C'est ainsi qu'on observa que les lions, entretenus par la Seigneurie comme des symboles de la ville, avaient essayé de s'entre-tuer dans leur cage : l'un d'eux était mort. Une tempête accompagnée d'un violent orage s'abattit au soir du 7 avril sur la ville. On nota avec horreur que la foudre avait frappé la lanterne du dôme de la cathédrale. Les armoiries des Médicis avaient été endommagées. Savonarole veillait alors dans sa cellule où il préparait son sermon du lendemain. Dans la violence des éléments il eut tout d'un coup la vision d'une main dans le ciel brandissant une épée. Tout autour de l'apparition une inscription flamboyante annonçait : « *Ecce gladius Domini super terram, cito et velociter* », c'est-à-dire : « Voici le glaive de Dieu qui s'abat sur la terre, rapide comme l'éclair. » Le lendemain matin, devant les Florentins harassés par la nuit terrible qu'ils venaient de traverser, le dominicain eut beau jeu d'annoncer, en faisant allusion au Magnifique, que l'heure de Dieu avait sonné.

UNE MORT SEREINE

A Careggi, Laurent venait en effet de rendre le dernier soupir, non point cependant dans la terreur, mais dans la paix et la sérénité. Dans la nuit du 8 avril il eut conscience que sa vie touchait à son terme. Outre les membres de sa famille, un groupe de fidèles le veillait. Parmi eux se trouvaient Paolo Cerretani, Bartolomeo Dei et Politien, qui ont porté témoignage. Laurent avait demandé qu'on voulût bien lui lire à ses derniers instants le récit de la Passion du Christ. Quand la lecture commença, il avait perdu l'usage de la parole mais il s'y associa en remuant les lèvres. Puis il ne parvint plus à faire cet effort. Alors il bougea faiblement la tête et les doigts pour montrer qu'il portait attention au texte saint autant qu'il lui était possible. La lecture finie, on approcha de ses lèvres un crucifix d'argent qu'il embrassa. Dans ce mouvement, il expira. Un frère Camaldule qui était là s'assura qu'il était mort en approchant des lèvres du défunt ses lunettes sur lesquelles nulle buée ne se déposa : tout était consommé, comme on venait de le lire dans l'Evangile. Laurent avait quitté le monde dans sa quarante-troisième année, commencée depuis quatre mois seulement.

La désolation se donna libre cours dans la villa. Le médecin et ami de Laurent, Piero Leoni, était l'homme le plus effondré qui fût. Il avait essayé en vain tous les remèdes, jusqu'à la poudre de perles précieuses diluée dans un breuvage. Il se jugeait d'autant plus coupable que féru d'astrologie il avait tiré la certitude que Laurent ne mourrait point de sitôt. Affolé il s'enfuit de Careggi et se rendit au village de San Gervasio, chez ses amis Martelli. On l'y trouva le lendemain matin noyé dans le puits de la villa : les ennemis des Médicis prétendirent que Pierre, le fils de Laurent, l'y avait fait jeter pour se venger de l'insuccès de ses soins. Il est cependant vraisemblable qu'il s'agissait d'un suicide : Leoni avait sans doute senti peser sur lui la fatalité de son propre horoscope qui lui avait prédit qu'il périrait noyé.

Dans la nuit suivante, on transporta la dépouille de Laurent à Florence. Les obsèques eurent lieu au matin dans la basilique de San Lorenzo parmi une foule en deuil, à la lumière des torches de cire portées — suivant la tradition — par les pauvres de la ville. La Seigneurie et les Conseils avaient prié Pierre d'assurer dans Florence le rôle éminent naguère dévolu à son père. Un décret fut promulgué trois jours après la mort de Laurent pour lui rendre un témoignage public de gratitude. Il avait, était-il écrit, subordonné son intérêt à celui de la cité. Il n'avait rien épargné pour le bien de l'Etat et son indépendance. Il avait assuré l'ordre par d'excellentes lois. Il avait conduit une guerre dangereuse à sa fin, repris des places perdues et conquis des villes. Suivant les exemples de l'Antiquité, pour assurer la sécurité de ses concitoyens et la liberté de son pays, il s'était livré au pouvoir de l'ennemi. D'une façon générale il avait tout mis en œuvre pour accroître le prestige de sa patrie et agrandir son territoire.

La mort de Laurent répandit la consternation dans toutes les cours d'Italie, particulièrement à Rome et à Naples. Le pape Innocent VIII était gravement malade — Savonarole avait prédit sa mort prochaine. Il se montra fortement ébranlé par le décès de celui qui avait construit et consolidé avec lui l'axe d'entente entre Rome et Florence : « La paix de l'Italie est perdue ! » s'écria-t-il. A Naples, le vieux roi Ferrante exprima lui aussi cette crainte : « Il a vécu assez longtemps pour lui-même, mais trop peu pour le salut de l'Italie. Plaise à Dieu que l'on ne profite point de sa mort pour machiner ce que l'on n'osait faire de son vivant. » Ces paroles faisaient allusion à Ludovic le More, qui travaillait à écarter du trône de Milan son neveu le jeune duc, époux d'Isabelle d'Aragon, la petite-fille de Ferrante. Le More intriguait aussi à Paris pour inciter Charles VIII à revendiquer la couronne de Naples qui faisait partie de l'héritage de la Maison d'Anjou. Laurent vivant, la diplomatie florentine avait conjuré les dangers. Qu'en serait-il après sa mort ?

L'exemple qu'il avait donné d'une politique fondée sur l'équilibre et l'harmonie des nations risquait fort d'être oublié. Resterait cependant le modèle de sa vie

personnelle qu'il avait su garder étrangère aux ambitions
de la politique, aux tracasseries mesquines des affaires et
aux contraintes parfois étouffantes de la société.

Il avait mis ses pas dans ceux des grands Florentins :
Dante, Pétrarque et Boccace. Comme eux il avait chanté
et pleuré au spectacle de la vie. Mais il avait aussi, à la
manière de son aïeul Côme, cherché le sens de cette
comédie humaine dans les leçons de la philosophie
platonicienne. Il s'était élevé jusqu'au niveau où l'esprit
découvre la conformité des croyances et des religions
dans leur but commun, la conquête du Souverain Bien,
conçu comme la contemplation, dans la paix de l'âme,
du principe divin créateur de toutes choses.

Bonté, Vérité, Amour de la vie pouvaient, pensait-il,
unir tous les hommes en dehors des dogmes et des cadres
trop étroit des religions. Le Christ et Platon, les Sibylles
et les Prophètes, la mythologie comme les exemples des
saints, le spectacle de la nature et la beauté de la
jeunesse, tout était symbole pour jalonner la voie de la
connaissance ultime : en véritable homme de la Renaissance, Laurent l'avait inlassablement parcourue avec
fougue et passion.

ÉPILOGUE

RESTAURATION RÉPUBLICAINE. TRIOMPHE ET RUINE DE SAVONAROLE. HOMMAGE POSTHUME RENDU À LAURENT

Le 17 novembre 1494, par un après-midi d'automne pluvieux et froid, un immense cortège s'approche de Florence. C'est l'armée de Charles VIII de France. Appelé par Ludovic le More, qui espère grâce à lui abattre la dynastie aragonaise de Naples, le roi vient de traverser le duché de Milan. Il marche à la conquête du royaume napolitain qu'il tient en héritage de la maison d'Anjou.

Sur son chemin il s'est heurté aux places fortes de la Toscane : Sarzana et Ripafratta. Florence, alliée de Naples, aurait pu arrêter l'invasion. La prudence excessive — d'aucuns diront la lâcheté — de Pierre de Médicis en a décidé autrement. Le fils du Magnifique s'est rendu au-devant du monarque français. A la résistance, il a préféré la capitulation pour éviter de voir la Toscane mise à sac par la puissante armée étrangère : le 30 octobre il a remis au roi, en gage de neutralité, les places frontières et, en outre, les points d'appuis maritimes de Florence, Pise et Livourne. Mais il a payé cher cette initiative, improvisée sans aucun mandat officiel. A son retour, la Seigneurie a décrété son bannissement pour trahison ainsi que celui de ses frères. Le peuple s'est rué sur les biens des Médicis. Le cardinal Jean a réussi à grand-peine à sauver quelques trésors en les mettant à l'abri dans le couvent de San Marco.

Dans cette brusque révolution survenant deux ans et demi après la mort du Magnifique, le peuple a vu le doigt de Dieu. Le moine Savonarole est allé, avec une délégation, au-devant du roi étranger. A Pise il a reconnu en lui le glaive du Seigneur, le roi-messie, le libérateur de la tyrannie et de la perversion. Plus que la crainte des soldats, la fatalité de sa venue, confirmant les révélations prophétiques du dominicain, livre Florence à Charles VIII. La cité attend de cette force étrangère providentielle, dont la seule approche a chassé les Médicis, le retour à son passé de liberté.

Tout un faisceau de causes expliquent l'aspiration populaire : la morgue de Pierre, le successeur de Laurent, l'impudence de ses partisans que ne balance plus la sagesse du maître, l'appel à la moralité qui résonne dans les églises ont gagné une immense majorité de Florentins à l'idée d'un changement nécessaire et inéluctable.

C'est le triomphe de ce changement qu'ils acclament en se pressant devant l'étranger qui les préservera de leurs anciens tyrans. Le spectacle est formidable. Dix mille fantassins, suisses, lansquenets allemands, arbalétriers gascons marchent au son des cornets, tambours et clairons. Ils précèdent cinquante-quatre affûts de canon et huit cents seigneurs aux superbes armures, la fleur de la noblesse du royaume d'outre-Monts. Viennent ensuite les archers royaux, quatre par quatre, l'air farouche sous leur hoqueton brodé d'or, « des hommes bestiaux » d'après le Florentin Cerretani qui les regarde défiler. Cent gardes du corps entourent le jeune roi. C'est un petit homme de vingt-quatre ans, laid de visage, avec un énorme nez aquilin et des yeux bleus globuleux. Mais, sous cette apparence débile, il constitue la pointe acérée de la pyramide vivante qui l'entoure. Sous son dais de drap d'or, brandissant sa lance de guerre, monté sur un magnifique coursier noir, il entre en vainqueur dans la capitale de la Toscane.

On a enlevé pour lui les battants de la porte San Frediano, on a abattu un pan de muraille et comblé le fossé de la ville. Partout sur son passage les citoyens ont décoré leurs maisons. On lit sur les banderoles : « Vivent le Roi, la Paix et la Restauration de la Liberté ! »

Symboliquement, le roi de France s'installe via Larga dans le palais des Médicis. Il prend le titre de protecteur de la Liberté florentine. Il renouvelle avec la Seigneurie les clauses convenues avec Pierre de Médicis et qui sont les gages de l'alliance qui le lie désormais à Florence. Il quitte ensuite la ville, le 28 novembre, poursuivant sans coup férir sa marche qui paraît être plus une mission divine que la reconquête d'un héritage féodal.

A Rome, le pape Alexandre VI Borgia, qui a succédé à Innocent VIII en août 1492, capitule devant lui. A Naples, le jeune roi Ferrandino, qui est monté sur le trône après son aïeul Ferrante, mort en janvier 1494, et son père Alphonse II, s'enfuit sans résister.

L'aventure, il est vrai, est sans lendemain : le royaume de Naples, conquis aisément en février 1495, est non moins facilement perdu six mois après. Charles VIII, obligé de faire retraite, échappe de justesse à l'écrasement dans la bataille de Fornoue le 6 juillet 1495.

Les Italiens se sont, un peu tard, ressaisis et ont conclu une sorte d'union sacrée contre les « barbares » étrangers. Malgré l'effondrement de la France, Florence reste son alliée. Elle poursuit, sous l'impulsion donnée par la venue du roi, une aventure à la fois politique et mystique : la restauration du régime républicain. En décembre 1494 elle abolit les institutions mises en place depuis 1434 par les Médicis, le Conseil des Cent, celui des Soixante-Dix, les comités trop puissants, les douze procurateurs, les « Huit de pratique ». Les vieux Conseils du peuple et de la commune demeurent symboliquement mais ils ne seront plus consultés. Les trois dignités majeures du pouvoir exécutif, la Seigneurie et les Collèges des Bonshommes et des Gonfaloniers, restent en place. Mais l'initiative des lois est remise à un Grand Conseil, dont les membres sont tirés au sort, sans considération de leurs opinions, sur une liste de citoyens âgés d'au moins vingt-neuf ans dont les parents ont occupé une charge majeure, ce qui représente environ 2 400 noms pour une population florentine de 50 000 âmes.

La volonté est manifeste d'abolir le pouvoir discrétionnaire des seuls partisans des Médicis. Une assez large cooptation associe à ces élus des citoyens non privilégiés par les charges de leurs ancêtres et les jeunes gens qui n'ont pas atteint l'âge légal. Pour que les décisions du Grand Conseil soient valables, ses mille membres doivent être présents. Ceux qui font défaut sont frappés d'une amende. Un Conseil restreint de 80 citoyens, renouvelé tous les six mois, assiste la Seigneurie pour les actes de la vie publique.

La nouvelle République florentine ne s'est pas dotée d'institutions véritablement démocratiques. Elle remet, comme à Venise, le pouvoir à une oligarchie de notables. La grande différence avec l'époque de Laurent est dans l'ouverture des Conseils à l'expression des tendances variées de l'opinion. Le règne du parti unique semble terminé.

Le Grand Conseil, aussitôt constitué, s'attaque aux abus les plus criants hérités du régime précédent. Laurent, comme ses ancêtres, avait gouverné en achetant la fidélité de ses partisans par des privilèges fiscaux. Désormais la même contribution, la décime, dixième partie des revenus, sera exigée de chacun sur la base d'un dénombrement des biens semblable à celui du catasto de 1427.

Une politique active d'aide sociale se développe sous l'impulsion de Savonarole, qui donne l'exemple en distribuant le superflu de son couvent. Un mont-de-piété avancera aux nécessiteux les sommes dont ils auront besoin.

De telles mesures étaient, il faut en convenir, de la plus urgente nécessité. Elles constituaient la plus saine des réactions aux abus et à la crise que Laurent avait laissés s'installer dans l'Etat florentin et qui étaient parvenus, sous son successeur, à leur paroxysme.

Cette action des nouveaux dirigeants engageait le peuple dans un effort de moralité publique qui rejoignait le courant de réforme spirituelle propagé par les prêches de Savonarole. Le dominicain se mêla de donner des conseils politiques. Il critiqua le système de vote pratiqué au sein de la Seigneurie et du comité de la police. Il fit interdire la convocation du peuple en parlement, qui avait si souvent autrefois servi aux Médicis à imposer leur pouvoir dans les trop fameuses « balies ».

Enfin, emporté par son élan mystique, il proclama le Christ roi de Florence. Il amplifia son réquisitoire contre la « vie de porcs » que menaient les Florentins. Il demanda à la Seigneurie de prendre des mesures extrêmes : exposer les courtisanes à la dérision publique, mettre les joueurs à la torture, percer la langue des blasphémateurs, brûler vif les sodomites des deux sexes.

Pour marquer la fin du temps abhorré de la licence, que l'on voulait confondre avec celui de la domination des Médicis, la statue de Judith tuant Holopherne, chef d'œuvre de Donatello, fut enlevée de leur palais et érigée devant le palais de la Seigneurie pour donner un « exemple de salut public ». La vertu et la liberté faisaient cause commune contre le vice et la tyrannie.

On n'aurait pu imaginer retournement plus radical par rapport à l'époque de Laurent. Partout fleurissaient les conversions. Politien et Pic de la Mirandole, avant leur mort survenue en 1494, avaient demandé à revêtir le costume de dominicain sur leur lit d'agonie, en signe de pénitence. Marsile Ficin se souvenait qu'il était chanoine et versait lui aussi dans la dévotion. Le peintre Botticelli regrettait publiquement d'avoir sacrifié au goût du paganisme et se consacrait aux peintures religieuses. Les membres des meilleures familles entraient dans les couvents. La population du couvent de San Marco passa en peu de temps de 50 à 238 religieux ! Partout accouraient dans les églises des foules larmoyantes de pénitents, les *frateschi* — compères du « frère » Savonarole — dits encore *piagnoni* (pleurants). Mais l'excès de ce zèle fit bientôt naître et grandir l'opposition violente des *arrabiati*, les « enragés », à laquelle se mêlait celle des *palleschi*, partisans des Médicis.

L'Etat de Florence, mal assuré dans le fonctionnement de ses nouvelles institutions, souffrait de la diminution de son territoire : à la suite de l'incursion française, Pise avait conquis son indépendance ; Livourne, retenue par les Français, était menacée de tomber au pouvoir de leur ennemi, l'empereur Maximilien.

Pour faire face à l'insécurité intérieure et extérieure, le nouveau gouvernement dut renoncer à sa politique fiscale d'équilibre. En 1498, il rétablit au détriment des notables la pratique de l'emprunt forcé. Après un temps d'espoir on se retrouvait dans l'ambiance de crise que l'on avait cru conjurer.

La situation personnelle de Savonarole devenait de jour en jour plus dramatique. Il avait indisposé Alexandre VI Borgia en censurant la papauté de manière trop énergique. La guerre entre le dominicain et Rome, déclarée dès 1496, sur des points d'obéissance ecclésiastique, se déroula sur un fond de fanatisme religieux. Savonarole avait fait supprimer les jeux du Carnaval. Il les avait remplacés par des processions de pénitence. En 1497, il organisa dans toute la ville la dénonciation par les enfants de ce qui heurtait, à l'intérieur des familles, la décence et la foi. Il fit confisquer, par ses jeunes aides, instruments de musique, ornements, masques, parfums, tableaux représentant des nudités, livres de poésies, tout ce qui évoquait le plaisir et le bonheur de la vie. Entassés sur la place de la Seigneurie, ces objets furent solennellement brûlés en autodafé le jour du Mardi gras 1497 : le

« bûcher des vanités », renouvelé au Carême de l'année suivante, marqua le sommet de la réaction piétiste contre la licence du temps précédent et son essai de synthèse harmonieuse des croyances, doctrines et symboles.

Mais cette victoire du rigorisme puritain était trop absolue pour durer longtemps. Les ennemis de Savonarole, frère Mariano de Genazzano, devenu général de l'ordre des Augustins, et les franciscains de Florence engagèrent contre le prophète une guerre oratoire sans merci. Des plaies insupportables s'abattaient sur la ville : la disette, la peste et cette terrible maladie jusquelà inconnue, la syphilis, propagée, disait-on, par les soldats français. La haine que se portaient entre elles les différentes factions, s'ajoutant à toutes ces misères, sema dans la population le plus grand désarroi. Pierre de Médicis chercha à en profiter : il tenta en avril 1497 un coup de main contre la ville, mais échoua lamentablement. Le cardinal Jean vint à la rescousse. Le 13 mai 1497 il fit proclamer par le pape un bref d'excommunication contre Savonarole : l'effet n'en fut pas immédiat, mais, peu à peu, le doute, suivi de la moquerie que pratiquaient les « enragés », s'attacha à la personne du dominicain-prophète et de ses partisans. Les églises se désemplirent au profit des tavernes et des lupanars. Les fanatiques de Savonarole s'évanouissaient dans la nature : une pétition ouverte pendant tout le mois de juin à San Marco ne recueillit pour le défendre en Cour de Rome que 370 signatures ! Mais cet affaiblissement du parti des « pleurants » — au moins parmi les notables — ne signifiait pas le relâchement de la vigilance envers les partisans du retour des Médicis.

Dans l'été, on arracha des révélations à un ami de Pierre de Médicis, Lamberto Dall'Antella. Quatorze notables furent arrêtés, dont un certain nombre était assidu aux sermons de Savonarole. Ils furent accusés de préparer une nouvelle agression de Pierre de Médicis contre la ville pour la mi-août.

On instruisit leur procès avec rigueur, en jugeant avec eux Lucrezia, la fille de Laurent, épouse de Jacopo Salviati : elle était restée à Florence malgré les troubles et n'eut pas de peine à se justifier. La confiscation des biens des prévenus devait rapporter 200 000 ducats aux finances de la République. Cinq d'entre eux furent promptement décapités, le 21 août. Bernardo del Nero, ancien gonfalonier, était âgé de soixante-treize ans et avait récemment encore gouverné l'Etat avec honneur. Mais il fut jugé coupable de ne s'être point désolidarisé de la famille de Laurent. Les autres condamnés étaient tous liés de près aux Médicis. Giovanni Cambi avait été leur agent à Pise, et Gianozzo Pucci un de leurs partenaires commerciaux. Niccolo Ridolfi avait marié son fils à l'une des sœurs de Pierre de Médicis. Enfin, le jeune Lorenzo Tornabuoni, fils de Giovanni, était le cousin germain du Magnifique.

Cette exécution brutale ressemblait dans sa sauvagerie à une vengeance posthume contre Laurent. Les citoyens modérés de Florence virent avec horreur se poursuivre les exécutions cependant que se perpétuaient les outrances puritaines du parti des « pleurants ». La rébellion ouverte de Savonarole contre Rome, son refus des censures pontificales, la poursuite de l'autodafé des « vanités » au Carnaval de 1498 exaspérèrent les « enragés » : tout autour du bûcher ils essayèrent, malgré le service d'ordre, d'arrêter les enfants et les dévots pour leur arracher leurs crucifix, ils jetèrent sur le cortège pieux des ordures et des cadavres d'animaux. En mars, la Seigneurie fit défense à Savonarole de prêcher, comme l'ordonnait le pape, mais il refusa d'obéir. Son intransigeance et celle de ses partisans devait lui être fatale. Un défi sur la véracité de leur propos respectifs opposa frère Domenico Buonvicini, dominicain de Fiésole, et frère Francesco de Puglia, prédicateur franciscain de Santa Croce. Ils décidèrent de s'en remettre à l'épreuve du feu qui constituerait le jugement de Dieu. Chacun des champions devait être accompagné d'un membre de son ordre. Savonarole décida d'y participer au côté de son confrère.

L'épreuve du feu imposait à ceux qui l'acceptaient de cheminer sur un bûcher entre deux murailles de bois arrosé d'huile sur un étroit sentier de briques recouvertes de sable. Seuls les champions miraculeusement protégés par Dieu pouvaient échapper à la mort dans les flammes.

Le 7 avril 1498, sixième anniversaire de la mort de Laurent le Magnifique, le peuple se pressa sur la grand-place de la Seigneurie pour assister au spectacle. Mais des disputes de procédure firent remettre sans cesse le début de l'épreuve. On tarda tant que la nuit vint : alors une pluie diluvienne s'abattit sur Florence et dispersa brutalement la foule et les acteurs pressentis. Cette tempête sonna le glas du pouvoir des « pleurants ». Le 8 avril, le couvent de San Marco fut pris d'assaut par les ennemis du frère, Savonarole arrêté, mis à la question, condamné sur l'intervention des commissaires pontificaux pour avoir soulevé le peuple sur des doctrines téméraires, enfin exécuté le 23 mai 1498 avec deux de ses confrères par pendaison sur la place publique, suivie de la combustion des cadavres.

Cette issue tragique ne fut pas suivie d'un renversement des tendances politiques. Les intrigues de Pierre de Médicis l'avaient perdu complètement dans l'esprit des Florentins. Il ne fut pas rappelé. Les Seigneuries qui se succédèrent furent prises dans le contexte troublé des guerres d'Italie, que le roi de France Louis XII avait recommencées en vertu des droits de la famille d'Orléans sur le Milanais. De grands Florentins, tels le gonfalonier à vie Piero Soderini, réussirent à garder le prestige international de la République, qui s'affirmait dans le fonctionnement de ses nouvelles institutions.

Pierre de Médicis mourut en exil en 1503. Le cardinal Jean devint le chef de la famille. Il réussit à rétablir les Médicis à Florence en 1512, à la tête de l'armée du pape Jules II, au terme d'une expédition marquée par le terrible sac de Prato. Toutes les lois décrétées par le nouveau régime républicain depuis 1494 furent abolies, le Grand Conseil supprimé et les institutions du temps de Laurent le Magnifique rétablies. Le cardinal, son frère Julien et leur cousin Jules, respectivement âgés de trente-six, trente-trois, trente-quatre ans, reprirent le pouvoir sans heurt et sans se venger de ceux qui les avaient tenus exilés pendant dix-huit ans. Après les péripéties tragiques et les souffrances subies, Florence vit dans ce retour la promesse d'un nouveau printemps et se livra à la joie, acclamant frénétiquement les Médicis.

En 1513, Jean fut élu pape, vingt et un ans après la mort de son père Laurent le Magnifique. Le nouveau pontife, Léon X, devait se révéler un mécène hors pair, ami des arts et des lettres, un homme d'équilibre, gagné à la synthèse aimable de la sagesse antique et de la doctrine chrétienne. A Rome, avec la piété en plus, il vécut comme avait vécu Laurent le Magnifique. Il donna, en Italie, son nom à son siècle, l'un des plus brillants que connut la civilisation. La splendeur qu'il fit s'épanouir était le reflet de l'âge d'or auquel son père avait présidé. Les fêtes commémoratives de son couronnement furent confiées, à Florence, aux soins de son frère Julien et de son neveu, le fils de Pierre, qui portait le prénom de Laurent. Un char y représentait l'âge d'or. Flanqué des quatre Vertus cardinales, un globe terrestre supportait la figure d'un homme mort : au-dessus de cette effigie, comme sortant de son corps, se dressait un enfant vivant, nu et doré. Ce « triomphe » figurait celui de la dynastie des Médicis issue de Laurent.

Désormais la nouvelle maison princière, oublieuse de ses antécédents dans le négoce et la banque, jouait habilement du temps d'oubli que lui avait imposé l'exil. De Laurent le Magnifique on gardait le nom et l'image mythique d'un prince légitime, heureux dans son gouvernement, bienfaisant pour l'Italie, unissant dans sa seule personne l'idéal de l'homme de pensée et celui de l'homme d'action.

A son père que la légende transformait chaque jour davantage en héros, le pape Léon X voulut rendre un témoignage public d'admiration. Il chargea Michel-Ange en 1520 d'établir, en pendant de la sacristie de San Lorenzo à Florence, une nécropole des Médicis. Le monument aurait regroupé quatre tombes ; celles de Laurent le Magnifique, de son frère Julien, la victime de la conjuration des Pazzi, ainsi que les tombes du fils de Pierre, Laurent, duc d'Urbin — le père de Catherine de Médicis — et de Julien, frère de Pierre et de Léon X, titré duc de Nemours. La mort du pape interrompit l'ouvrage. Lorsqu'il fut repris en 1524 par Clément VII, on abandonna le projet du double tombeau du Magnifique et de son frère, qui devait occuper la paroi centrale de la chapelle.

L'esquisse, conservée au Musée du Louvre, montre que les seuls fragments de cette tombe qui furent exécutés sont représentés par la statue de la Vierge entourée des saints Côme et Damien, protecteurs des Médicis. Sur les parois latérales, Michel-Ange érigea les mausolées des deux plus jeunes princes de la Maison, Julien de Nemours et Laurent d'Urbin. Il les figura de façon impersonnelle, sans aucun trait physique visant à la ressemblance. Par cette idéalisation, Michel-Ange donnait à la nécropole une décoration qui glorifiait symboliquement les vertus de la race des Médicis, dont Laurent avait donné l'exemple le plus élevé. La chapelle devint en effet sa dernière demeure — son corps, transféré de son caveau provisoire, y fut inhumé, avec celui de son frère, à la place d'honneur, aux pieds de la Vierge. A défaut d'effigie funéraire, son génie se retrouvait dans les deux statues des mausolées latéraux Celle du jeune guerrier incarnait l'homme d'action qu'avait été Laurent : serein et détendu, il symbolisait la conquête de la paix, en s'appuyant d'un geste élégant sur le bâton de commandement. Celle du prince méditatif, coiffé d'un casque en forme de masque, retenant sous son coude une cassette ornée d'un mufle d'animal, représentait l'autre face du Magnifique, sa sagesse spéculative, sa conduite prudente des affaires, la profondeur de sa réflexion. Ainsi, les deux statues aux attitudes complémentaires exaltaient, dans une Italie déchirée par la rivalité entre Charles Quint et François Ier, le rôle éminent de Laurent, érigé en modèle politique pour avoir su maintenir la paix et l'équilibre entre les Etats de la péninsule sans avoir recours à l'étranger.

Mais le Magnifique avait été, autant que ses deux descendants, un homme au sens le plus commun, soumis aux contraintes de la vie. Celles-ci étaient présentes dans les statues allégoriques des deux cénotaphes : la Nuit et le Jour, l'Aurore et le Crépuscule, rappelaient le rythme inexorable du destin humain.

L'ordonnance de la chapelle y répondait par les espérances platoniciennes. Du niveau bas du tombeau, l'âme trépassée s'élevait peu à peu jusqu'à la sphère céleste, figurée par la coupole de l'édifice. Du haut du ciel elle pouvait contempler les Vérités éternelles. Tel était le cheminement indiqué dans le *Phédon* de Platon. Dans la chapelle de San Lorenzo, la plus grande Vérité était représentée par la Vierge à l'enfant encadrée par les saints protecteurs des Médicis, Côme et Damien : elle évoquait l'incarnation par laquelle Dieu était descendu dans sa créature, donnant la preuve éclatante de cette union constante de la Terre et du Ciel en laquelle avait cru Laurent le Magnifique.

En guise d'ultime hommage, Michel-Ange avait ainsi traduit dans la pierre la préoccupation constante du grand Médicis, en dehors de l'âpre terrain de la politique et des finances, sa quête du havre spirituel qu'il chantait dans l'*Altercation* :

Là où est la Patrie, là est le vrai repos.

ARBRE GÉNÉALOGIQUE DE LAURENT LE MAGNIFIQUE

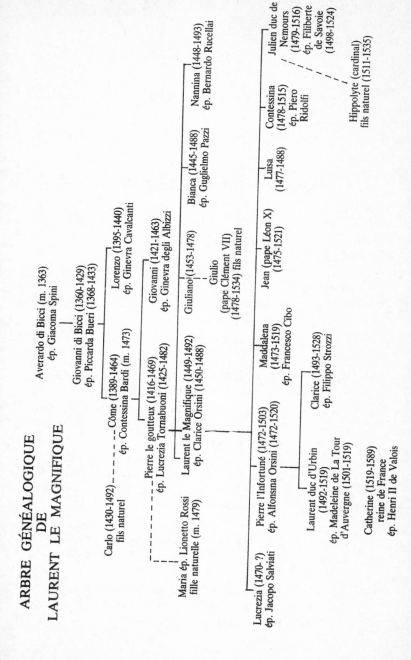

Averardo di Bicci (m. 1363)
ép. Giacoma Spini

Giovanni di Bicci (1360-1429)
ép. Piccarda Bueri (1368-1433)

Carlo (1430-1492)
fils naturel

Côme (1389-1464)
ép. Contessina Bardi (m. 1473)

Lorenzo (1395-1440)
ép. Ginevra Cavalcanti

Pierre le goutteux (1416-1469)
ép. Lucrezia Tornabuoni (1425-1482)

Giovanni (1421-1463)
ép. Ginevra degli Albizzi

Maria ép. Lionetto Rossi
fille naturelle (m. 1479)

Laurent le Magnifique (1449-1492)
ép. Clarice Orsini (1450-1488)

Giuliano (1453-1478)

Giulio
(pape Clément VII)
(1478-1534) fils naturel

Bianca (1445-1488)
ép. Guglielmo Pazzi

Nannina (1448-1493)
ép. Bernardo Rucellai

Lucrezia (1470-?)
ép. Jacopo Salviati

Pierre l'Infortuné (1472-1503)
ép. Alfonsina Orsini (1472-1520)

Maddalena
(1473-1519)
ép. Francesco Cibo

Jean (pape Léon X)
(1475-1521)

Luisa
(1477-1488)

Contessina
(1478-1515)
ép. Piero
Ridolfi

Julien duc de
Nemours
(1479-1516)
ép. Filiberte
de Savoie
(1498-1524)

Laurent duc d'Urbin
(1492-1519)
ép. Madeleine de La Tour
d'Auvergne (1501-1519)

Clarice (1493-1528)
ép. Filippo Strozzi

Hippolyte (cardinal)
fils naturel (1511-1535)

Catherine (1519-1589)
reine de France
ép. Henri II de Valois

Tableau chronologique

1321   Mort de Dante.

1334   Giotto entreprend la construction du campanile de Florence.

1337   Edouard III s'allie aux princes flamands ; il rompt avec Philippe VI. Guerre entre la France et l'Angleterre.

1343   1343-1346, faillite des banquiers florentins Peruzzi et Acciaiuoli.

1346   Bataille de Crécy. Défaite française devant les Anglais Faillite des banquiers florentins Bardi.

1347   L'empereur est déposé par le pape. Cola di Rienzo, dictateur à Rome, est contraint de s'enfuir. Les Génois créent la *Mahona* de Chio.

1348   Jeanne de Naples vend Avignon au pape Clément VI. 1348-1349, la Peste Noire ravage Florence et l'Europe. Pétrarque achève le *Canzoniere*. 1348-1353, Boccace compose le *Décaméron*.

1350   Mort de Philippe VI. Jean II le Bon, roi de France. Peintures des fresques du *Triomphe de la Mort* au Campo Santo de Pise. Révolte générale de la Chine du Sud contre la dynastie mongole.

1356   Le Prince Noir envahit le Poitou. Défaite française de Poitiers contre les Anglais. Naissance de Gemisthos Pléthon (1356-v. 1450).

1357 Pétrarque entreprend les *Trionfi*. Orcagna peint le retable Strozzi à Santa Maria Novella.

1358 Etienne Marcel soulève Paris contre le dauphin.

1360 Préliminaires de Brétigny, traité de Calais, paix franco-anglaise.

1362 Mort d'Innocent VI. Urbain V pape.

1363 Philippe le Hardi duc de Bourgogne. Installation de l' « étape » des laines à Calais.

1364 Mort de Jean le Bon. Charles V roi de France.

1367 Urbain V quitte Avignon pour Rome.

1370 Du Guesclin nommé connétable. Urbain V, qui était allé à Rome, regagne Avignon ; il meurt. Grégoire XI est élu pape.

1374 Mort de Pétrarque.

1375 Mort de Boccace.

1377 Mort d'Edouard III. Richard II roi d'Angleterre. Grégoire XI s'installe à Rome. Naissance de Brunelleschi (1377-1446).

1378 Révolte des *Ciompi* à Florence. Mort de Grégoire XI. Elections contradictoires d'Urbain VI et de Clément VII. Début du Grand Schisme d'Occident. Naissance de Ghiberti (1378-1455).

1379 Révolte de la Flandre. Clément VII, vaincu en Italie, s'installe en Avignon ; il s'allie à Louis d'Anjou.

1380 Clément VII fait adopter Louis d'Anjou par Jeanne de Naples.

1381 Charles de Durazzo prend Naples.

1382 Mort de Jeanne de Naples. Louis d'Anjou essaie de conquérir le royaume. Emeutes en France.

1384 Philippe le Hardi devient Comte de Flandre. Mort de Louis d'Anjou.

1385 Charles VI épouse Isabeau de Bavière. Gian Galeazzo Visconti maître de Milan.

1386 Mort de Charles de Durazzo. Ladislas roi de Naples. Naissance de Donatello (1386-1466).

1387   Louis d'Orléans épouse Valentine Visconti. Naissance de Fra Angelico (1387-1455).

1390   Naissance de Jan Van Eyck (1390-1441).

1391   Bajazet envahit la Thessalie et assiège Constantinople.

1394   Mort de Clément VII. Benoît XIII élu pape à Avignon.

1395   Naissance de Jacques Cœur (1395-1456). Naissance de Bessarion (1395-1472). Tamerlan dédruit Astrakan. Fin du commerce terrestre entre la mer Noire et la Chine.

1396   Début du conflit entre les ducs de Bourgogne et d'Orléans

1397   Naissance de Paolo Uccello (1397-1475).

1400   Gian Galeazzo Visconti prend Pérouse, Assise et Spolète. Chrysoloras professeur à Pavie. 1400-1471, construction de la Chartreuse de Pavie. Tamerlan ravage la Syrie.

1401   Naissance de Masaccio (1401-1429).

1402   Mort de Gian Galeazzo Visconti. Dislocation de son Etat. Bataille d'Ankara. Tamerlan prend Smyrne et atteint le Bosphore.

1403   Benoît XIII fuit Avignon. 1403-1452, Ghiberti : sculpture des bas-reliefs du baptistère de Florence.

1404   Mort de Philippe le Hardi, Jean sans Peur duc de Bourgogne. Innocent VII succède à Boniface IX (à Rome). Venise occupe Padoue, Vérone et Vicence.

1405   Mort de Tamerlan ; ruine de son empire.

1406   Les Florentins occupent Pise. Grégoire XII succède à Innocent VII. Naissance de Filippo Lippi (1406-1469). Naissance de Leone Battista Alberti (1406-1470).

1407   Assassinat du duc d'Orléans par Jean sans Peur.

1408   Fondation à Gênes de la banque San Giorgio. Les deux papes et les cardinaux réunissent des conciles distincts.

1409   Concile de Pise : les deux papes sont déchus. Alexandre V est élu pape.

1410   Sigismond de Hongrie roi des Romains. Mort d'Alexandre V. Election de Jean XXIII.

1412   Naissance de Jeanne d'Arc. Filippo Maria Visconti reconstitue l'Etat milanais.

1414 Ouverture du concile de Constance. Jean Huss à Constance ; son arrestation.

1415 Défaite française d'Azincourt devant les Anglais. Jean XXIII est déposé.

1417 Déposition de Benoît XIII. Election de Martin V.

1418 Les Bourguignons s'emparent de Paris. Massacre des Armagnacs.

1419 Henri V maître de la Normandie. Assassinat de Jean sans Peur. Philippe le Bon, duc de Bourgogne, s'allie avec Henri V.

1420 Traité de Troyes. Côme l'Ancien prend la direction de la banque Médicis.

1421 Leonardo Bruni traduit le *Phèdre* de Platon. 1421-1434, Brunelleschi : construction du dôme de la cathédrale de Florence.

1422 Mort d'Henri V. Henri VI roi d'Angleterre. Mort de Charles VI. Charles VII roi de France.

1429 Jeanne d'Arc délivre Orléans assiégé. Bataille de Patay. Sacre de Charles VII.

1430 1430-1440, Brunelleschi : construction de la chapelle des Pazzi à Santa Croce.

1431 Procès et supplice de Jeanne d'Arc. Convocation du concile de Bâle. Mort de Martin V. Eugène IV, pape. 1431-1437, Luca della Robbia : Cantoria de Santa Maria del Fiore.

1433 Exil de Côme de Médicis.

1434 Soulèvement de la Normandie contre les Anglais. Jan Van Eyck : tableau d'Arnolfini et sa femme. Retour de Côme et prise du pouvoir à Florence.

1435 Traité d'Arras entre Charles VII et Phillipe le Bon. Jacques Cœur maître des monnaies de Charles VII. Naissance de Verrocchio (1435-1488).

1436 Charles VII prend Paris.

1437 Transfert du concile à Ferrare.

1439 Transfert à Florence du concile des Eglises latine et grecque. Les Bâlois déposent Eugène IV. Election de Félix V.

1440 Brunelleschi commence la construction du palais Pitti à Florence. Début de construction du palais Médicis à Florence par Michelozzo.

1442 Alphonse V d'Aragon prend Naples.

1444 Naissance de Botticelli (1444-1512).

1447 Mort de Filippo Maria Visconti. Naissance de Philippe de Commines (1447-1511).

1449 Charles VII reconquiert la Normandie. Abdication de Félix V. Naissance de Laurent le Magnifique (1449-1492). Naissance de Ghirlandaio (1449-1494).

1451 Naissance de Christophe Colomb (1451-1506).

1453 Mahomet II s'empare de Constantinople.

1454 Naissance d'Angelo Poliziano (1454-1494).

1455 Traité de Lodi : Milan et Venise se réconcilient. Pacte de non agression entre les puissances italiennes. Début de la guerre des Deux-Roses. Mort de Nicolas V Election de Calixte III.

1456 Marsile Ficin écrit les *Institutiones platonicae.* 1456-1471, enseignement d'Argyropoulos à Florence Les Portugais atteignent le golfe de Guinée.

1457 Donatello sculpte la statue de saint Jean Baptiste.

1458 Mathias Corvin devient roi de Hongrie. Les Turcs occupent Athènes. Mort de Calixte III. Election de Pie II.

1459 Mort de saint Antonin archevêque de Florence. 1459-1463, Benozzo Gozzoli peint les fresques de la chapelle des Médicis.

1461 Mort de Charles VII. Louis XI roi de France. Découverte des mines d'alun de La Tolfa.

1462 1462-1505, règne d'Ivan III, grand-duc de Moscou.

1463 1463-1477, Marsile Ficin traduit Platon. Naissance de Pic de La Mirandole (1463-1494).

1464 Organisation de la Ligue du Bien public par Charles le Téméraire. Mort de Pie II. Election de Paul II. Mort de Côme de Médicis. Pierre de Médicis, dit le Goutteux, lui succède dans le contrôle de Florence.

1469 Isabelle de Castille épouse Ferdinand d'Aragon. Mort

de Pierre le Goutteux. Laurent le Magnifique prend le contrôle de Florence. Marsile Ficin donne sa *Theologia platonica*. Naissance de Machiavel (1469-1527).

1470 Alberti : façade de Santa Maria Novella, à Florence.

1471 Occupation de la Picardie par Louis XI. Mort de Paul II.

1472 Commines entre au service de Louis XI. Mort de Bessarion. Mort de Michelozzo.

1473 1473-1481, construction de la chapelle Sixtine.

1474 Les Pazzi deviennent les banquiers de l'Eglise à la place des Médicis. Marsile Ficin écrit le *De christiana religione*.

1475 Débarquement d'Edouard IV à Calais. Traité de Picquigny. Charles le Téméraire envahit la Lorraine et prend Nancy. Naissance de Michel-Ange (1475-1564).

1476 Les Suisses battent Charles le Téméraire à Grandson, puis à Morat.

1477 Maximilien d'Autriche épouse Marguerite de Bourgogne. Mort de Charles le Téméraire. Botticelli : *La Primavera*.

1478 Conspiration des Pazzi. Sixte IV excommunie Laurent de Médicis et lui déclare la guerre. Liquidation des filiales de Bruges et de Milan de la firme Médicis. Sixte IV met Florence en interdit.

1479 Ludovic le More prend le pouvoir à Milan.

1480 Mort du roi René. Occupation du Barrois et de l'Anjou par Louis XI.

1481 Louis XI acquiert le Maine et la Provence. Les Turcs sont chassés d'Otrante.

1483 Mort de Louis XI. Charles VIII roi de France. Régence des Beaujeu. Mort d'Edouard IV. Richard III, son frère s'empare de la couronne en faisant assassiner les fils d'Edouard.

1484 Mort de Sixte IV. Innocent VIII devient pape. Bulle contre la sorcellerie. Rencontre de Pic de La Mirandole et de Ficin. 1484-1486, Marsile Ficin traduit Plotin.

1486 1486-1489, prédications de Savonarole en Italie. Pic de La Mirandole rédige ses *Questions*. Botticelli : *Nais-*

sance de Vénus. 1486-1490, Ghirlandaio décore le chœur de Santa Maria Novella, à Florence.

1487　Jakob Fugger devient banquier de Sigismond de Tyrol. Début de son contrôle sur la production et la vente de l'argent dans cette province. Condamnation de Pic de La Mirandole par le pape. Landino : *Disputationes Camaldulenses.*

1488　Mort du duc de Bretagne François II. Sa fille, Anne, lui succède. Verrocchio : le *Colleone.* Bartolomeu Dias double le cap de Bonne-Espérance.

1489　Les Vénitiens occupent Chypre. Pic de La Mirandole : *Heptaplus.*

1490　Mort de Mathias Corvin. Savonarole prieur de San Marco à Florence.

1491　Anne de Bretagne épouse Charles VIII. Siège de Grenade par Ferdinand et Isabelle.

1492　Annexion de Grenade par les Rois Catholiques. Edit contre les juifs espagnols. Mort de Laurent le Magnifique. Mort d'Innocent VIII. Election d'Alexandre VI Borgia. Traversée de l'Atlantique par Christophe Colomb. Il aborde aux Antilles.

1493　Partage des mondes nouveaux par Alexandre VI entre l'Espagne et le Portugal.

1494　Charles VIII en Italie. Ludovic le More devient duc de Milan. Chute des Médicis à Florence. Fin de la banque Médicis.

1495　Prise de Naples par Charles VIII. Bataille de Fornoue.

1497　Excommunication de Savonarole.

1498　Mort de Charles VIII. Louis XII roi de France. Mort de Savonarole.

NOTE ANNEXE

Les monnaies de Florence

Du XIIIe au XVe siècle, Florence utilise des monnaies d'or et d'argent. La monnaie d'*or* est le *florin*. Frappé pour la première fois en 1252, il tire son nom de la fleur de lys rouge, l'un des symboles de Florence, qu'il représente sur l'une de ses faces, l'autre portant la figure de saint Jean-Baptiste. Il pèse 3,5368 grammes d'or. Il titre 985/1000 de fin. Précisons que le franc-or, défini par la loi du 18 germinal an III, est d'un titre comparable : 900/1000, mais d'un poids très inférieur : 0,322580 g. Toute conversion, à usage de comparaison, est cependant fallacieuse, car elle ne donne pratiquement aucune idée du pouvoir d'achat des espèces : celui-ci dépend de l'abondance relative de la monnaie mais aussi des sources possibles de dépenses, très variables en fonction des structures économiques et sociales et de la civilisation considérée.

Le florin fait partie de la génération des nouvelles monnaies d'or que l'Occident se met à frapper de nouveau après la longue éclipse du Haut Moyen Age, lorsque la renaissance économique du XIIe siècle permet de reconstituer les stocks d'or qui avaient pratiquement disparu de la circulation monétaire depuis Charlemagne. Les autres monnaies d'or avec lesquelles il se trouve en concurrence sont en Italie le *génois* d'or, *l'ambrosien* d'or et surtout le *ducat*, frappé par Venise à partir de 1284 et qui est d'un poids et titre équivalent à celui du florin. Il est à noter que la monnaie d'or romaine, le *sou*, frappé en 312 par Constantin et pesant 4,55 g d'or fin, continue d'être émis pendant cette période par les empereurs romains d'Orient jusqu'à la chute de Constantinople et qu'on lui donne le nom de *besant*. Les califes de Damas puis de Bagdad frappent depuis le VIIe siècle, à l'imitation de ce sou romain, le *dinar* qui pèse 4,25 g d'or fin.

La monnaie d'or est supplantée à l'époque carolingienne par la monnaie d'argent, le *denier.* Celui-ci pèse aux environs de 1,10 g d'argent fin. La *livre,* unité monétaire, représente 20 sous ou 240 deniers, à raison de 12 deniers par sou. En Toscane, au XIIIe siècle, après de multiples dévaluations du denier, la livre n'équivaut plus qu'à 92,92 g d'argent fin.

A Florence, il existe des deniers simples dits *piccioli* et des pièces de 4 deniers, dites *quattrini.* Ces petites pièces qui circulent beaucoup sont fréquemment altérées et rognées. Le rapport du florin d'or à la livre, fixé à la parité en 1252, ne cesse de se dégrader au cours des siècles. Il est de 1 à 2 en 1296, de 1 à 3 en 1323, de 1 à 4 en 1407.

En un siècle et demi, la petite monnaie subit une dévaluation de 250 % par rapport au florin. Cette valorisation de la monnaie d'or rend les autorités vigilantes. On enferme les florins pour éviter les malversations dans les petits sacs de cuir scellés à l'Hôtel des Monnaies. Les florins ainsi garantis s'appellent *fiorini di sugello.* Sur ces espèces on gage une monnaie de compte fictive : la livre *affiorino,* divisée comme la livre de *piccioli,* en 20 sous de 12 deniers chacun (soit 240 deniers pour une livre *affiorino*). Mais le florin de *suggello* est censé valoir 29 sous *affiorino* (soit 348 deniers *affiorino*). Il faut donc, à chaque compte, calculer la quantité de florins correspondant au nombre voulu de deniers *affiorino.* Ces calculs figurent dans les livres secrets de la comptabilité de la Banque Médicis de 1397 à 1450.

Or, malgré toutes les précautions, la qualité des florins à l'intérieur des bourses scellées s'étant dégradée, il fallut dès 1422 frapper un nouveau florin pesant véritablement le poids légal. On l'appela *fiorino largo,* le grand florin : il était de 10 % meilleur que le florin de *suggello.* Il fut bientôt réputé de 20 % meilleur : on échangea 6 florins enfermés dans les bourses scellées (de *suggello*) contre 5 nouveaux grands florins.

L'amélioration de la monnaie d'or s'accompagna d'une nouvelle dévaluation de la petite monnaie d'argent : le nouveau grand florin fut échangé contre 4 livres 10 sous de *piccioli* en 1434, 5 livres 7 sous à l'avènement de Laurent et 6 livres 10 sous en 1492 lors de sa mort. Ainsi la monnaie d'argent subit une dévaluation de 56 % pendant la période du contrôle de l'Etat par les Médicis, de Côme à Laurent. Les espèces conservaient cependant, comparativement aux monnaies françaises, une honnête teneur en métal précieux.

Suivant l'historien de l'économie CIPOLLA, Florence connut pendant ce siècle une dévaluation de 80 %, Pise et Sienne de 90 %, la Sicile de 100 %, Milan de 184 % et Asti de 273 %. Les causes en étaient la réduction du volume de métal fin dans les monnaies blanches, une abondante frappe monétaire et en outre une pression inflationniste provenant, d'après les Italiens, d'au-delà des Alpes.

Les fluctuations se faisaient sentir sur le plan international entre les monnaies employées par les succursales des Médicis, telles le florin de la Chambre apostolique, le ducat vénitien, les monnaies de Gênes ou de Barcelone, d'Angleterre, des Pays-Bas, ou de France.

Voir sur ces problèmes monétaires :

Francesco VETTORI, *Il fiorino d'oro*, Firenze, 1738.

C. M. CIPOLLA, *Studi di storia della moneta ; I : i movimenti dei cambi in Italia dal secolo XIII al XV*, Pavia, 1948.

L. INCARNATI, *La moneta di conto nella storia bancaria*, Roma, 1960.

M. BERNOCCHI, *Le monete de la Repubblica Fiorentina*, vol. III, Firenze, 1976.

B. CASINI, *Il corso dei cambi tra il fiorino e la moneta di piccioli a Pisa dal 1252 al 1500*, Pisa, 1979, dans *Studi sugli strumenti di scambio a Pisa nel medioevo*.

R. DE ROOVER, *The Rise and Decline of the Medici Bank, 1397-1494*, 2e éd., Cambridge, Mass., 1968.

Sources

Le matériel documentaire est très abondant mais dispersé et d'un accès parfois malaisé.

Les *Archives d'Etat de Florence* conservent l'essentiel des sources dans le fonds *Archivio Mediceo avanti il Principato* (165 liasses ou *filze*). L'inventaire, dû à Francesca MORANDINI et Arnaldo d'ADDARIO, a été publié de 1951 à 1963, à Rome, par le ministère de l'Intérieur :

- t. I (1951), *filze* 1-20 ;
- t. II (1955), *filze* 21-50 ;
- t. III (1957), *filze* 51-100 ;
- t. IV (1963), *filze* 101-165.

Les liasses contiennent des documents variés répartis sans ordre logique ni chronologique. Elles renferment notamment des pièces comptables importantes de la banque Médicis : liasses 104, 131, 133, 134 et 135. Les livres de comptabilité secrète de 1397 à 1451 se trouvent dans la liasse 153. On y trouve aussi dans la liasse 88 des manuscrits littéraires autographes de Laurent (ses *Nouvelles*). Mais c'est surtout par le grand nombre de lettres d'origines diverses que cette série de liasses retient l'historien.

Le Fondo diplomatico Mediceo conservant des parchemins a fait l'objet de l'étude de Giulia CAMARANI MARRI, *I Documenti commerciali del fondo diplomatico Mediceo nell'Archivio di stato di Firenze, (1230-1492), Regesti*, Firenze, 1951.

Les nombreuses délibérations des conseils du gouvernement florentin, ainsi que les registres des élus aux charges ont été exploités par Nicolai RUBINSTEIN, *The Government of Florence under the Medici (1434 to 1494)*, Oxford, 1966 ; trad. ital. par Michele LUZZATI, Firenze, 1971. Il s'agit des séries suivantes :

— *Tratte* (tirages au sort des dignitaires) ;
— *Balie* (délibérations des comités) ;
— *Consulte e Pratiche* (conseils de la Seigneurie) ;
— *Registri degli Accoppiatori ;*
— *Otto di Guardia e Balia, Consiglio del Cento, Monte Comune,* et autres organes du gouvernement de la République.
— *Registri delle Provvisioni :* textes législatifs et réglementaires.
— *Libri Fabarum :* décisions de la Seigneurie.
— *Statuts.* Un certain nombre de statuts ont été édités :
    — *Statuta populi et communis Florentiae,* 2 vol., Fribourg-Florence, 1778.
    — *Statuti dell'Arte del Cambio di Firenze,* éd. Giulia CAMERANI MARRI, Firenze, 1955.
    — *Statuti dell'Arte di Por Santa Maria,* éd. Umberto DORINI, Firenze, 1934.
    — *Statuti dell'Arte della Lana,* éd. Anna Maria AGNOLETTI, Firenze, 1940.

Les fonds du Cadastre (*Catasto*) et des Emprunts (*Prestanze*), les registres de la grande prison florentine (*le Stinche*), le fonds Strozzi (*Carte Strozziane*) et les fonds des hôpitaux ont fourni à nombre de chercheurs, cités dans la bibliographie qui suit, des pistes intéressantes dont beaucoup restent à exploiter, compte tenu du volume des documents.

La Bibliothèque nationale de Florence est très riche en manuscrits, incunables, éditions rares mais aussi en documents (fonds des *Conventi soppressi*). De même les autres bibliothèques (Laurenziana, Riccardiana) ainsi que les collections privées notamment l'Archivio Gondi : voir Roberto RIDOLFI, *Gli archivi delle famiglie fiorentine,* Firenze, 1934.

En dehors de Florence, Rome conserve à *l'Archivio segreto Vaticano,* dans les fonds de la Chambre Apostolique des comptes relatifs à la gestion des Médicis comme dépositaires pontificaux : *Introitus et Exitus Camerae Apostolicae.*

Les *Archives d'Etat de Milan,* celles de *Modène* et de *Mantoue,* et bien d'autres fonds d'Archives italiennes, ont donné matière à publication de lettres et rapports dans divers ouvrages et articles de revues cités dans la bibliographie qui suit. De même, les Archives et Bibliothèques étrangères (travaux portant notamment sur Louis XI, Charles VIII, Charles le Téméraire, Richard III).

Les dépêches provenant des plus importants diplomates ont été éditées : ainsi *Philippe de Commines, Lettres et négociations* par Joseph KERVYN de LETTENHOVE Bruxelles, 1867.

Les documents d'origine privée ont également retenu les soins des érudits, tel A. GRUNZWEIG, *Correspondance de la filiale de Bruges des Médicis,* Bruxelles, 1931.

Cependant les sources essentielles concernant Laurent de Médicis demeurent ses propres lettres et celles qui lui furent adressées. Les biographes du Magnifique en ont donné des éditions partielles, FABRONI en 1784, ROSCOE en 1795, Janet ROSS en 1910, Ginevra NICCOLINI en 1933 — les trois derniers en traduction anglaise —. D'autres, tels les Allemands REUMONT et BUSER ont fait des gloses, d'autres encore, comme les valeureux érudits italiens, ont publié des inédits. Pour mettre un terme à la dispersion des efforts, l'Institut national italien d'études sur la Renaissance chargea en 1938 Roberto PALMAROCCHI de transcrire les lettres de Laurent conservées aux Archives de Florence, dans le fonds *Mediceo avanti il Principato.* L'entreprise interrompue par la guerre fut reprise en 1956 sur une plus grande échelle : une association internationale regroupa l'Institut national d'études sur la Renaissance, le Conseil national italien de la Recherche, la Renaissance society of America, le Warburg Institute de Londres et le Centre d'Etudes sur la Renaissance italienne installé par l'Université Harvard à la villa I Tatti de Florence.

Une prospection menée à travers l'Italie et au-delà permit de recenser toutes les lettres existantes : Pier Giorgio RICCI et Nicolai RUBINSTEIN, *Censimento delle lettere di Lorenzo di Piero de'Medici,* Firenze, 1964. Les lettres de la chancellerie privée de Laurent avaient déjà fait l'objet de l'ouvrage de Marcello del PIAZZO *Protocolli del carteggio di Lorenzo il Magnifico per gli anni 1473-1474, 1477-1492,* Firenze, 1950.

La publication des lettres est désormais dans son plein développement. Les textes *in extenso,* le commentaire historique et les notes très denses qui les accompagnent permettent mieux que les documents bruts des Archives et Bibliothèques de pénétrer dans le détail d'intrigues et de péripéties très complexes. Les deux premiers volumes : *Lorenzo de'Medici, Lettere,* I (1460-1474), II (1474-1478), ont été édités par Riccardo FUBINI, Firenze, 1977 ; les deux suivants : *Lorenzo de'Medici, Lettere,* III (1478-1479), IV (1479-1480), Firenze 1977 et 1981, par Nicolai RUBINSTEIN, qui assure par ailleurs la direction générale de l'entreprise.

Bibliographie

I. Histoire de la société ; biographies ; vie familiale ; évolution de la cité

ACTON (Harold), *The Pazzi conspiracy,* New York, 1980.

ALBERTI (Leone Battista), *Della Famiglia,* ed. Firenze, 1946.

ALLODOLI (Ettore), *Il Magnifico Lorenzo in recenti publicazioni (La Rinascita,* I, 1938).

AMMIRATO (Scipione), *Istorie fiorentine,* 22 vol., Firenze, 1825-1827.

ANTONETTI (Pierre), *L'histoire de Florence,* Paris, 1976.

ANTONETTI (Pierre), *La vie quotidienne à Florence au temps de Dante,* Paris, 1979.

ARMSTRONG (Edward), *Lorenzo de'Medici and Florence in the fifteenth Century,* London, 1896.

BERENCE (Fred), *Laurent le Magnifique ou la quête de la perfection,* Paris, 1949.

BISTICCI (Vespasiano da), *Vite di uomini illustri del secolo XV,* nouvelles éditions, Firenze, 1938 ; Milano, 1951.

BRION (Marcel), *Laurent le Magnifique,* Paris, 1937.

BRUCKER (Gene A.), *The Medici in the Fourteenth Century,* dans *Speculum* 32, 1957.

BRUTO (Giovanni Michel), *Istorie fiorentine,* ed. Stanislao Gatteschi, 2 vol., Firenze, 1838.

BUONINSEGNI (Domenico), *Storie della cita di Firenze dall'anno 1410 al 1460,* Firenze, 1637.

CAMBI (Giovanni), *Istorie*, éd. dans *Delizie degli eruditi toscani*, Firenze, vol. 20-23, 1785-1786.

CASINI (Tommaso) et MORPURGO (Salomone), *Lettere di Contessina Bardi de'Medici*, Firenze 1886.

CECCHI (Emilio), *Lorenzo il Magnifico*, dans *Belfagor*, IV, 6 (1949).

COHN (Samuel Kline), *The Laboring classes in Renaissance Florence*, New York, 1980.

COMBET (Joseph), *Louis XI et le Saint-Siège (1461-1483)*, Paris, 1903.

DAMI (B.), *Giovanni Bicci de'Medici*, Firenze, 1899.

DELUMEAU (Jean), *La Civilisation de la Renaissance*, Paris, 1967.

DEL LUNGO (Isidoro), *Florentia. Uomini e case del quattrocento*, Firenze, 1897.

DEL LUNGO (Isidoro), *Un viaggio di Clarice Orsini de'Medici nel 1485 descritto da ser Matteo Franco*, Bologna, 1868.

DEL LUNGO (Isidoro), *Gli amori del Magnifico Lorenzo*, Bologna, 1873.

DEL MIGLIORE (F. L.), *Firenze illustrata*, Firenze, 1684.

DORE (Giampietro), *Savonarola*, Roma, 1952.

DORINI (Umberto), *Lorenzo il Magnifico*, Firenze, 1949.

DORINI (Umberto), *I Medici e loro tempi*, Firenze, 1928.

FABRONI (Angelo), *Laurentii Medicis Magnifici Vita*, 2 vol., Pisa, 1784.

FABRONI (Angelo), *Magni Cosmi Medicei Vita*, Pisa, 2 vol., 1788-1789.

FELICE (Berta), *Donne medicee avanti il principato. I, Lucrezia Tornabuoni, II, Clarice Orsini*, dans *Rassegna Nazionale*, 146 (16 déc. 1905) et 149 (1er mai 1906).

Firenze rinascimentale, Firenze, 1978.

FRATI (Ludovico), *La morte di Lorenzo de'Medici e il suicidio di Pier Leoni*, dans *Archivio Storico italiano*, série V, vol. 4 (1889).

GARIN (Eugenio), *Magia e astrologia nella cultura del Rinascimento*, dans *Belfagor*, 1950.

GAMURRINI (Eugenio), *Istoria genealogica delle famiglie nobili toscane ed umbre*, 5 vol., Firenze, 1668-1685.

GILMORE (Myron P.), *The World of Humanism*, 1453-1517, New York, 1952.

GUICCIARDINI (Francesco), *Elogio di Lorenzo de'Medici,* ed. R. Palmarocchi, dans *Scritti politici,* Bari, 1933.

GUICCIARDINI (Francesco), *Opere,* éd. V. de Caprariis, Milano-Napoli, 1953.

GUTKIND (Curt S.), *Cosimo de'Medici, Pater Patriae, 1384-1464.* Oxford, 1938, trad. ital. : *Cosimo de'Medici il vecchio,* Firenze, 1949.

HEERS (Jacques), *Esclaves et domestiques au Moyen-Age, dans le Monde méditerranéen,* Paris, 1981.

INGHIRAMI (Francesco), *Storia della Toscana,* 16 vol., Fiesole, 1841-1843.

JOHNSTONE (Mary A.), *Life in Florence in the Fifteenth Century,* Firenze, 1968.

JOURCIN (Albert), *Les Médicis,* Lausanne, 1968.

KENT (Francis William), *Household and Lineage in Renaissance Florence. The Family life of the Capponi, Ginori and Rucellai,* Princeton, 1976.

KENT (Francis William), *Family Worlds in Renaissance Florence,* Princeton, 1977.

LABANDE (Edmond-René), *L'Italie de la Renaissance. Evolution d'une société,* Paris, 1954.

LARIVAILLE (Paul), *La vie quotidienne en Italie au temps de Machiavel (Florence-Rome)* Paris, 1979.

LA SIZERANNE (Robert MONIER de), *Les masques et les visages à Florence et au Louvre. Portraits célèbres de la Renaissance italienne,* Paris, 1914.

LA SIZERANNE (Robert MONIER de), *Le vertueux condottiere, Federigo de Montefeltro, duc d'Urbino, 1422-1482,* Paris, 1927.

LEBEY (André), *Essai sur Laurent de Médicis dit le Magnifique,* Paris, 1900.

LEVANTINI PIERONI (G.), *Lucrezia Tornabuoni, Donna di Piero di Cosimo de'Medici,* Firenze, 1888.

LITTA (Pompeo), *Famiglie celebri italiane,* Milano-Torino, 1819-1899.

LUCAS-DUBRETON (J.), *La vie quotidienne à Florence au temps des Médicis,* Paris, 1958.

MACHIAVELLI (Niccolo), *Storie fiorentine,* dans *Opere,* édizione del Centenario acura di Ezio Raimondi, Milano 1969.

MACINGHI STROZZI (Alessandra), *Lettere ai figlioli,* a cura di G. Papini, Lanciano, 1914.

MAGUIRE (J.) *The Women of the Medici,* London, 1927.

MANCINI (Girolamo), *Vita di Leon Battista Alberti,* Firenze, 1911.

MARCOTTI (G.), *Une mercante fiorentino e la sua famiglia nel secolo XV,* Firenze, 1881.

MASI (B.), *Ricordanze di Bartolommeo Masi calderaio fiorentino,* éd. Corazzini, Firenze, 1906.

MASI (Ernesto), *Lorenzo il Magnifico,* dans *La vita italiano nel Rinascimento,* p. 1-30, Milano, 1931.

MILANESI (Gaetano), *Delle nozze di Lorenzo dei Medici con Clarice Orsini nel 1469, informazione di Pietro Parenti Fiorentino,* Firenze, 1870.

NARDI (Jacopo), *Istorie della citta di Firenze,* éd. Lelio Arbib, 2 vol., Firenze, 1838-1841.

NERI (Achille), *La Simonetta* dans *Giornale Storico della Letteratura Italiana,* V (1885) p. 131-147.

PALMAROCCHI (Roberto), *Lorenzo il Magnifico,* Torino, 1941, 2e éd. 1946.

PANELLA (Antonio), *Firenze,* Roma, 1930.

PAPINI (Giovanni), *La grandezza italiana dei Medici,* dans *La Rinascita,* II, 6 (1939).

PASTOR (Ludwig von), *Histoire des papes depuis la fin du Moyen-Age,* trad. fr., t. IV, Paris, 1892, t. V, Paris, 1898.

PERRENS (F. T.), *Histoire de Florence depuis ses origines jusqu'à la domination des Médicis,* t. I à VI, Paris, 1877-1883.

PERRENS (F. T.), *Histoire de Florence depuis la domination des Médicis jusqu'à la chute de la République (1434-1531),* t. I à III, Paris, 1888-1890.

PICOTTI (Giovan Battista), *La giovinezza di Leone X,* Milano, 1927.

PIERACCINI (Gaetano), *La stirpe dei Medici di Cafaggiolo,* 4 vol., Firenze, 1924.

PIERACCINI (Gaetano), *Lucrezia Tornabuoni Medici ed altri di sua famiglia identificati su dati antropologici e storici degli affreschi di Santa Maria Novella,* Firenze, 1921.

PIERLING (R. P.), *Le mariage d'un tsar au Vatican : Ivan III et Zoé Paléologne,* dans *Revue des questions historiques,* 1er oct. 1887.

PIERRE-GAUTHIEZ, *Trois Médicis,* Paris, 1933.

PITTI (Jacopo), *Istoria fiorentina*, éd. F. L. Polidori, dans *Archivio Storico Italiano*, I, 1, 1842.

POGGI (Giovanni), *La giostra medicea del 1475 e la « Pallade » del Botticelli*, dans *L'Arte*, 1902.

RENARD (G.), *Histoire du travail à Florence*, 2 vol., Paris, 1913-1914.

REUMONT (Alfred von), *Lorenzo de'Medici il Magnifico*, 2 vol., Leipzig, 1874, 2e éd. 1883.

RHO (Edmondo), *Lorenzo de'Medici (1449-1492)*, Torino, 1932.

RIDOLFI (Enrico), *Giovanna Tornabuoni e Ginevra de'Benci nel coro di Santa Maria Novella* dans *Archivio Storico Italiano*, série V, vol. 6 (1890).

RIDOLFI (Roberto), *Vita di Girolamo Savonarola*, 2 vol., Roma, 1952.

RIGHETTI (L.), *Del Bagno a Morba*, Roma, 1881.

Rinascimento (Il). Interpretazioni e problemi, Roma-Bari, 1979.

ROSCOE (William), *The Life of Lorenzo de Medici called the Magnificent*, 1re éd. Liverpool, 1795.

ROSCOE (William), *Vie de Laurent de Médicis surnommé le Magnifique, traduite de l'anglais de William Roscoe, sur la seconde édition*, par François Thurot, 2 vol. Paris, an VIII.

ROSS (Janet), *Lives of the Early Medici as told in their correspondence*, London, 1910.

RUSSO (Luigi), *Lorenzo il Magnifico* dans *Belfagor*, X, 1955.

SCHLECHT (J.), *Andreas Zamometič*, Paderborn, 1903.

SCHNITZER (Joseph), *Savonarola*, trad. Ital. Milano, 1931.

SIMIONI (Attilio), *Donne ed amori medicei. La Simonetta*, dans *Nuova Antologia*, série V, vol. 135 (1908).

SISMONDI (Jean Charles Léonard Simonde de), *Histoire des Républiques italiennes du Moyen-Age*, 1re éd. 1807-1809, 2e éd. 1818, 3e éd. 1840.

SORANZO (G.), *Lorenzo il Magnifico alla morte del padre e il suo primo balzo verso la Signoria*, dans *Archivio Storico Italiano*, CXI (1953).

TREXLER (Richard C.), *Public Life in Renaissance Florence*, New York, 1980.

TRUC (Gonzague), *Florence et les Médicis*, Paris, 1936.

VALORI (Niccolo), *Laurentii Medicei vita*, Florentiae, 1749.

(Première édition du texte latin, traduit en italien et édité par Filipo Valori, descendant de Niccolo, en 1568).

VALORI (Niccolo), *Vita del mag. Lorenzo de'Medici il vecchio scritta da-*, Firenze, 1568.

VARILLAS (Antoine), *Les anecdotes de Florence ou l'Histoire secrète de la Maison de Médicis*, La Haye, 1687.

Vita privata a Firenze nei secoli XIV e XV, Firenze, 1966.

VILLARI (Pasquale), *Jérôme Savonarole et son temps d'après de nouveaux documents*, trad. fr. par Gustave Guyer, 2 vol., Paris, 1874.

VIOLINI (Cesare), *Lorenzo il Magnifico*, Milano, 1937.

WEINSTEIN (D.), *Savonarola and Florence : prophecy and patriotism in the Renaissance*, Princeton, 1970.

WILLIAMSON (Hugh Ross), *Lorenzo the Magnificent*, London, 1974.

YOUNG (G. F.), *The Medici*, London, 1910.

ZANELLI (Agostino), *Le schiave orientali a Firenze nei secoli XIV e XV, contributo alla storia privota di Firenze*, Firenze, 1885.

ZANIER (Giancarlo), *La medicina astrologica e la sua teoria : Marsilio Ficino e i suoi critici contemporanei*, Roma, 1977.

II. *Histoire politique ; institutions ; gouvernement ; relations extérieures*

ADDARIO (A. d'), *La formazione della stato moderno in Toscana da Cosimo il Vecchio a Cosimo de'Medici*, Lecce, 1976.

ALBERTINI (R. von), *Firenze dalla repubblica al principato, storia e coscienza politica*, Torino, 1970.

ANGUILLOTTI (A.), *La crisi costituzionale della Repubblica fiorentino*, Firenze, 1912.

BACCI (Orazio), *I Cancellieri della Repubblica Fiorentina*, Firenze, 1912.

BARBADORO (Bernardino), *La politica di Lorenzo de'Medici*, dans *Il Ponte*, V, 1949.

BARBADORO (Bernardino), *Le finanze della Repubblica Fio-*

rentina. Imposta diretta e debito pubblico fino all'istituzione del Monte, Firenze, 1929.

BARBOUX (Henri), *De l'impôt sur le revenu à Florence au xvᵉ siècle,* dans *Revue Politique et Parlementaire,* XVIII (1898).

BARON (Hans), *The Crisis of Early italian Renaissance. Civic Humanism and Republican Liberty in an Age of Classicism and Tyranny,* Princeton, 1966.

BECKER (Marvin B.), *The Florentine territorial state and Civic humanism in the early Renaissance,* dans *Florentine studies,* éd. Nicolai Rubinstein, London, 1968.

BONELLO URICCHIO (Caterina), *I rapporti tra Lorenzo il Magnifico e Galeazzo Maria Sforza negli anni 1471-1473,* dans *Archivio storico Lombardo* (1964-65).

BROWN (Alison), *Bartolomeo Scala (1430-1497), Chancellor of Florence,* Princeton, 1979.

BRUCKER (Gene A.), *Renaissance Florence,* New York, 1969.

BRUCKER (Gene A.), *The civic world of early Renaissance Florence,* Princeton, 1977.

BUSER (Benjamin), *Die Beziehungen der Mediceer zu Frankreich Während der Jahre 1434-1494,* Leipzig, 1879.

BUSER (Benjamin), *Lorenzo de'Medici als italienischer Staatsmann,* Leipzig, 1879.

CANESTRINI (Giuseppe), *La scienza e l'arte di stato desunta dagli atti officiali della Repubblica fiorentina e dei Medici. Ordinamenti economici della finanza,* Firenze, 1862.

CANESTRINI (Giuseppe), DESJARDINS (Abel), *Negociations diplomatiques de la France avec la Toscane,* I, Paris, 1859.

CAPPELLI (Antonio), *Lettere di Lorenzo de'Medici, detto il Magnifico, con notizie tratte dai carteggi diplomatici degli oratori estensi a Firenze,* Modena, 1863.

CAPPONI (Gino), *Storia della repubblica di Firenze,* 2 vol. Firenze, 1930.

CASANOVA (Eugenio), *L'uccisione di Galeazzo Maria Sforza e alcuni documenti fiorentini,* dans *Archivio storico Lombardo,* III, vol. 12, 1899.

CECCHINI (Giovanni), *La guerra della congiura dei Pazzi e l'andata di Lorenzo de'Medici a Napoli,* dans *Bolletino senese di Storia Patria,* 1965.

DELABORDE (Henri François), *L'expédition de Charles VIII en Italie. Histoire diplomatique et militaire,* Paris, 1888.

DENIS (Anne), *Charles VIII et les Italiens : Histoire et Mythe*, Genève, 1979.

DOREN (Alfred), *Storia economica dell'Italia nel Medio Evo*, trad. de l'allemand, Padova, 1936.

FIUMI (Enrico), *L'Impresa di Lorenzo de'Medici contro Volterra 1472*, Firenze, 1948.

Florentines studies, éd. Nicolai Rubinstein, London, 1968.

GUASTI (C.), *Commissioni di Rinaldo degli Albizzi per il Commune di Firenze dal 1399 al 1433*, Firenze, 1867-1873.

HALE (J. R.), *Florence and the Medici, The Pattern of Control*, London, 1977.

HALE (J. R.), *Machiavelli and Renaissance Italy*, London, 1972.

HAY (Denys), *The italian Renaissance in its Historical Background*, 2e éd., Cambridge, 1977.

HUILLARD-BREHOLLES, *Louis XI et la confédération italienne* dans *Revue des sociétés savantes V (1861)*.

Idee, istituzioni, scienza ed arti nella Firenze dei Medici, a cura di Cesare Vasoli, Firenze, 1980.

KENT (Dale), *The rise of the Medici faction in Florence, 1426-1434*, Oxford, 1978.

LABANDE-MAILFERT (Yvonne), *Charles VIII et son milieu (1470-1498). La jeunesse au pouvoir*, Paris, 1975.

Lettres de Louis XI, roi de France, éd. J. Vaesen, E. Charavay, B. De Mandrot, 11 vol. Paris, 1883-1909.

LUPO GENTILE (Michele), *Pisa, Firenze e Carlo VIII*, Pisa, 1934.

MAGNANI (Rachele), *Delle relazioni private fra la corte sforzesca di Milano e casa Medici*, Milano, 1910.

MANCINI (Girolamo), « *De Libertate* », *dialogo sconosciuto d'Alamanno Rinuccini contro il governo di Lorenzo il Magnifico*, dans *Archivio storico italiano*, série IV, vol. 18, 1886.

MARTENS (Mina), *Les Maisons de Médicis et de Bourgogne au xve siècle*, dans *Le Moyen Age*, 56 (1950).

MARZI (Demetrio), *La cancelleria della repubblica fiorentina*, Rocca san Casciano, 1910.

MIROT (Léon), *La politique française en Italie de 1380 à 1422. Les préliminaires de l'alliance florentine*, extr. des *Mélanges de l'Ecole française de Rome*, Paris, 1934.

MOLHO (Anthony), *Florentine Public Finances in the early Renaissance, 1400-1433,* Cambridge, Mass., 1971.

MOLLAT (Michel), *Recherches sur les finances des ducs Valois de Bourgogne,* dans *Revue historique,* 219 (1958).

MORANDINI (Francesca), *Il conflitto fra Lorenzo il Magnifico e Sisto IV dopo la congiura de'Pazzi. Dal carteggio di Lorenzo con Girolamo Morelli, ambasciatore fiorentino a Milano,* dans *Saggi su Lorenzo il Magnifico,* Firenze, 1951.

MORENI (Domenico), *Lettere di Lorenzo de'Medici al sommo Pontefice Innocenzio VIII,* Firenze, 1830.

MUNICCHI (Alfredo), *La fazione antimedicea detta « Del Poggio »,* Firenze, 1911.

MURRAY KENDALL (Paul), *Louis XI,* Paris, 1976.

MURRAY KENDALL (Paul), *Richard III,* Paris, 1979.

NEBBIA (Giuseppina), *La lega italiana del 1455 : sue vicende e sua rinnovazione nel 1470,* dans *Archivio storico Lombardo,* nouv. série, IV, 1939.

PALMAROCCHI (Roberto), *La politica italiana di Lorenzo de'Medici, Firenze nella guerra contro Innocenzo VIII,* Firenze, 1933.

PAMPALONI (G.), *Fermenti di riforme democratiche nella Firenze medicea del quattrocento,* dans *Archivio storico italiano,* 1961.

PAMPALONI (G.), *Gli organi della repubblica fiorentina per le relazioni con l'estero,* dans *Rivista di studi Politici internazionali,* 1953.

PELLEGRINI (Francesco Carlo), *Sulla repubblica fiorentina al tempo di Cosimo il Vecchio,* Pisa, 1889.

PEYRONNET (Georges), *Il ducato di Milano sotto Francesco Sforza (1450-1466). Politica interna, vita economica e sociale,* dans *Archivio storico italiano,* 116, (1958).

PILLININI (G.), *Il sistema degli stati italiani, 1454-1494,* Venezia, 1970.

PONTIERI (Ernesto), *La dinastia aragonese di Napoli e la casa de'Medici* dans *Archivio storico per le Procincie Napolitane,* nouv. série, t. XXVI, 1940, t. XXVII, 1941.

PONTIERI (Ernesto), *Per la storia del regno di Ferrante I d'Aragona, re di Napoli,* Napoli, 1946.

RENOUARD (Yves), *Histoire de Florence,* Paris, 1964.

REUMONT (Alfred von), *Della diplomazia italiana dal secolo XIII al XVI,* Firenze, 1857.

Ricchioni (Vincenzo), *La costituzione politica di Firenze da tempi di Lorenzo il Magnifico*, Siena, 1913.

Rodolico (N.), *I Ciompi*, Firenze, 1945.

Rubinstein (Nicolai), *The government of Florence under the Medici (1434 to 1494)*, Oxford, 1966 ; trad. ital. de Michele Luzzati : *Il governo di Firenze sotto i Medici (1434-1494)*, Firenze, 1971.

Tenenti (Alberto), *Florence à l'époque des Médicis : de la cité à l'Etat*, Paris, 1968.

Valeri (Nino), *L'Italia nell'eta dei principati dal 1343 al 1516*, Milano, 1949.

Valois (Noël), *La crise religieuse du xvᵉ siècle. Le Pape et le concile (1418-1450)*. 2 vol., Paris, 1909.

Welliwer (W.) *L'impero fiorentino*, Firenze, 1957.

III. *Histoire économique, banque et négoce*

Barbieri (Gino), *Industria e politica mineraria nello Stato Pontificio dal'400 al'600* Roma, 1940.

Bauer (Clemens), *Studi per la storia delle finanze papali*, dans *Archivio soc. Rom. Stor. Patr.*, L (1927).

Bergier (Jean-François), *Les foires de Genève et l'Economie internationale de la Renaissance*, Paris, 1963.

Bernocchi (M.), *Le monete della Repubblica Fiorentina*, vol. III, Firenze, 1976.

Bresard (Marc), *Les Foires de Lyon aux xvᵉ et xvfᵉ siècles*, Paris, 1914.

Ceccherelli (Alberto), *I libri di mercatura della Banca Medici e l'applicazione della partita doppia a Firenze nel secolo decimoquarto*, Firenze, 1913.

Charpin-Feugerolles (Hippolyte de, marquis de La Rivière), *Les Florentins à Lyon*, Lyon, 1893.

Ciardini (Mario), *I banchieri ebrei in Firenze nel secolo XV e il monte di pieta fondato da Girolamo Savonarola*, Borgo san Lorenzo, 1907.

Cipolla (C. M.), *Studi di storia della moneta. I movimenti dei cambi in Italia da secolo XIII al XV*, Pavia, 1948.

Cipolla (C. M.), *Moneta e civiltà mediterranea*, Venezia, 1957.

CONTI (Elio), *La formazione della struttura agraria moderna nel contado fiorentino*, Roma, 1965-1966.

CONTI (Elio), *I catasti agrari della repubblica fiorentina e il catasto particellare toscano. Le fonti*, Roma, 1966.

DELUMEAU (Jean), *L'alun de Rome*, xve-xixe siècles, Paris, 1982.

DE POERCK (Guy), *La draperie médiévale en Flandre et en Artois : technique et terminologie*, 3 vol., Bruges, 1951.

DEROISY (Armand), *Les routes des laines anglaises vers la Lombardie*, dans *Revue du Nord*, 25 (1939).

DE ROOVER (Florence Edler), *Francesco Sassetti and the downfall of the Medici banking House*, dans *Bulletin of the Business Historical society*, XVII, 1943.

DE ROOVER (Raymond), *L'évolution de la lettre de change*, xive-xviiie siècles, Paris, 1953.

DE ROOVER (Raymond), *The Rise and Decline of the Medici Bank, 1397-1494*, Cambridge (Massachusetts), 1963 ; 2ᵉ éd. 1968 ; trad. Ital., 1970.

DOREN (Alfred), *Studien aus der Florentiner Wirstschaftsgeschichte*, 2 vol. Stuttgart-Berlin, 1901-1908 ; trad. ital. *Le arti fiorentine*, Firenze, 1940.

DORINI (Umberto), *L'arte della seta in Toscana*, Firenze, 1928.

FANFANI (Amintore), *Le origini della spirito capitalistico in Italia*, Milano, 1933.

GANDI (Giulio), *Le corporazioni dell'antica Firenze*, Firenze, 1928.

GANDILHON (René), *La politique économique de Louis XI*, Rennes, 1940.

GARZELLA (G.), CECCARELLI LEMUT (M. L.), CASINI (B.), *Studi sugli strumenti di scambio a Pisa nel medioevo* (tableaux de conversion entre florins et petite monnaie, 133 sq.), Pisa, 1979.

GASCON (Richard), *Nationalisme économique et géographique des foires : la querelle des foires de Lyon, 1484-1494*, Clermont-Ferrand, 1956.

GINORI CONTI (Piero), *La magone della vena del ferro di Pisa e di Pietrasanta sotto la gestione di Piero dei Medici e Compagnia (1489-1492)*, Firenze, 1939.

GOLDTHWAITE (Richard A.), *Private Wealth in Renaissance Florence*, Princeton, 1968.

GRUNZWEIG (Armand), *Correspondance de la filiale de Bruges des Médicis,* Bruxelles, 1931.

HEERS (Jacques), *Gênes au XVᵉ siècle : activité économique et problèmes sociaux,* Paris, 1961.

HERLIHY (David) et KLAPISCH-ZUBER (Christiane), *Les Toscans et leurs familles. Une étude du « catasto » florentin de 1427,* Paris, 1978.

HERLIHY (D.), *Pisa in the early Renaissance, a study of Urban growth,* New Haven, 1958.

HERLIHY (D.), *Medieval and Renaissance Pistoia,* New Haven, 1967.

INCARNATI (L.), *La moneta di conto nella storia bancaria,* Roma, 1960.

LOPEZ (R. S.), *La rivoluzione commerciale del Medioevo,*Torino, 1971.

LUZZATO (Gino), *Breve storia economica d'Italia,* Torino, 1958.

MARKS (L. F.), *La crisi finanziaria a Firenze del 1494-1502,* dans *Archivio storico italiano,* CXII (1954).

MARKS (L. F.), *The Financial oligarchy in Florence under Lorenzo,* dans E. F. Jacob *Italian Renaissance studies,* London, 1960, p. 123-147.

MELIS (F.), *Tracce di una storia economica di Firenze e della Toscana in generale dal 1252 al 1550,* Firenze, 1966.

PAGNINI (Gian Francesco), *Della decima e di varie altre gravezze imposte dal comune di Firenze, della moneta et della mercatura de'Firorentini fino al secolo XVI,* 4 vol., Lisbona (Lucca), 1765-1766.

Relazioni del X congresso internazionale di scienze storiche, vol. III, *storia del Medioevo : L'économie européenne aux deux derniers siècles du Moyen Age,* Firenze, 1955.

RENOUARD (Yves), *Les Hommes d'affaires italiens du Moyen Age,* Paris, 1949.

ROMANO (R.), TENENTI (A.), *Alle origini del mondo moderno (1350-1550),* Milano, 1970.

SAPORI (Armando), *I libri di commercio dei Peruzzi,* Milano, 1934.

SAPORI (Armando), *Studi di storia economica (secoli XIII-XV),* 3ᵉ éd. Firenze, 1955.

SOLIVETTI (Guido), *Il banco dei Medici in Roma all'inizio del XV secolo,* Roma, 1950.

VETTORI (Francesco), *Il fiorino d'oro,* Firenze, 1738.

VIGNE (Marcel), *La Banque à Lyon du XVe au XVIIIe siècle,* Paris, 1903.

ZIPPEL (Giuseppe), *L'allume di Tolfa e il suo commercio,*dans *Archivio soc. Rom. Stor Patria,* 30 (1907).

IV. *Histoire littéraire ;*
l'œuvre de Laurent ; le contexte littéraire

— *Orientation générale :*

ROCHON (André), *La jeunesse de Laurent de Médicis (1449-1478),* Paris, 1963.

ORVIETO (Paolo), *Lorenzo de'Medici,* Firenze, 1976.

— *Principales éditions :*

Poesie volgari nuovomente stampate di Lorenzo del Medici che fu padre di Pape Leone, Venezia, 1554.

Poesie del Magnifico Lorenzo de'Medici... compiute e alla vera lezione ridotte, Bergamo, 1763.

Opere di Lorenzo de'Medici detto il Magnifico, 4 vol., Firenze, 1825.

Poesie di Lorenzo de'Medici, éd. Giosue Carducci, Firenze, 1859.

Il Poliziano, il Magnifico, Lirici del quattrocento, éd. Massimo Bontempelli, Firenze, 1910.

Lorenzo de'Medici, detto il Magnifico, Poemi, éd. Giovanni Papini, Lanciano, 1911.

Poesie volgari di Lorenzo de'Medici, éd. Janet Ross et Edward Hutton, 2 vol. Edinburgh, 1912.

Scritti scelti di Lorenzo de'Medici, éd. Egidio Bellorini, Torino, 1922.

Le più belle pagine di Lorenzo de'Medici, éd. Roberto Palmarocchi.

Lorenzo de'Medici..., éd. G. Necco, Milano, 1935.

Lorenzo de'Medici il Magnifico. Opere éd. Attilio Simioni, Bari, 2e éd. 1939. 2 vol. avec bibliographie dans t. II.

Scritti scelti di Lorenzo de'Medici, éd. Emilio Bigi, Torino, 1955, avec bibliographie

— *Signalons deux éditions publiées en France* :

Poemetti e Canti carnascialeschi del Magnifico Lorenzo de'Medici, éd. Giulio Caprin, Paris, 1947.
Ambra, chansons de Carnaval, l'Altercation, lettre à Frédéric d'Aragon, trad. fr. et présentation d'André Chastel, Paris, 1946.

— *Bibliographie concernant les œuvres de Laurent* :

CAMERANI (Sergio), *Bibliografia medicea*, Firenze, 1940.
MAIER (Bruno), *Lorenzo de'Medici nel V centenario della nascita : Bilancio storico della critica laurenziana*, Venezia, 1949.
MORANDINI (Antonia), *Contributo a una bibliografia Laurenziana*, dans *Saggi su Lorenzo il Magnifico*, Firenze- 1951.
RENAUDET (Augustin), *Laurent le Magnifique*, dans *Hommes d'Etat*, t.II, publ. sous la direction de A. B. Duff et F. Galy, Paris, 1937.

— *Le contexte littéraire*

ANZIANI (Niccolo), *Della biblioteca Medicea Laurenziana di Firenze*, Firenze, 1872.
BEC (Christian), *Per la storia del mito di Firenze*, dans *Cultura e societa a Firenze nei tempi della Rinascenza*, Roma, 1979.
BEC (Christian), *L'Umanesimo civile : Alberti, Salutati, Bruni, Bracciolini e altri trattatisti del'400*, Torino, 1975.
BEC (Christian), *L'Umanesimo letterario : Lorenzo il Magnifico, Poliziano, Pulci, Boiardo, Sannazaro e altri scrittori del secondo'400*, Torino, 1976.
BEC (Christian), *Le siècle des Médicis*, Paris, 1977.
BEC (Christian), *Les marchands écrivains. Affaires et humanisme à Florence, 1375-1434*, Paris, 1967.
BOUVY (E.), *Laurent de Médicis et l'ancienne Académie florentine*, Paris, 1926.
BREHIER (E.), *La philosophie de Plotin*, Paris, 1928.
BROWN (Alison M.), *The Humanist portrait of Cosimo de'Medici Pater Patriae*, dans *Journal of the Warburg and Courtauld Institutes* (1961).
BUCK (August), *Der Platonismus in den Dichtungen Lorenzo de'Medici*, Berlin, 1936.

CAMMELLI (Giuseppe), *Giovanni Argiropoulo,* Firenze, 1941

CARDUCCI (Giosue), *Saggi critici,* nouv. éd. Bologna, 1921, *Lorenzo de'Medici.*

CARDUCCI (Giosue), *Cacce in rima del sec. XIV-XV,* Bologna, 1896.

CHASTEL (André), *Melancholia in the sonnets of Lorenzo de'Medici,* dans *Journal of the Warburg and Courtauld Institutes,* VIII (1945).

CECCHI (Emilio) et SAPEGNO (Natalino), *Storia della Letteratura italiana,* III, *Il Quattrocento e l'Ariosto,* Milano, 1965.

Corpus Hermeticum, Textes ésotériques établis par A. D. Nock et traduits par A. J. Festugière, 4 vol. Paris, 1945-1954.

DALLA PALMA (Sisto), *La sacra rappresentazione di Lorenzo el Magnifico,* Milano, 1965.

DELLA TORRE (Arnaldo), *Storia dell'Academia Platonica di Firenze,* Firenze, 1909.

DEL LUNGO (Isidoro), *Florentia, uomini e case del Quattrocento,* Firenze, 1897.

DEL LUNGO (Isidoro), *Poliziano, Prose volgari e poesie latine inedite,* Firenze, 1897.

DE SANCTIS (Francesco), *Storia della letteratura italiana,* acura di Luigi Russo, Milano, 1956.

FESTUGIERE (A. M.), *La philosophie de l'amour de Marsile Ficin et son influence sur la littérature française au XVIᵉ siècle,* Paris, 1941.

FICIN (Marsile), Voir MARCEL (Raymond); CHASTEL (André); KRISTELLER (Paul Oskar); SAITTA G. et FESTUGIERE A. M.

FICIN (Marsile), *Opera Ommia,* Basel, 1576, réimp. 1959.
— *Supplementum Ficinianum,* éd. par P. O. KRISTELLER, Firenze 1937, réimp. 1973.
— *Commentaire sur le banquet de Platon,* éd. R. Marcel, Paris, 1956.
— *Théologie Platonicienne,* éd. R. MARCEL, Paris, 1964-1970.

GARIN (Eugenio), *Il rinascimento italiano,* Milano, 1941.

GARIN (Eugenio), *Filosofi italiani del quattrocento,* Forenze, 1942.

GARIN (Eugenio), *L'Umanesimo italiano. Filosofia e vita civile nel Rinascimento,* Bari, 1952, nouv. éd., 1978

GARIN (Eugenio), *Medioevo e Rinascimento. Studi e richerche*, Bari, 1954.

GARIN (Eugenio), *Note sull'ermetismo del Rinascimento, in Testi umanistici sull' ermetismo*, dans *Archivio di Filosofia*, 1955.

GEBHART (Emile), *Conteurs florentins du Moyen Age*, Paris, 1901.

GHERARDI (Alessandro), *Statuti della Università e studio fiorentino*, Firenze, 1881.

GHERARDI (Alessandro), *Uno scandalo nell'Università pisana l'anno 1474*, dans *Archivio storico italiano*, série IV, vol. 7 (1881).

GHISI (Federigo), *I canti carnascialeschi nelle fonti musicali del XV e XVI secolo*, Firenze, 1937.

GHISI (Federigo), *Le musiche del san Giovanni e Paulo di Lorenzo il Magnifico*, dans Rassegna Musicale, 1943, n° 8-12.

GILSON (Etienne), *Histoire de la philosophie au Moyen-Age*, Paris, 1947.

GRAZZINI (A. F.), *Raccolta dei canti carnascialeschi*, Firenze, 1559.

KIESZKOWSKI (Bogdan), *Studi sul platonismo del Rinascimento in Italia*, Firenze, 1936.

KRISTELLER (Paul Oskar), *Huit philosophes de la Renaissance italienne (Pétrarque, Valla, Marsile Ficin, Pic de la Mirandole, Pomponazzi, Telesio, Patrizi et Bruno)*, trad. Anne Denis, Genève, 1975.

KRISTELLER (Paul Oskar), *Die Philosophie des Marsilio Ficino*, Frankfurt, 1972.

KRISTELLER (Paul Oskar), *Studies in Renaissance thought and Letters*, Roma, 1956.

KRISTELLER (Paul Oskar), *Supplementum ficinianum*, 2 vol., Firenze, 1937.

LANDINO (Cristoforo), *Camaldulenses disputationes*, Argentoraci, 1508, nouv. éd. dans Eugenio Garin, *Prosatori latini del quattrocento*, Milano-Napoli, 1952.

LANDUCCI (Luca), *Diario fiorentino 1450-1516*, Firenze, 1883.

MARCEL (Raymond), *Marsile Ficin*, Paris, 1958.

MARTELLI (Mario), *Lorenzo de'Medici, il Magnifico, Simposio*, edizione critica a cura di-, Firenze, 1966.

MERCURE TRISMEGISTE, *Mercurii Trismegisti Pimander seu de potestate et sapientia Dei*, Tarvissi, 1471.

MONNIER (Philippe), *Le Quattrocento. Essai sur l'histoire du xvᵉ siècle italien*, 2 vol., Paris, 1924.

PELLEGRINI (Carlo), *Luigi Pulci : l'uomo e l'artista*, Pisa, 1912.

PELLEGRINI (Carlo), *L'Umanista Bernardo Rucellai e le sue opere storiche*, Livorno, 1920.

PIAZZO (Marcello Del), *Gli autografi di Lorenzo de'Medici nell'Archivio di Stato di Firenze*, dans *Rinascimento*, VIII, 2 (1957).

PICO DELLA MIRANDOLA (Giovanni), *Opera*, éd. E. Garin, Firenze, 1942-1952.

PICOTTI (Giovan Battista), *Lo studio di Pisa dalle origini a Cosimo Duca*, dans *Bollettino storico Pisano*, nouv. série, 1942-1944.

PINTOR (Fortunato), *Per la storia della libreria medicea nel Rinascimento*, Lucca, 1904.

PLATON, *Œuvres complètes*, trad. Léon Robin, 2 vol. Paris, 1940-1950 (coll. *La Pléiade*).

POLIZIANO (Angelo), *Poesie*, Firenze, éd. 1979.

POLIZIANO (Angelo), *La congiura de'Pazzi*, dans *Prose volgari inedite e poesie latine e greche edite e inedite*, raccolte da Isidoro Del Lungo, Firenze, 1867.

POLIZIANO (Angelo), *Epistole inedite*, éd. Lorenzo d'Amore, Napoli, 1909.

POLIZIANO (Angelo), *Le Selve e la Strega*, éd. I. del Lungo, Firenze, 1925.

POLIZIANO (Angelo), *Stanze cominciate per la Giostra di Giuliano de'Medici*, éd. V. Pernicone, Torino, 1954. *Poliziano e il suo tempo, Mélanges*, Firenze, 1957.

PULCI (Luigi), *Lettere a Lorenzo il Magnifico e ad altri*, éd. Salvatore Bongi, Lucca, 1886.

PULCI (Luigi), *Ciriffo Calvaneo... Con la giostra del Magnifico Lorenzo de Medici*, Firenze, 1572.

PULCI (Luigi), *Sonetti di Matteo Franco e di Luigi Pulci*, Lucca, 1759.

RENAUDET (Augustin), *Humanisme et Renaissance*, Genève, 1958.

ROMAGNOLI (S.), *Lorenzo de'Medici*, dans *Momenti di vita civile e letteraria*, Padova, 1966.

SAITTA (G.), *Marsilio Ficino e la filosofia dell'Umanesimo*, 3e éd. Bologna, 1954.

ULLMAN (B. L.) et STADITER (Philip A.), *The public library of Florence : Niccolo Niccoli, Cosimo de'Medici and the library of San Marco*, Padua, 1972.

VISCARDI (Antonio), *La poesia religiosa del Magnifico Lorenzo*, dans *Atti dell'Istituto Veneto*, 87 (1927-1828).

VOLPI (Guglielmo), *Un cortigiano di Lorenzo il Magnifico (Matteo Franco)*, dans *Giornale storico della Letteratura italiana*, XVII (1891).

VOLPI (Guglielmo), *Luigi Pulci, studio biografico*, dans *Giornale storico della letteratura italiana*, XXII (1893).

WALDSWORTH (James B.), *Lorenzo de'Medici and Marsilio Ficino : An experiment in Platonic Friendship*, dans *The Romanic Review*, XLVI (1955).

WIND (Edgard), *Pagan mysteries in the Renaissance*, London, 1958.

V. *Histoire de l'art.*
Arts, artistes et monuments.

ALBERTI (Leone Battista), *De re aedificatoria libri X*, Firenze, 1485.

AMADUCCI (Alberto), *La capella di Palazzo Medici*, Firenze, 1977.

ANCONA (Paolo d'), *La miniatura fiorentina*, 2 vol. Firenze, 1914.

ANTAL (F.), *La pittura fiorentina e il suo ambiente sociale nel Trecento e nel primo Quattrocento*, Torino, 1969.

ARMAND (A.), *Les médailleurs italiens*, Paris, 1882.

BACCINI (Giuseppe), *Le ville medicee di Cafaggiolo e di Trebbio in Mugello*, Firenze, 1897.

BAILLY (Auguste), *La Florence des Médicis*, Paris, 1942.

BARFUCCI (Enrico), *Lorenzo de'Medici e la societa artistica del suo tempo*, 2e éd. par Luisa Becherucci, Firenze, 1964.

BECHERINI (Bianca), *Relazioni di musici fiamminghi con la corte dei Medici*, Firenze, 1941, dans *La Rinascita* IV, n° 17 (1941).

BERENSON (Bernhard), *Italian Painters of the Renaissance*, 4 vol. 1894-1907, rééd. London, 1952, trad. fr., Paris, 1952.

BERTI (L.), et BALDINI (U.), *Filippino Lippi,* Firenze, 1957.

BOCCABIANCA (G. M.), *Gli affreschi di Benozzo Gozzoli nella capella del Palazzo Medici-Riccardi di Firenze,* Milano, 1957.

BODE (W. von), *Der familie della Robbia,* Berlin, 1944.

BORREN (Charles van den), *Guillaume Dufaye,* Bruxelles, 1926.

BORSOOK (Eve), *The Mural painters of Tuscany, from Cimabue to Andrea del Sarto,* London, 1960.

BOUTIER (Jean), *Les palais florentins,* dans *l'Histoire,* n° 17 (nov. 1979).

BUCCI (Mario) et BENCINI (Raffaello), *Palazzi di Firenze,* 4 vol. Firenze, 1971-1975.

BUERKEL (L.), *Francesco Furini,* Wien, 1908.

BURCKHARDT (Jacob), *Die kultur der Renaissance in Italien,* Leipzig, 15e éd. 1926, trad. fr. *La civilisation de la Renaissance en Italie,* Paris, 1885, 2 vol.

BUSSLER (L.), *Benedetto da Maiano,* Münich, 1924.

CAROCCI (Guido), *I Dintorni di Firenze,* 2 vol. Firenze, 1906.

CAROCCI (Guido), *Bagni e villegiature in Toscana,* Firenze, 1900.

CAROCCI (Guido), *La villa Medicea di Careggi,* Firenze, 1888.

CENDALI (Lorenzo), *Giuliano e Benedetto da Maiano,* San Casciano Val di Pesa, s.d. 1926.

CLAUSSE (Gustave), *Les San Gallo,* Paris, 1900.

CHASTEL (André), *Art et Humanisme à Florence au temps de Laurent le Magnifique. Etude sur la Renaissance et l'Humanisme platonien,* Paris, 1959, 2e éd. 1961, 3e éd. 1982.

CHASTEL (André), *Le grand atelier d'Italie, 1460-1500,* Paris, 1965.

CHASTEL (André) et KLEIN (Robert), *L'âge de l'Humanisme. L'Europe de la Renaissance,* Paris, 1963.

CHASTEL (André), *Marsile Ficin et l'art,* Genève, 1954.

CHASTEL (André), *Botticelli,* Milano, 1958.

CHASTEL (André), *Vasari et la légende médicéenne :« L'Ecole du Jardin de Saint-Marc »* dans *Studi Vasariani,* Firenze, 1950.

CHAMBERS (D. S.), *Patrons and artists in the Italian renaissance,* London, 1970.

COLACICCHI (G.), *Andrea del Pollaiuolo,* Firenze, 1945.

CROWE (J. A.) et CAVALCASELLE (B.), *Storia della pittura in Italia,* vol. VI et VII, Firenze, 1897.

DAVIES (Gerald S.), *Ghirlandaio,* London, 1905.

Donatello e il suo tempo. Atti dell'ottavo convegno internazionale di studi sul Rinascimento, Firenze-Padova, 25 sett-1°Ott. 1966, Firenze, 1968.

ETTLINGER (L. D.), *The Sixtine Chapel before Michel Angelo,* Oxford, 1965.

FABRICZY (Cornelio de), *Andrea del Verrocchio al servizio dei Medici,* dans *Archivo storico dell'Arte,* VII (1895).

FOSTER (Philip Ellis), *A study of Lorenzo de'Medici's villa at Poggio a Caiano.* Yale University, 2 vol., 1974.

FRANCASTEL (Pierre), *La réalité figurative,* Paris, 1965.

FRANCASTEL (Pierre), *La figure et le lieu. L'ordre visuel du Quattrocento,* Paris, 1967.

GARIN (Eugenio), *Ritratti di Umanisti,* Firenze, 1967.

GEBHART (Emile), *Florence,* Paris, 1909.

GEBHART (Emile), *La Renaissance à Florence,* Paris, 1905.

GINORI LISCI (L.), *I Palazzi di Firenze nella storia e nell'arte,* 2 vol. Firenze, 1972.

GLASSER (Hannelore), *Artists' contracts of the Early Renaissance,* Columbia University, 1965.

GOLDTHWAITE (Richard A.), *The Florentine palace as domestic architecture,* dans *American Historical Review* (1972).

GOMBRICH (Ernst Hans), *The Early Medici as patrons of Art,* dans *Norm and Form, studies in the Art of the Renaissance,* I, London, 1966.

GOMBRICH (Ernst Hans), *Symbolic images,* London, 1972.

GUASTI (Cesare), *Santa Maria del Fiore,* Firenze, 1887.

HABICH (George), *Die Medaillen der italienischen Renaissance,* Stuttgart et Berlin, 1922.

HATFIELD (R.), *Botticelli's Uffizi « Adoration »,* Princeton, 1976.

HAUVETTE (Henri), *Ghirlandaio,* Paris, 1907.

HESS (Alois), *Les médailleurs de la Renaissance. Florence et les Florentins,* Paris, 1891.

HEVESY (A. de), *La bibliothèque du roi Mathias Corvin,* Paris, 1923.

HEYDENREICH (Ludwig H.), *Leonardo da Vinci,* 2 vol., Bâle, 1953.

HEYDENREICH (Ludwig H.), *Eclosion de la Renaissance*, 1400-1460, Paris, 1972.

HILDEBRAND (A. von), *Italienische Porträskulpturen des XV. Jh.*, Berlin, 1883.

HILL (George Francis), *A corpus of italian Medals of the Renaissance before Cellini*, 3 vol., London, 1930.

HOLMES (George), *The Florentine Enligthtenment*, 1400-50, London, 1969.

HOLZHAUSEN (Walter), *Studien zum Schatz des Lorenzo Magnifico im Palazzo Pitti*, dans *Mitteilungen des Kunsthistorischen Institutes in Florenz*, 3, 1919-1932.

HOOGEWERFF (G. J.), *Benozzo Gozzoli*, Paris, 1930.

JACOBSEN (Emil), *Simonetta Vespucci*, dans *Archivio storico dell'arte*, 1897, fasc. V.

JANSON (Horst W., *The sculpture of Donatello*, 2 vol. Princeton, 1957.

JUREN (Vladimir), *Le projet de Giuliano da Sangallo pour le palais du roi de Naples*, dans *Revue de l'Art*, 25 (1974).

LANDAIS (Hubert), *Les bronzes italiens de la Renaissance*, Paris, 1958.

LEVI D'ANCONA (Mirella), *Miniatura e miniatori e Firenze dal XIVe al XVIe secolo*, Firenze, 1962.

LIGHTBOWN (Ronald), *Sandro Botticelli*, 2 vol. London, 1978.

LONGHI (Roberto), *Fatti di Masolino e Masaccio*, dans *Critica d'arte*, 5 (1940).

MANGIN (Urbain), *Les deux Lippi*, Paris, 1932.

MARCHINI (Giuseppe), *Giuliano da Sangallo*, Firenze, 1942.

MARQUAND (Alan), *Andrea della Robbia and his Atelier*, 2 vol., London, 1922.

MESNIL (Jacques), *Botticelli*, Paris, 1938.

MICHEL (Paul Henri), *Un idéal humain au XVe siècle. La pensée de L. B. Alberti (1404-1472)*, Paris, 1933.

MORANTE (Elsa) et BALDINI (Umberto), *Angelico*, Milano, 1970.

Mostra delle opere del Beato Angelico nel Quinto centenario della morte (1455-1955), Firenze, 1955.

MÜNTZ (Eugène), *Les arts à la Cour des papes pendant le XVe et XVIe siècle*, t.4, t.9 et 28 de la *Bibliothèque des Ecoles françaises d'Athènes et de Rome*, Paris, 1878-1882.

MÜNTZ (Eugène), *Florence et la Toscane. Paysages, monuments, mœurs et souvenirs historiques*, Paris, 1914.

Müntz (Eugène), *Les collections des Médicis au XVᵉ siècle. Le musée, la bibliothèque, le mobilier*, Paris, 1888.

Orlandi (Stefano), *Beato Angelico*, Firenze, 1964.

Paatz (Walter und Elisabeth), *Die Kirchen von Florenz. Ein Kurestgeschichtliches Handbuch*, Frankfurt am Main, 6 vol., 1940-1954.

Panofsky (Erwin), *Studies in iconology*, New York, 1939.

Panofsky (Erwin), *Renaissance and Renascences in Western Art*, Stockholm, 1960.

Parigi (Luigi), « *Laurentiana* ». *Lorenzo dei Medici cultore della musica*, Firenze, 1954.

Pirro (André), *Histoire de la musique de la fin du XIVᵉ siècle à la fin du XVIᵉ*. Paris, 1940.

Pittaluga (Mary), *Filippo Lippi*, Firenze, 1949.

Poggi (Giovanni), *La giostra medicea del 1475 e la « Pal lade » del Botticelli*, dans *L'Arte*, Milano, 1902.

Pope-Hennessy (John), *An introduction to italian sculpture*, II, *Italian Renaissance sculpture*, London, 1958.

Pope-Hennessy (John), *The Portrait in the Renaissance*, London, 1966.

Reymond (Marcel), *La sculpture florentine*, 4 vol. Florence, 1897-1900.

Rossi (Filippo), *I ritratti del Magnifico*, dans *Illustrazione Toscana e dell'Etruria*, nov. 1939, fascicule dédié à Laurent le Magnifique.

Salmi (Mario), *Civiltà fiorentina del primo Rinascimento*, Firenze, 1967.

Salmi (Mario), *Tutta la pittura del Botticelli*, Milano, 1958

Sanpaolesi (Piero), *Brunelleschi*, Milano, 1962.

Scharf (A.), *Filippino Lippi*, Wien, 1950.

Schneebalg-Perelman (Sophie), *Le rôle de la banque Médi cis dans la diffusion des tapisseries flamandes*, dans *Revue belge d'archéologie et d'histoire*, t. 38 (1969).

Stegmann (Carl von) et Geymuller (Heinrich von), *Die Architektur des Renaissance in Toscana*, München, 12 vol., 1885-1908.

Stella (Maria Carmela), *Le adorazioni dei Magi e la nativita mistica di Botticelli*, Lanciano, 1977. *Studies in Western Art*, Actes du congrès de New York, (1961), vol. II, New York, 1963.

Supino (I. B.), *Les deux Lippi*, Florence, 1904.

SUPINO (I. B.), *Il medagliere Mediceo del Museo Nazionale di Firenze*, Firenze, 1899.

TOLNAY (Ch. de), *The youth of Michelangelo*, t. I, Princeton, 1947.

TOLNAY (Ch. de), *Michel Ange*, Paris, 1970.

VASARI (Giorgio), *Le vite dei più eccellenti pittori, scultori e architetti*, éd. G. Milanesi, 9 vol. Firenze, 1878-1885.

VENTURI (Adolfo), *Storia dell'Arte italiana :* VI, *La scultura del Quattrocento ;* VII, 4 vol., *La pittura del Quattrocento ;* VIII, 2 vol., *L'architettura del Quattrocento*, Milano, 1908-1924.

Ville Medicee, Fianico studio, Firenze, 1980.

WARBURG (A.), *La rinascita del paganesimo antico*, Firenze, 1966.

WEISS (Roberto), *The Renaissance discovery of classical Antiquity*, Oxford, 1969.

WITTKOWER (Rudolf), *Architectural Principles in the Age of Humanism*, London, 3e éd., 1962.

YASHIRO (Y.), *Sandro Botticelli*, London et Boston, 1925.

Index

A

Acciaiuoli, Agnolo, 101, 104-106, 123.
Acciaiuoli, Donato, 80, 83, 209.
Acciaiuoli, famille, 23-24, 101.
Acciaiuoli, Laudomina, 101.
Adam et Eve chassés du Paradis, de Masaccio, 78.
Adoration des Mages, de Botticelli, 185.
Adoration des Mages, de Fra Angelico, 67.
Adoration des Mages, de Leonardo da Vinci, 186.
Affaire de Sarzana, 245-247, 255.
Agli, Pellegrino degli, 113.
Alamanni, Pietro, 113.
Albert le Grand, 82.
Alberti, Benedetto degli, 32-34.
Alberti, famille, 23, 25, 56.
Alberti, Leone Battista, 74, 83, 95, 144, 167.
Albizzi, Albiera degli, 114.
Albizzi, famille, 25, 37, 59, 101, 273.
Albizzi, Giovanna degli, 293.
Albizzi, Luca degli, 57-58, 79.
Albizzi, Maso degli, 45.

Albizzi, Piero degli, 32.
Albizzi, Rinaldo degli, 52-54, 56-58.
Alessandri, Benedetto d', 120.
Alexandre V, pape, 44.
Alexandre VI, Borgia, pape, 253, 256, 351, 354.
Allégorie de l'Amour, de Filippino Lippi, 296.
Allégorie de la Musique, de Filippino Lippi, 296.
Allodoli, Ettore, 14.
Alphonse II, duc de Calabre, 214, 220-221, 224, 230, 234, 237-244, 248-254, 260, 351.
Alphonse d'Aragon, roi de Naples, 63, 97.
Altercation l', ou *Le Souverain bien,* de Laurent de Médicis, 177-179.
Altoviti, Giovanni, 132.
Ambra, poème d', de Laurent de Médicis, 304-307.
Ambra, poème d', de Politien, 303-304.
Ambrogiani, Angelo, voir Politien.
Amédée IX, duc de Savoie, 122.
Ammonizione, pratique de l', 32.

N

O

Rochon, André, 15, 180.

Rois Mages, fresque des, de Benozzo Gozzoli.

Romagne, les seigneurs de, 212, 226-227, 230.

Rondinelli, famille, 31.

Roover, Raymond de, 15.

Roscoe, William, 11-13, 169.

Ross, Janet, 13.

Ross Williamson, Hugh, 15.

Rosselli, Cosimo, 280-281.

Rossi, Lionetto, 91, 265-266.

Rossi, Robert de, 46.

Rovere, Francesco della : voir Sixte IV.

Rovere, Giovanni, della, 248.

Rovere, Giuliano della : voir Jules II.

Rubinstein, Nicolai, 16, 274.

Rucellai, Bernardo, 91, 113, 120-121, 337.

Rucellai, famille, 21, 96.

Rucellai, Giovanni, 74.

Rucellai, palais, 75.

S

Sacré Collège, 210, 250, 256.

Sacromoro, Filippo, 223-224, 284.

Saint Ange, château de, 240.

Saint Jean-Baptiste, de Leonardo da Vinci, 186.

Saint Pierre et saint Paul devant le proconsul, de Filippino Lippi, 294.

Saint-Siège, le, 70, 99, 122, 133, 143-147, 193, 204, 210-213, 217-218, 231, 240-242, 249, 252-254.

Salutati, Antonio, 69-70, 72.

Salutati, Benedetto, 119.

Salutati, Coluccio, 79.

Salutati, famille, 114.

Salviati, famille, 58.

Salviati, Francesco, archevêque

de Pise, 147, 193-203, 209-210.

Salviati, Jacopo, 158, 257-258, 356.

San Gallo, Giuliano da, 282, 298-304.

San Giorgio, banque de, 246-247, 255.

San Giorgio, monastère bénédictin, 55.

San Giovanni, baptistère, 46, 76.

San Giovanni, à Vallombrosa, 166.

San Giovanni, quartier, 30, 59.

San Lorenzo, église, 46, 75-76, 80, 205.

San Marco, couvent de, 75, 80.

San Miniato del Monte, église de la colline de, 75, 80, 83, 287.

San Severino, Antonello, prince de Salerne et amiral, 249.

San Severino, Roberto, 112, 122, 219, 239, 243-244, 249, 252-254.

Sansoni, Raffaele, cardinal, 192-200, 209-211.

Sansovino, Andrea, 302.

San Spirito, église, 75.

Santa Croce, église franciscaine de, 24-25, 29, 75, 190, 203, 298.

Santa Croce, quartier, 30.

Santa Marguerita de Prato, 77.

Santa Maria del Fiore, cathédrale, 46, 78, 198-200, 267, 287-289.

Santa Maria degli Angeli, couvent camaldule, 75, 80.

Santa Maria delle Carceri, par San Gallo, 299.

Santa Maria Maddalena des Pazzi, 300.

Santa Maria Novella, couvent dominicain de, 29, 56, 75, 78, 91, 185, 282, 285-286, 298.

Santa Maria Novella, quartier, 30.

Santa Maria sopra Minerva, 282, 295, 297.

Sant'Antonio, couvent de, 125.

Table des matières

DEUXIÈME PARTIE

L'HÉRITIER

Achevé d'imprimer en novembre 1982
sur presse CAMERON
dans les ateliers de la S.E.P.C.
à Saint-Amand-Montrond (Cher)
pour le compte de la librairie Arthème Fayard
75, rue des Saints-Pères - 75006 Paris

ISBN N° 2-213-01145-1

Dépôt légal : novembre 1982.
N° d'Édition : 6484. N° d'Impression : 1645.
Imprimé en France

H/35-6922-5